Mincir
au fil des saisons

D1413933

Du même auteur
aux Éditions J'ai lu

Ces françaises qui ne grossissent pas , *J'ai lu* 8268

MIREILLE GUILIANO

Mincir
au fil des saisons

Traduit de l'anglais (États-Unis)
par Anne Lavédrine

Bien-être

Titre original :
FRENCH WOMEN FOR ALL SEASONS

© Mireille Guiliano, 2006

Pour la traduction française :
© Éditions Michel Lafon, 2007

Vivez chaque saison qui passe, respirez l'air, goûtez au breuvage, mordez le fruit, soumettez-vous aux influences de chaque chose. Que les saisons soient votre fortifiant et vos remèdes.

Henry David THOREAU

OUVERTURE

« C'était la plus belle des époques, c'était la pire des époques. » Ainsi s'ouvre *Un conte de deux villes*, de Charles Dickens, rédigé voici un siècle et demi. Ce roman souligne les contrastes entre Paris et Londres, entre la France de la Révolution et l'Angleterre de la fin du XVIIIe siècle. Deux mondes à l'opposé l'un de l'autre, deux points de vue et deux destins divergents. Lorsque j'ai écrit *Ces Françaises qui ne grossissent pas*, je me suis à mon tour penchée sur deux univers contrastés, cette fois dans le domaine de l'alimentation, celui des Français et celui des Américains. J'ai aussi, dans une certaine mesure, cherché à comparer Paris et New York. J'ai fini par comprendre que j'étudiais en fait deux cultures globales de moins en moins dissociables. Aujourd'hui, l'endroit où l'on vit ne détermine plus le mode alimentaire. Il incombe à chacun d'effectuer les bons choix.

En effet, même dans ce contexte d'internationalisation, il reste possible de se nourrir de manière sensée et agréable, de profiter pleinement de chaque journée tout en revenant à une approche plus traditionnelle du quotidien, faisant la part belle à la qualité de la vie, à l'écoute des sens, aux mets saisonniers et aux plaisirs. Il ne s'agit pas de vivre dans le passé, mais de préserver et perpétuer les leçons apprises au fil des siècles. Je crois fermement que les préceptes de modération, d'alimentation et d'existence saines fondées sur l'amour des saveurs, qui m'ont été inculqués durant mon enfance, en France, peuvent être adaptés au monde actuel et appliqués presque partout sur cette planète. N'en déduisez pas que je ne comprends ni ne partage les défis auxquels les femmes du XXIe siècle sont confrontées : plannings surchargés, déjeuners avalés sur le pouce faute de temps, denrées industrielles et portions gargantuesques dans les restaurants...

J'ai longtemps considéré ces disparités de perspectives culturelles et de modes de vie comme l'expression de l'opposition que j'observais entre les éléments fondamentaux de la culture française et les comportements acquis aux États-Unis. Mais lorsque *Ces Françaises qui ne grossissent pas* est paru aux quatre coins de la planète, j'ai compris ceci : ce que je considérais jusqu'alors comme des divergences d'ordre national n'était qu'un aspect du gouffre séparant deux visions concurrentes du monde. Et même si je ne prétends pas détenir la clé d'un tel conflit ni même une aptitude particulière à le résoudre – j'essaie de ne pas me prendre trop au sérieux ! –, il me reste encore quantité d'expériences et de secrets (et bien des recettes et menus) à partager afin d'aider les autres à bénéficier d'une qualité de vie meilleure... et presque certainement à perdre du poids.

J'ai récemment emmené un journaliste français au marché d'Union Square, à New York. Là-bas, nous avons rencontré une classe d'enfants d'environ huit ans accompagnés de leur institutrice. Cette initiative revenait au programme *Spoons Across America* (« Cuillères à travers l'Amérique »), une association à but non lucratif qui promeut auprès des enfants, des enseignants et des familles les bienfaits d'une alimentation saine et de repas pris en famille autour d'une table, et qui les incite à soutenir les producteurs locaux. Comme nous étions en automne, les étals regorgeaient de diverses variétés de pommes. En en prenant une au hasard, mon ami journaliste a demandé en riant à l'un des enfants le nom du fruit. Le petit garçon l'a regardé, tout penaud. Ce n'était pas le nom de la variété de pomme qu'il ignorait : il ne savait pas même qu'il s'agissait d'une pomme ! Ce petit citadin n'en avait manifestement jamais vu. Voilà qui laisse songeur... En revanche, je suis persuadée qu'il reconnaîtrait sans difficulté l'emballage d'un beignet aux pommes de chez McDonald's.

J'ai, pour ma part, grandi dans un monde fort éloigné de celui de ce petit New-Yorkais – et pas seulement sur le plan géographique. Pour autant que je m'en souvienne, tous nos voisins possédaient au moins un arbre fruitier. Notre verger, lui, comptait quantité de pommiers. À l'époque de la cueillette, ma tâche consistait à arranger les diverses variétés dans de petites caissettes, que nous rangions ensemble au frais dans une cave, pour les conserver pendant l'hiver. Je me rappelle encore le mélange d'arômes qui emplissait cette pièce, et ce souvenir olfactif est le plus puissant que je garde de notre rituel automnal. Cela, et la fameuse tarte aux pommes alsacienne de Mamie, ma mère.

Nous cultivions aussi des groseilliers, spécialité de l'est de la France. La saison tant attendue de la récolte des groseilles durait peu de temps ; aussi nous dépêchions-nous d'en faire des confitures, des gelées, des tartes, parfois même des coulis. Excellent exemple du plaisir unique que procurent les mets de saisons... Nous anticipions d'autant plus ces délices que nous les savions éphémères. Rien d'étonnant donc à ce que nos contemporains, avec leur manie d'avaler leurs repas à la va-vite et sans grande satisfaction gustative, mangent trop et accumulent les kilos superflus.

Je passe beaucoup de temps dans les aéroports qui, à mes yeux, constituent une allégorie moderne de deux approches distinctes de la nourriture. J'ai assisté à l'aéroport international de Chicago à un spectacle que je regrette de ne pas avoir enregistré sur bande-vidéo. Tout autour de moi dans le terminal, des passagers engloutissaient d'impressionnantes portions de hamburgers, de frites et de pizzas arrosées de verres géants de soda ou de café, tout en pianotant sur leur ordinateur portable, en bavardant sur leur téléphone portable ou en feuilletant un journal. Détail d'importance : il était 10 heures du matin ! Que faisaient tous ces gens à table à une heure pareille ? S'agissait-il de petits déjeuners tardifs, de déjeuners anticipés ou simplement d'un moyen comme un autre de passer le temps ? Ces voyageurs semblaient d'ailleurs plus se gaver qu'autre chose et aucun visage n'exprimait le plaisir apporté par un repas ou un en-cas vraiment savoureux. Comme on peut s'en douter, ils étaient pour la plupart nettement en surpoids. À mon arrivée à New York, j'ai trouvé les buvettes et restaurants de l'aéroport en pleine effervescence... à 15 heures passées.

Évidemment, quelques personnes échappaient à la folie ambiante : Américains hors normes ou visiteurs de passage ? Eux semblaient partager l'approche nutritionnelle qui m'avait été inculquée dans mon enfance. D'ailleurs, même si les fast-foods se multiplient dans tous les aéroports du monde, la situation reste à peu près sous contrôle dans mon pays natal. À l'aéroport de Roissy-Charles-de-Gaulle, on voit plutôt des gens assis dans les cafétérias et les restaurants aux heures des repas, mangeant le plus souvent avec un couteau et une fourchette, hormis dans les bars destinés à la dégustation d'un croissant, d'un sandwich jambon-beurre ou d'un café – un expresso, pas un *frappuccino con vanilla latte* d'un demi-litre comme on en vend outre-Atlantique. Cela dit, avec le développement des chaînes Starbucks et consorts sur le Vieux Continent, cette exception française est peut-être en voie de disparition. Et l'on commence à croiser dans les aéroports de l'Hexagone des passagers aux habitudes *made in USA*, absorbant simultanément deux sandwichs, un magazine et la musique de leur iPod. Ils restent l'exception, alors qu'ils constituent la norme dans mon pays d'adoption. Il n'empêche, s'il faut en croire le grand gastronome du XVIIIᵉ siècle Brillat-Savarin, auteur du fameux adage « Nous sommes ce que nous mangeons » et du moins connu « Le destin d'une nation dépend de la façon dont elle s'alimente », où allons-nous ?

Aujourd'hui, ni Paris ni les Parisiennes ne sont immunisés contre le développement de la culture de l'excès et le délitement progressif des modes d'alimentation traditionnels dans le monde entier. En réponse aux courriers de lecteurs désireux de me révéler que, lors de leur séjour en France, ils avaient *vu de leurs yeux* des Françaises trop grosses, je me permets de rappeler que je n'ai jamais prétendu qu'aucune Française ne souffrait de kilos superflus ! Si nous restons majoritairement sveltes, il existe une minorité en surpoids, malheureusement en expansion, et qui frôle même l'obésité. La raison de cette évolution ? Eh bien, les chaînes de fast-food ont envahi depuis bien des années déjà le boulevard Saint-Germain et les Champs-Élysées. Et les Françaises sont tout aussi susceptibles que les autres de se laisser tenter par les mets servis dans ces établissements. Plus important encore, elles subissent comme nous tous les pressions liées à la globalisation et à l'érosion des valeurs traditionnelles, ainsi qu'une accélération des rythmes de vie ne permettant plus de savourer les repas comme nos parents le faisaient. Or, moins l'on déjeune et l'on dîne en famille, moins les parents ont l'occasion d'inculquer à leur progéniture de bonnes habitudes alimentaires... Dernièrement, le ministère français de la Santé a lancé une campagne de sensibilisation aux risques liés à l'obésité. Ne nous leurrons pas, il s'agit d'une épidémie mondiale qui, en l'absence de contre-mesures, garantira à la France, dans une génération, un pourcentage de citoyens en surpoids ou obèses équivalant à celui qu'affichent aujourd'hui, les États-Unis par exemple.

D'ailleurs, si ce danger n'existait pas, *Ces Françaises qui ne grossissent pas* n'aurait peut-être même pas été

11

publié en France. Or, j'ai découvert à cette occasion que mon pays natal avait très envie que lui soient rappelées ses coutumes traditionnelles – presque autant que mon pays d'adoption souhaitait les découvrir. Et s'il n'existe aucun cordon sanitaire capable de maintenir les super-maxi-menus et les portions géantes de soda à distance des frontières françaises, rien n'empêche non plus aucun citoyen du monde de retrouver des préceptes nutritionnels plus sensés et de les adapter à son mode de vie spécifique.

L'intérêt que les Français portent traditionnellement à la nourriture explique en grande partie la sveltesse habituelle de mes compatriotes. Mon premier livre s'adressait aux masses silencieuses des « victimes de régimes ». J'ai voulu les inciter à rejeter deux préceptes erronés : « Il faut se priver pour perdre du poids » et « Quand on grossit c'est parce qu'on ne se refuse rien ». Pour le reste, j'ai surtout remis au goût du jour des règles de bon sens partant du principe que, en recouvrant le plaisir de manger, on peut perdre du poids et rester mince ! Car le plaisir constitue une motivation autrement puissante et durable que le rêve de perdre une taille de vêtements. Il suffit d'acquérir le sens des proportions et de cultiver la sensibilité de nos papilles gustatives. De cette manière, on n'a jamais l'impression de se priver. Aux lectrices de mon premier livre, je demandais certes un engagement de plusieurs mois, mais je leur promettais en retour des résultats durables et un définitif adieu au « yo-yo » généré par les régimes express. Mon but était d'aider mes lectrices et lecteurs à devenir minces, toniques et bien dans leur peau, le tout sans effort. Ne voyez là nul chauvinisme : il se trouve simplement que je juge certains aspects de la culture française particulièrement dignes d'être exportés. De même, ce n'est pas par snobisme que je rejette certains produits vendus dans les supermarchés. Manger un aliment gorgé de saveurs naturelles, par opposition à un produit rehaussé d'arômes artificiels ou bourré de graisses et de sel pour masquer sa fadeur, se révèle beaucoup plus satisfaisant et rassasie bien plus rapidement. Quand vous voyez une femme s'extasier devant un melon mûr à point sur un marché, elle ne cherche pas à pavoiser : elle connaît tout bonnement la différence entre un produit frais de saison cultivé avec amour et un produit industriel ! Ce talent, plus que tout autres constitue l'arme secrète des Françaises contre l'invasion des kilos. L'ADN n'a rien à voir à l'affaire. Les Françaises ne disposent pas d'un palais mieux doté qui leur permettrait d'apprécier un chocolat fin plutôt que ses cousins industriels. En revanche, elles apprennent dès l'enfance le goût des bonnes choses. Mais on peut apprendre à tout âge, il suffit d'un peu de bonne volonté et du respect des saisons. Voilà la principale raison qui m'a poussée à écrire ce second livre.

Qu'en est-il du prix d'un tel mode de vie ? Je l'admets, les bons aliments sont fréquemment, mais pas toujours, plus chers que les ingrédients ordinaires. Toutefois, nombre de mes recommandations sont à la portée de toutes les bourses, qu'il s'agisse de marcher, de circuler à vélo ou bien d'économiser sur les coûts de transport en achetant des produits locaux et de saison. Malgré leur revenu moyen plus faible, les Français dépensent plus pour la nourriture que les Américains ou les Britanniques. Pourtant ils se révèlent en moyenne plus minces, sans doute parce que l'on mange moins en mangeant mieux. Puisqu'il s'agit de santé, d'image corporelle et de paix intérieure, un petit effort financier ne vaut-il pas la peine d'être tenté ? C'est une question de priorités : à vous de déterminer les vôtres.

Si nous possédons tous un palais, celui-ci est plus ou moins bien éduqué. Cela n'empêche pas tout un chacun de se mettre à niveau pour comprendre ce qu'il offre à son organisme. Exemple : le jus d'orange est sain, mais quelles sont les conséquences si on en boit un grand verre chaque matin ? De la même façon, les eaux en bouteille – de source ou minérales – ne sont pas semblables. Certaines contiennent beaucoup de sodium, déconseillé aux personnes souffrant d'hypertension artérielle ou de troubles cardio-vasculaires ; d'autres, ultraminéralisées ne sont pas recommandées aux personnes atteintes de calculs rénaux. Apprenez à déchiffrer les étiquettes...

La cuisine est elle aussi un apprentissage. En osant vous lancer derrière vos fourneaux, vous aurez plus conscience de ce que vous apportez à votre organisme, vous affinerez votre appréciation des saveurs et vous nouerez des rapports plus sains avec la nourriture. Tout le monde peut apprendre à cuisiner ; le plus tôt sera le mieux. Associez vos enfants à la préparation des repas et emmenez-les au marché pour voir de près des ingrédients frais : vous les doterez ainsi d'un immense atout pour l'avenir. Ils comprendront que plus les produits sont frais, moins on a besoin de les apprêter : les mets les plus simples se révèlent les plus agréables. Les recettes présentées dans cet ouvrage expriment mon penchant pour la pureté et la simplicité, ainsi que pour le plaisir des papilles. Cela ne m'empêche pas d'apprécier de temps à autre des mets à la fois succulents et très compliqués... mais au restaurant !

Bien sûr, en France comme ailleurs, de bons repas ne suffisent pas à vous combler. Cependant, ma philosophie diététique s'applique à tous les aspects de l'existence : vous devez chercher à retirer de la joie de chaque expérience – vos trajets quotidiens, vos habitudes vestimentaires, voire vos premières pensées au réveil. Les occasions qui recèlent un potentiel de bonheur sont fort nombreuses, profitez-en sans modération ! En effet, la vie, c'est bien plus que de ne pas grossir...

Après la parution de *Ces Françaises qui ne grossissent pas*, j'ai reçu d'extraordinaires témoignages de lecteurs, qui me sont allés droit au cœur. Voilà le secret du plaisir : changez votre façon de penser, et la façon de vous nourrir suivra. Changez votre façon de manger, et vos kilos s'envoleront d'eux-mêmes. À l'inverse, si vous laissez un livre de régime décider de ce que vous mangerez, où, quand et comment, vous n'apprendrez rien d'utile et ne ferez que retarder l'inévitable retour des kilos.

Mon premier livre posait les bases d'une réconciliation avec soi-même et avec son propre organisme, un chemin vers la perte de poids et l'équilibre, vers ce poids idéal qui permet de se sentir bien dans sa peau. Il s'agissait de procéder par étapes afin de se remodeler pour la vie, et pas seulement pour la saison des maillots de bain. Le présent ouvrage cherche à approfondir les préceptes du précédent. Il amène aussi des suggestions visant à vous guider tout au long de l'année et des années à venir, puis à vous apprendre à profiter des moments heureux, et à les susciter. N'y voyez cependant pas un ensemble de règles immuables. Certes, je vais vous dévoiler mes secrets et ceux de mes amies, accompagnés de conseils, de recettes et de menus. Mais vous déciderez seul de les suivre, de les adapter et de les personnaliser.

Si aucun des mets cités ci-après ne vous fera grossir – à condition de les déguster avec modération –, le but reste toutefois de mieux remplir sa vie (sinon son pantalon). Il s'agit de s'accorder au rythme des saisons et de redécouvrir le plaisir de manger. Certes, ces pages indiquent des « trucs » minceur ; mais si vous cherchez avant tout à perdre du poids, je vous conseille de vous reporter à mon premier ouvrage afin de recouvrer votre équilibre pondéral, c'est-à-dire un poids sain et satisfaisant. Sans me prendre pour un grand écrivain, je sais en effet qu'il est impossible d'apprécier Proust si l'on n'a pas pris la peine d'acquérir des bases de grammaire et de vocabulaire !

Ces Françaises qui ne grossissent pas rappelait les fondements de la joie de vivre. À présent, nous allons nous pencher sur l'art de vivre dans son ensemble.

1

J'AI OUBLIÉ DE VOUS DIRE...

Dès que j'entends cette expression, je pense à ma mère. À l'entendre, Mamie se remémorait les choses qu'elle tenait à nous dire juste après que nous avions quitté la pièce ou bien raccroché le téléphone. Un exemple parmi d'autres : « J'ai oublié de te dire que si tu ne bats pas tes blancs en neige très ferme, ton soufflé retombera lamentablement. »

Avant le lancement de mon premier ouvrage en France, une amie parisienne organisa un dîner exclusivement féminin. L'une des convives, Michèle, me supplia de lui en révéler la teneur. Mais avant que je n'aie pu dire un mot, une dénommée Claudette affirma avec un sourire espiègle que j'y dévoilais tous les secrets de notre art de manger sans jamais prendre un kilo. Un raccourci quelque peu caricatural... « Pas tous, quand même ? », se récria Michèle. Je vous le jure, je n'invente pas cette anecdote ! (J'ai d'ailleurs observé à plusieurs reprises ce type de réaction de la part de mes compatriotes.) Un peu étonnée, je me tirai d'affaire grâce à l'expression favorite de ma mère : « Ne vous en faites pas, ai-je assuré, j'ai oublié de dire un certain nombre de choses... J'ai gardé par-devers moi quelques-uns de nos petits secrets. » Pour un peu, mes compagnes auraient exigé de moi le silence !

Les écueils du discours express

Notre monde est à la fois beaucoup plus complexe que celui dans lequel nos parents ou nos grands-parents évoluaient, et par certains aspects beaucoup plus superficiel. Nos contemporains, *a fortiori* les New-Yorkais, manquent furieusement de patience. Ils attendent des réponses brèves et des solutions rapides à n'importe quel problème. Leur vie trop bien remplie ne leur laisse pas le temps de se pencher sur une question donnée, fût-ce leur propre excédent pondéral.

C'est sans doute à Manhattan que fut inventé le discours express : trente secondes chrono pour vendre une idée – en gros le temps pendant lequel on dispose d'un auditoire captif, par exemple dans un ascenseur. En clair, si vous n'êtes pas capable de résumer votre propos en quelques phrases, vous ne maîtrisez pas bien votre sujet. Voilà le raisonnement en vigueur dans le monde du travail moderne. Or, si cette règle convient fort bien à quantité d'innovations, comme le très utile adhésif double-face ou les folkloriques chapeaux-parapluies multicolores, toutes les bonnes idées ne peuvent s'exposer aussi rapidement. Tandis que l'on admet aisément qu'aucune personne dotée de bon sens n'adhérerait à une philosophie politique posée aussi brièvement, il en va différemment des régimes, considérés comme des produits de consommation.

On attend donc de ces derniers qu'ils respectent la règle des concepts-slogans : « Mangez des protéines ! », « Plus de glucides ! », « Ce n'est pas ce que vous mangez qui importe, mais le *moment* où vous le mangez » et ainsi de suite... J'ai ainsi été confrontée à des interlocuteurs attendant que je récapitule en une phrase mon programme de vie, alors que je me suis toujours efforcée de le présenter comme un non-régime reposant sur une approche globale. Rien à voir avec un régime, un régime n'est pas un mode de vie – Dieu merci ! – et un livre de régime n'est qu'un manuel d'instructions à usage transitoire.

Aucun résumé express de *Ces Françaises qui ne gros-sissent pas* ne pourrait dire pourquoi il est si important de redécouvrir les joies de la cuisine et de la bonne chère. Je peux évidemment dire : « Prenez trois repas par jour, sur-veillez vos portions, préférez les fruits et les légumes de saison, buvez beaucoup d'eau et un peu de vin, marchez davantage et autorisez-vous des plaisirs occasionnels. » Seulement, ces règles générales ne sont pas exclusives à mon ouvrage et l'on me rétorquerait à juste titre qu'elles relèvent simplement du bon sens. En l'espèce, la totalité des chapitres constitue bien plus que la somme de ces préceptes si brièvement rapportés. Un mode de vie ou un style de vie, c'est tout un ensemble de comportements au travers desquels on est amené à adopter des principes durables et à renouer avec un certain nombre de valeurs. C'est pourquoi les divers volets, pris individuellement ou énumérés sous forme de liste, ne donnent aucune idée de ce qu'ils représentent réellement : c'est un peu comme si l'on cherchait à résumer un roman policier par sa table des matières ! Comme un mets de choix, mon ouvrage exige d'être lu et dégusté petit à petit.

La lecture d'un livre de ce genre incite à tester, au moins pour un temps, les vertus d'un mode de pensée différent, d'un regard différent et, dans le cas qui nous occupe, d'une façon de manger, de bouger et de vivre différente. Il faut entre six mois et un an pour changer complètement de mode d'alimentation, d'activité et d'existence. Cet investissement de temps est plus lourd que pour additionner des calories. Peut-être n'ai-je pas suffisamment insisté, dans mon précédent ouvrage, sur l'importance de la patience et de la persévérance. Puis-que je recommandais de nouveaux plaisirs et non des privations, il me paraissait inutile de le préciser.

En réalité, comme quantité de lectrices me l'ont confirmé, les résultats sont directement proportionnels au sérieux avec lequel on a suivi mon programme. Plus on pense au changement, plus on finit par modifier de paramètres au quotidien, plus on change de choses dans sa vie, et plus l'amélioration obtenue est sensible. On se place aux antipodes du cycle ininterrompu des régimes classiques, dans le cadre desquels une brève phase de souffrance apporte un bref répit dans la bataille contre les kilos. Autant dire que si votre objectif est de perdre cinq kilos en deux temps trois mouvements pour parader sur une plage (et après vous le déluge, tactique que je ne recommande évidemment pas du tout un régime jockey vous conviendra à merveille, même si cela ne constitue jamais une solution très saine. Mais si vous souhaitez vous débarrasser définitivement de votre excédent pondéral *et* profiter des plaisirs de l'existence tout en préservant votre ligne, poursuivez votre lecture ! Voilà plus en détail ma philosophie, pour vous permettre de profiter encore mieux du quotidien. Lorsque vous maîtriserez mes préceptes, le contrôle de votre poids et les autres avantages qu'il procure viendront presque sans effort. Mais avant de nous plonger dans le vif du sujet, voici les quelques points que j'avais oubliés dans mon ouvrage précédent...

Les Françaises vivent plus longtemps

Il y a quelques années, la doyenne des Français est décédée à l'âge vénérable de 122 ans. On a évidemment étudié de très près l'existence et l'hygiène de vie de cette championne de la longévité. Conclusion : Jeanne Calment a vécu toute sa vie en Provence, à Arles, et respecté une alimentation franco-méditerranéenne traditionnelle, riche en fruits et légumes de saison et du pays, en olives et en huile d'olive, avec un peu de viande, de gibier et du poisson. Côté matières grasses, elle absorbait principalement de bonnes graisses, même si elle appréciait le fromage et les tartines beurrées. Les fruits et légumes cultivés localement qui emplissaient son panier lui ont apporté relativement peu de pesticides, de polluants ou de conservateurs et elle n'a certainement jamais ingéré d'aliments génétiquement modifiés. J'ignore si elle en faisait des potages, mais elle mangeait sans doute des poireaux. Elle buvait sans se faire prier un ou deux verres de vin du pays, qui est en général rouge, et appréciait un doigt de porto avant les repas. Cette dame n'a jamais fréquenté les fast foods et a toujours pris ses trois repas quotidiens à table, tranquillement, et en s'accordant le loisir de les savourer. Ses déplacements s'effectuaient principalement à pied ou à vélo, sport qu'elle pratiqua jusqu'à son centième anniversaire. Et elle vivait au rythme paisible de la Provence, entrecoupé de longs déjeuners souvent suivis d'une sieste (dans notre maison provençale, mon mari Edward et moi possédons trois horloges murales : une à l'heure de New York, une à celle de Paris et la troisième à celle de la Provence, en théorie identique à celle de Paris, mais pas vraiment : en fait, cette troisième pendule ne fonctionne pas, afin de nous rappeler qu'il est inutile de connaître l'heure exacte dans cette région...) Oh, j'allais oublier, cette Mme Calment n'a jamais été grosse.

À l'évidence, nous ne pouvons pas tous remonter le siècle, nous installer en Provence et adopter un mode de vie identique à celui de Jeanne Calment dans l'espoir de devenir plus que centenaires. D'ailleurs, en tout honnêteté, si l'idée de vivre longtemps me plaît, je ne voudrais pas d'une telle existence : la mienne me satisfait pleinement ! Mais cet exemple est édifiant à plus d'un titre. Car si seule Jeanne Calment figure dans le *Livre des records*, sa vie ressembla à celle de quantité de femmes de sa région et de sa génération. Et si les octogénaires et nonagénaires d'aujourd'hui n'ont guère pâti du stress moderne qui empoisonne notre quotidien, n'oublions pas qu'elle ont vu le jour en plein marasme de la fin de l'entre-deux guerres et subi l'Occupation et les pénuries que celle-ci a entraînées. Les choses n'étaient pas très faciles non plus dans le Vaucluse de 1943...

Selon l'Organisation mondiale de la santé, les Françaises possèdent l'espérance de vie la plus élevée d'Occident et, à l'échelle mondiale, seules les Japonaises les coiffent au poteau. Elles peuvent aujourd'hui escompter vivre 82,8 ans en moyenne. Cette longévité vient notamment de ce que, dans l'ensemble, elles affichent un poids de forme. Or, les principaux facteurs de mortalité dans les pays industriels sont liés à l'obésité. Et d'ailleurs, une Jeanne Calment obèse n'aurait pu circuler à vélo jusqu'à 100 ans, même en ayant contre toute attente réussi à atteindre cet âge avancé. Conserver une silhouette harmonieuse conduit, à terme, à rester plus jeune ; on ne vit pas seulement plus longtemps, mais mieux.

La médecine a accompli des progrès immenses en apprenant à traiter avec succès quantité d'agents infectieux et de cancers et à contrôler des affections chroniques telles que le diabète. Il est bien dommage que, dans les pays bénéficiant le plus des avancées médicales, les choix de vie contrecarrent bien souvent les progrès de la science.

La solution des 50 %

J'ai longuement abordé la question des portions dans *Ces Françaises qui ne grossissent pas*, au point que d'aucuns ne retinrent que cet aspect de mon ouvrage. Tout n'est pas qu'affaire de portions, contrairement à ce que j'ai pu lire sous la plume d'un journaliste un brin expéditif ; mais celles-ci ont leur importance et, dans ce domaine, quantité de nos contemporains vont devoir revoir leur copie. On estime en effet, par exemple, qu'outre-Atlantique l'apport alimentaire excède de 10 à 30 % en moyenne les besoins nutritionnels d'une population de plus en plus sédentaire. Rien d'étonnant donc si les Américains affichent en moyenne un poids de 30 % supérieur à leur poids idéal. Dire qu'au XVIe siècle, Montaigne soulignait déjà que la gloutonnerie était la source de toutes nos infirmités...

La maîtrise des portions relève plus de l'art que de la discipline. Le but ultime est de diminuer peu à peu ses portions au fil des semaines et des mois, à mesure que se diversifie le contenu de l'assiette. Ce n'est pas toujours aussi facile qu'il y paraît. Je vous recommande donc un truc dont je me sers pour contrôler le volume de mes repas : considérant mon assiette, je me demande si je pourrais me contenter, au sens de « me satisfaire pleinement », de la moitié de son contenu. J'ai recours à cette technique quand je me méfie des ingrédients riches susceptibles de se cacher dans le plat servi, ou lorsque la portion est à l'évidence copieuse. Je commence par manger la moitié de mon assiettée. Lentement, bien sûr, et en mastiquant correctement. Puis, je repose mes couverts et je m'efforce de déterminer si je suis satisfaite et repue, si continuer à manger serait simple gourmandise ou réflexe.

En général, le plaisir gustatif procuré par un aliment se concentre dans les premières bouchées. C'est le cerveau qui indique à l'estomac la satiété, et non l'inverse. Après, un autre phénomène psychologique entre en jeu : le souci de se remplir au sens propre du terme, tout comme la nature incitait les hommes préhistoriques à le faire pour se prémunir contre d'éventuelles périodes de disette. Au début, c'est agréable... jusqu'au moment où l'on se sent comme une outre.

Parfois cette demi-part me suffit, parfois non. J'attaque alors la moitié de la moitié qui me reste. Puis, après une nouvelle pause, je me demande si j'éprouve l'envie ou le besoin de poursuivre. Edward parle de mon « paradoxe de Xénon du contrôle des portions ». De fait, pour reprendre ce précepte antique, ne jamais manger que la moitié de ce qui reste dans son assiette conduit à n'en jamais manger la totalité ! Voilà pour la théorie. Pour ma part je préfère parler de « Solution des 50 % » et me pencher sur son utilité pratique.

Le simple fait de poser ses couverts et de réfléchir prolonge le repas ; cela permet au cerveau de rattraper son retard sur l'estomac et de sécréter l'hormone qui nous dit : « Mmm, c'était délicieux, mais j'en ai assez ». La satisfaction alimentaire ne résulte pas seulement des aliments consommés, mais aussi de la quantité ingérée durant une période donnée.

Cette approche m'est utile de diverses manières : je commande un dessert pour deux et je surveille ma consommation de pain au restaurant. Le pain constitue en effet l'une de mes grandes faiblesses, j'en dévore facilement trois ou quatre tranches avant de réagir. La Solution de 50 % me permet aussi de me prémunir contre les méfaits de certains produits « cachés » dans un plat ou si l'on m'a servi très généreusement. Je mange donc la moitié, en mastiquant bien, puis je m'interroge sur le contentement et le plaisir que m'a procurés cette expérience et si je souhaite la poursuivre consciemment ou par pur automatisme.

Une pratique régulière de la Solution des 50 % conduit à considérer comme satisfaisantes des portions plus réduites. L'œil les « calibre » pour vous. Pour ma part, je me livre à ce petit jeu depuis si longtemps... c'est devenu une seconde nature. Je l'applique même aux bananes ! Oui, je mange des bananes, ces fruits si pratiques, disponibles toute l'année car venant de zones tropicales, et qui compensent la relative absence de fruits frais en hiver. Une banane à point constitue un dessert sans égal excellent pour la santé. Pauvre en sodium, elle est une bonne source de fibres alimentaires, de vitamine C, de potassium, de manganèse et de vitamine B6. Toutefois, comme les bananes sont riches en sucre (et de plus en plus à mesure qu'elles mûrissent), il convient de s'en méfier un tantinet, d'autant plus que celles vendues aujourd'hui sont deux fois plus grosses que celles de mon enfance. La Solution des 50 % vient ici à notre secours...

Trop souvent, on épluche sa banane et on l'engloutit en un éclair, souvent par grosses bouchées. En application de la Solution des 50 %, je coupe mes bananes en deux avant de les éplucher, j'en enveloppe la moitié dans du film alimentaire et je la mets de côté pour plus tard (le petit déjeuner du lendemain ou un autre dessert). Avec un minimum de pratique, on en vient à considérer la moitié d'une banane du XXIe siècle comme un dessert plus que suffisant, surtout si on la considère de la même façon qu'une part de gâteau. Je ne mange pas mes bananes avec les doigts, je les épluche et je les place dans une assiette pour les déguster avec un couteau et une fourchette. J'en savoure chaque morceau, en posant mes couverts entre deux bouchées. Encore une fois, manger lentement intensifie l'expérience et alerte le cerveau. Un dernier petit conseil de mon cru : une fine tranche de banane possède une saveur tout aussi puissante qu'une grosse bouchée. Tenez-en compte pour faire durer le plaisir. Je vous le garantis, avec cette technique, vous apprécierez bien plus une demi-banane qu'une banane entière avalée à la hâte.

Ce principe fonctionne aussi pour le vin. (J'y reviendrai ultérieurement dans le détail.) Les incontestables bienfaits du vin peuvent être réduits à néant pour peu qu'on en abuse... J'ai longtemps travaillé dans ce domaine, il s'agit donc d'un élément indispensable de mon existence et de mon mode de vie. Et je puis vous affirmer que bu avec modération, le vin ne fait pas grossir ! Si le vin rouge est loué pour sa teneur en resvératrol, un antioxydant surpuissant de la famille des flavonoïdes présent aussi dans les myrtilles, tous les vins se révèlent bons pour la santé. Le champagne, l'un des plus complexes, recèle pour sa part des oligo-éléments spécifiques aux effets particulièrement bénéfiques.

Mais quelle quantité peut-on en boire ? La plupart des médecins tendent à recommander un verre ou deux par jour, selon la taille et la constitution de la personne, à consommer bien entendu dans le cadre des repas. Comment faire quand on est seulement deux à en boire, sachant qu'une bouteille classique de 75 cl contient six verres et qu'une bouteille ouverte perd vite son bouquet ? Et comment résister à la tentation, après ce premier ou deuxième verre de la journée, de s'en verser un troisième, voire un quatrième ? Rappelons à cet égard que le vin doit être dégusté et apprécié, et non avalé d'un trait...

À la maison, Edward et moi appliquons sans faiblir la Solution des 50 %. Voilà comment nous procédons. Nous avons tout d'abord fait l'acquisition de quelques demi-bouteilles de vin d'une contenance de 37,5 cl que nous avons lavées après les avoir bues. Désormais, quand nous ouvrons une nouvelle bouteille, nous en transvasons aussitôt la moitié dans une demi-bouteille vide, que nous rebouchons immédiatement. Le vin reste quinze secondes en contact avec l'air ; si vous le gardez au frais, il conservera sa saveur pendant plusieurs jours, voire plusieurs semaines ou plusieurs mois, si vous le rangez dans le réfrigérateur (dans ce cas, pensez à sortir votre demi-bouteille vingt minutes avant de la boire). Au dîner, une demi-bouteille nous convient parfaitement, puisqu'elle contient de trois à quatre verres. La Solution des 50 % intervient alors de nouveau, nous buvons notre vin demi-verre par demi-verre ; cela nous permet de le remplir plusieurs fois. Essayez, vous verrez combien on se leurre facilement. Trois demi-verres de vin sont beaucoup plus satisfaisants et agréables sur le plan psychologique qu'un verre et demi ou un très grand verre.

L'un des vins les plus mémorables que j'aie jamais goûtés, et l'un des meilleurs, était un bourgogne rarissime dont on m'a servi tout au plus 6 cl. Pourtant je m'en souviendrai jusqu'à mon dernier jour ! Au fil des années, Edward et moi avons eu la chance de pouvoir acheter quelques bouteilles de grande qualité et, grâce au « truc » des demi-bouteilles, d'en profiter pleinement sans craindre d'en gâcher une partie, puisque nous savons que chacune d'elles pourra être répartie sur plusieurs repas.

Voici un autre exemple d'utilisation de la Solution des 50 % pour gérer la taille des portions. Nous connaissons tous des personnes qui boivent leur café sucré, qui ajoutent sans réfléchir un ou deux sucres dans chaque tasse. Et si vous commandez un café ou un thé, on vous apporte tout naturellement un sucrier... Si s'autoriser un ou deux sucres (ou une ou deux cuillerées de sucre en poudre) par jour paraît tout à fait raisonnable, quantité de personnes dépassent largement ce seuil, surtout quand elles « carburent » à la caféine – ce qui n'est de toute façon pas une bonne idée.

Fort heureusement pour moi, qui adore les douceurs, j'ai appris dès l'adolescence, sur les conseils du Dr Miracle, à boire mon café noir. Mais quand j'ai connu Edward, il mettait systématiquement un ou deux sucres dans son café. Un jour qu'il s'apprêtait à verser une bonne cuillerée de sucre en poudre dans sa tasse, je lui demandai s'il pourrait boire son café sans sucre. Il me rétorqua : « Tu mangerais des frites sans ketchup ? » Euh, oui, absolument... En y réfléchissant, il admit ne s'être jamais posé la question. Pour lui, café et sucre allaient forcément de pair. Quelques jours plus tard, je revenais à la charge, lui suggérant de diminuer de moitié sa dose de sucre, juste pour essayer. Il releva le défi et, à sa grande surprise, apprécia tout autant son café. En quelques mois, il devait encore diviser par deux cette demi-portion ; depuis dix ou quinze ans, il boit son café matinal (le seul de la journée) sans sucre, mais avec grand plaisir !

La Solution des 50 % constitue donc un moyen efficace pour réduire son apport calorique tout en développant sa sensibilité à la saveur sucrée. Les édulcorants de synthèse se révèlent contre-productifs en revanche, même s'ils ne contiennent pas de calories, car ils entretiennent votre goût pour le sucré. Une fois « désintoxiqué », vous trouverez à votre tour le café sucré sirupeux et apprécierez la véritable saveur de ce breuvage. Et lorsque la perception du sucré sera en quelque sorte réétalonnée, les desserts qui vous faisaient tant saliver vous paraîtront écœurants (cette règle s'applique également aux autres saveurs).

L'insupportable douceur de la vie américaine

C'est un Américain, auteur d'un ouvrage relatant la difficile réacclimatation de sa famille à New York après des années de vie parisienne, qui a inventé cette expression. Tous les membres de la maisonnée sans exception jugeaient en effet tous les mets trop sucrés.

Les Japonais distinguent traditionnellement cinq saveurs : le salé, l'amer, l'aigre, l'*unimami*, littéralement « saveur savoureuse », et la douceur – dont l'équilibre commande le plaisir gustatif. Un excès de l'une ou l'autre de ces saveurs masque en effet les subtilités du goût des aliments.

En France, on prend en général au dessert un fromage ou – et – un fruit, et éventuellement un carré de chocolat ou un petit biscuit avec le café, les pâtisseries étant réservées aux grandes occasions. De même que l'on dessert la table après un repas, le dessert vise à rincer le palais et en aucun cas à noyer les papilles sous un déluge de gras-sucré. D'ailleurs jusqu'au XIXᵉ siècle le sucre était une denrée rare et onéreuse, si bien que les desserts proposés alors étaient strictement réservés aux plus fortunés, aux grandes fêtes.

Malheureusement, aujourd'hui le sucre s'immisce dans bien d'autres produits. Ainsi, on retrouve du sirop de maïs riche en fructose aussi bien dans les boissons sucrées que dans les sauces tomate, les yaourts aux fruits ou les frites des fast-foods. Cela génère un supplément de calories sans l'apport énergétique instantané que le corps pourrait mettre à profit, puisque les cellules consomment du glucose et non du fructose. Ce surplus d'énergie est donc stocké sur le ventre ou sur les cuisses. Le sirop de maïs représente sans doute, après les graisses trans, l'ingrédient caché le plus nocif des aliments industriels. On estime qu'un Américain en consomme en moyenne plus de vingt kilos par an...

À propos de fructose, signalons au passage que la plupart des jus de fruits, qui en contiennent naturellement, se révèlent pour le même motif assez mauvais pour la ligne... Mon conseil : mangez les fruits plutôt que de les boire !

Pour en revenir au café, il faut bien l'avouer, on est plus enclin à sucrer un mauvais jus amer qu'un expresso préparé à partir de grains de qualité, torréfiés à point et fraîchement moulus. Le breuvage servi dans les bistrots américains, sans cesse réchauffé sur une plaque électrique, est certes proprement imbuvable tel quel. Mais il existe aujourd'hui de bonnes machines à café et de bons ingrédients à des prix tout à fait abordables. Un dernier détail : ne préparez jamais le café à l'avance, car il ne conserve guère sa pleine saveur au-delà d'une vingtaine de minutes.

Étouffés sous le poids de l'abondance

En voyage, même la Solution des 50 % montre ses limites face aux buffets proposés dans les hôtels au petit déjeuner. J'adore les tables chargées de bonnes choses, je l'avoue... mais je les évite le plus possible, même si je ne saute pas ce premier repas de la journée. Ne rien prendre le matin incite automatiquement à grignoter plus tard ou à trop manger lors du déjeuner. En général, je m'astreins à me faire servir dans ma chambre, même si cela implique un supplément financier : je suis sûre de manger seulement ce que je commande, c'est-à-dire ce dont j'ai vraiment envie.

De temps à autre, toutefois, je cède à la gourmandise et aux sirènes du buffet. Alors, je ne me prive de rien. En revanche, je compenserai mes excès au déjeuner, et parfois au dîner. Pour éviter toute dérive, je veille néanmoins à ne pas remplir mon assiette complètement, mais plutôt à effectuer plusieurs aller-retours vers les tables et à m'asseoir entre chaque plat. Mon conseil : faites un premier tour sans assiette, une sorte de mission de reconnaissance pour déterminer ce qui vous semble vraiment appétissant, puis réfléchissez à ce que vous allez prendre. Ensuite, ne vous servez pas en une seule fois, faites deux tournées, par exemple une pour une portion de yaourt et de fruits rouges, et une autre pour le porridge, ou des œufs brouillés (je devrais d'ailleurs dire *un* œuf brouillé, je préfère cela aux trois habituels). En général, je n'ai plus faim après cela. Mais si j'effectue un troisième raid, par exemple pour goûter aux croissants ou à quelque spécialité locale, je ne culpabilise pas pour autant. Étant tout à fait consciente de ce que je fais, je profite pleinement du buffet sans me battre la coulpe. Je suis adulte, je sais donc que je devrai contrebalancer cet excès par un petit effort plus tard dans la journée ou le lendemain. Des compensations, mais rien de catastrophique.

En revanche, pas question de s'exposer deux fois dans la même journée aux dangers d'un buffet ! Si, pour une raison ou une autre, vous ne pouvez y échapper, rappelez-vous la règle des trois tournées. Un dernier conseil : préférez les assiettes prévues pour les entrées, considérez les mets exposés comme autant de tapas et servez-vous en conséquence.

La gym

Une jeune collaboratrice m'a récemment raconté que, lors de ses déplacements professionnels, elle oubliait complètement son régime. Sa remarque est révélatrice d'une triste réalité puisque le régime est devenu un élément permanent de l'existence de bien des femmes. Mais elle a rajouté ce bémol inattendu : « Je compense toujours, comme vous le suggérez dans votre livre, puisque les hôtels ont des centres sportifs très bien équipés. J'en profite pour éliminer le surplus de calories. » Ayant à sa disposition des salles de gym mieux équipées que celle fréquentée d'ordinaire, elle ne résistait pas à la double tentation de trop manger et de faire trop d'exercice, juste pour essayer les machines elliptiques et autres Gravitron.

Grave erreur... On ne fait pas de l'exercice pour compenser un excès alimentaire ; on mange pour apporter du carburant à son corps. Certes, nous devrions tous bouger davantage, mais aller à la gym pour brûler un trop-plein alimentaire est une absurdité qui peut en prime rendre accro à la gym...

Comprenez-moi bien, les salles de gym sont idéales si vous en aimez l'ambiance. Seulement, les besoins en exercice de votre corps sont beaucoup plus simples. Peu lui importe la manière dont vous vous dépensez, pourvu que vous accélériez votre rythme cardiaque pendant une trentaine de minutes plusieurs fois par semaine. La classique demi-heure de marche quotidienne de nos grand-mères fera fort bien l'affaire. À cela nous devrions toutes, en particulier à partir de la quarantaine, ajouter un peu de musculation à l'aide de petits haltères faciles à transporter et à utiliser presque n'importe où. Ou bien pratiquer des pompes simples, des relevés de buste ou des fentes. Voilà des exercices excellents et complets, tout comme mon activité favorite pour faire travailler le corps et l'esprit, le yoga.

Quoi qu'il en soit, bouger pour manger plus au lieu de manger pour apporter à son corps l'énergie nécessaire à son fonctionnement est une véritable erreur. Je prône un mode de vie tonique, mais il faut adapter son apport alimentaire en fonction d'une activité normale et saine. Il s'agit en somme de trouver son point d'équilibre, celui auquel l'on se sent bien dans sa peau. Cela revient à apprendre à réguler automatiquement son métabolisme.

Toutes ces femmes minces que vous croisez dans la rue ne sont pas dotées de gènes exceptionnels. Elles savent simplement que marcher, emprunter les escaliers plutôt que l'ascenseur ou boire plusieurs verres d'eau est bénéfique pour leur métabolisme. Voilà comment, au lieu de s'imposer d'épuisantes séances de sport au cours desquelles on brûle certes des centaines de calories, on découvre la possibilité de manger moins et d'entretenir régulièrement son corps sans jamais enfiler de justaucorps en Lycra. C'est le retour au modèle français traditionnel qui, comme dans la fable de La Fontaine, privilégie l'approche de la tortue à celle du lièvre.

Connais-toi toi-même :
devenez votre propre marque

Toutes les femmes ne sont malheureusement pas égales devant la nature ni devant la nourriture. Chacune est unique, car il existe diverses morphologies. Se sentir bien dans sa peau correspond à un équilibre individuel bien plus important que le simple fait de pouvoir porter une taille 36 ou 38. Bien entendu, je ne recommanderai jamais un surpoids car il met en péril la santé à court ou long terme. Mais je tiens à le rappeler, car j'oublie trop souvent de le faire : si vous êtes épanouie, toute en rondeurs, surtout ne changez rien ! Privilégiez toujours le bonheur de vivre et de manger.

Les magazines décrètent que la cinquantaine est la nouvelle quarantaine ; l'affirmation des chirurgiens esthétiques hollywoodiens selon laquelle la soixantaine équivaudrait à la nouvelle quarantaine me laisse plus dubitative. Mais nous parvenons à l'évidence à ralentir les marques du temps dans des proportions inimaginables dix ans auparavant. Pour profiter pleinement des nouvelles possibilités, nous devons nous entretenir, sans abuser de la nourriture, ni de la boisson, ni du travail, ni du sport. Cependant, en dépit de tous ces efforts, il faut parfois se rendre à l'évidence, on a bien cinquante ans. J'en ai pris conscience à mes dépens lors du dernier réveillon du nouvel an. Ayant mangé et bu comme je le faisais à l'âge de trente-cinq ans... j'ai passé la journée du lendemain à le regretter. Même si je ne me sens pas différente de la femme de naguère, mon corps se charge de me rappeler à l'ordre. Et je ne peux plus le bousculer comme je le faisais alors, sans en payer le prix. De la même façon, une amie trentenaire m'a avoué qu'elle avait dû admettre, à regret, ne plus avoir la même résistance physique qu'à vingt ans... Se « lâcher », ou même faire bombance une fois de temps à autre ne pose cependant pas problème, si l'on reste conscient de ce que l'on fait et disposé à en assumer les éventuelles contreparties. Moi, je ne l'étais pas. Je n'étais plus à l'écoute de mon organisme ni de ses besoins.

Se voir telle que l'on est et accepter son âge ne doit pas empêcher une approche positive sur le plan émotionnel. Les études menées sur les centenaires indiquent qu'il s'agit pour la plupart d'optimistes invétérés ayant su traverser les épreuves de la vie sans perdre ce trait de caractère. Cultiver sa façon de regarder le monde fait partie de l'art de vivre, au même titre que l'éducation du goût, l'apprentissage des proportions et tous les autres aspects de la personnalité... Les Françaises « qui ne grossissent pas » restent sveltes parce qu'elles connaissent les secrets du plaisir et savent qu'il procède d'une certaine curiosité d'esprit, d'une volonté d'explorer de nouveaux domaines, d'expérimenter des sensations originales, d'éprouver de la joie et – plus important encore – du désir d'en apprendre chaque jour un peu plus sur soi-même.

Lorsque nous venons au monde, notre sensibilité aux bonnes choses n'est pas encore développée. Comment s'affine-t-elle au fil du temps ? La recette n'a guère changé depuis vingt-cinq siècles, même si certaines familles se la sont mieux transmise que d'autres. Elle se résume à l'adage : « Connais-toi toi-même. »

Restez fidèle à vos émotions et à votre personnalité. Affirmez votre propre style et fixez-vous une ligne de conduite correspondant à la façon dont vous souhaitez être perçue par les autres. Considérez tous ces éléments comme les constituants d'une marque, la vôtre, qui s'exprime à travers vos vêtements, vos bijoux, votre maquillage, votre coiffure, votre voix, votre rire, vos gestes et mille autres choses encore. J'ai par exemple une excellente amie qui arbore toujours des chapeaux, été comme hiver. Une autre collectionne les broches en forme de lézard. En ce qui me concerne, je ne me sens pas moi-même sans mes châles, mes colliers et mes lunettes de soleil. D'aucunes optent pour un look décalé, un maquillage « signature », des accessoires voyants ou une couleur de cheveux improbable. Certains de ces partis pris fonctionnent, d'autres non. Cela dépend de vous, c'est à vous de décider ce qui vous convient. Par exemple, je ne porte jamais de jeans, ils ne correspondent pas à mon style.

À la recherche des saisons perdues

Nulle satisfaction n'est plus élémentaire ou plus indispensable au bien-être que le plaisir de la nourriture. Dans *Ces Françaises qui ne grossissent pas*, j'avais évoqué le rôle capital du respect des saisons dans le mode de vie français traditionnel. Mais j'ai peut-être oublié de dire que cela ne se limitait pas à l'identification des produits de saison et à l'appréciation des plus belles offrandes de la nature au fil des mois, même s'il s'agit là de notions primordiales. Cela implique aussi de se mettre à l'écoute de tous les stimuli que l'environnement apporte tout au long de l'année, afin de mieux profiter de l'existence. En outre, les sens ainsi aiguillonnés en permanence, on éprouve moins le besoin de se consoler par des excès.

Si vous adoptez cette démarche, le temps même se rangera de votre côté : on n'a jamais l'impression de se presser quand on vit pleinement. Rappelons à cet égard que manger avec plaisir passe aussi par des repas pris sans précipitation. Pour perdre du poids, il faut trouver votre équilibre entre vos apports alimentaires et votre dépense physique, semaine par semaine. Souscrire à un programme pour la vie vous entraîne dans un cycle d'ajustement perpétuel lié à celui des saisons. L'art de vivre, c'est prendre son temps à long terme.

Comment mesurez-vous le temps ? Une saison se résume-t-elle pour vous aux quinze épisodes d'une émission de télé-réalité ? Il est temps de renouer avec les traditions et de se remettre à l'écoute des cycles de la nature.

Les quatre saisons classiques ne s'appliquent pas à tous. Une grande partie de l'humanité réside en zone tropicale, où n'alternent que périodes pluvieuses et sèches. Même sous nos latitudes tempérées règnent d'immenses disparités ; si presque partout l'hiver rime avec froid et nature en sommeil, il est des endroits où cette saison se révèle plutôt douce, tandis que l'été représente la période la plus pénible. Je souligne cet aspect, car les saisons décrites dans cet ouvrage, celles que j'ai connues tout au long de ma vie en France comme aux États-Unis, ne reflètent pas la réalité de toutes mes lectrices – même si les personnes en surpoids se regroupent en majorité dans la zone tempérée, laquelle abrite la plus grande partie du monde industrialisé. Peu importe, le secret du succès est le même pour tous. Il s'agit d'apprendre à maîtriser les phases composant l'année à l'endroit où vous habitez et d'apprendre à profiter au maximum de chacune d'elles.

Vous apprécierez, je l'espère, les rituels et les habitudes de vie qui m'accompagnent tout au long de l'année. J'espère que vous aurez envie de les adopter à votre tour ; vous trouverez également quantité de recettes savoureuses réalisables presque partout. Je propose des menus adaptés à celles qui souhaitent perdre du poids. Ils devront être associés aux autres conseils de *Ces Françaises qui ne grossissent pas*. Ils sont destinés aussi à celles qui visent à maintenir leur équilibre pondéral. Mais mon propos est avant tout de vous donner les moyens de réfléchir à la manière dont vous vivez par rapport au passage du temps. Aux saisons de la terre s'ajoutent en effet, comme le poète Keats l'a souligné, celles de l'esprit, lesquelles se succèdent où que l'on se trouve. Observez-les, adaptez-vous à elles et vous verrez votre satisfaction croître considérablement.

Comme je l'ai déjà dit, une bonne partie de nos problèmes me semble résulter du souci moderne de gagner du temps, encore et toujours, combat qu'il nous semble avoir perdu avant même de l'engager. Dans un tel schéma, le temps ne représente plus qu'un coût. Le reproche le plus courant à propos de *Ces Françaises qui ne grossissent pas* se résume à : « Mais qui a le temps d'acheter des ingrédients frais et de les cuisiner ? » J'espère toutefois que vous en viendrez à le comprendre, le temps est un trésor à se ménager soi-même. Nous avons tous plus de choses à faire que nous ne pouvons matériellement en accomplir en l'espace d'une journée. Même les familles françaises les plus traditionalistes ne prennent désormais guère plus d'un repas par jour en famille, parfois moins. Mais si les sociétés modernes ne prévoient plus d'occasions de sacrifier à ce rituel ancestral, il nous incombe de les créer. Et il s'agit là d'un devoir absolu ; la vie perdrait tout son sel sans ces jours, ces heures ou même ces instants privilégiés où nous nous autorisons à l'apprécier. Ce n'est pas de l'égoïsme ; je vous engage seulement à vivre pleinement et à ne pas gaspiller ce don précieux.

Vous verrez, cette approche vous paraîtra de plus en plus évidente au fil des mois...

2

AU PRINTEMPS, LE RENOUVEAU

L'année ne débute pas au même moment pour tout le monde. Pour mon mari, un universitaire, elle commence en septembre avec la reprise des cours. Depuis mon mariage, la fin de l'été figure donc pour moi aussi une ligne de départ. Certains n'oublient d'ailleurs jamais le désespoir qui accompagnait dans leur enfance la rentrée scolaire après les grandes vacances estivales.

J'obéis pour ma part également au calendrier fiscal. Il m'incite à calquer mon année professionnelle sur l'année budgétaire. D'autres s'appuient sur des impératifs religieux, climatiques ou encore liés au rythme spécifique de leur corps de métier. N'oubliez pas que ces règles destinées à domestiquer notre espace-temps ont été inventées dans un but précis.

Pendant des millénaires, jusqu'à l'invention de l'électricité, nos aïeux suivaient les rythmes de la nature. Une journée correspondait au délai compris entre le lever et le coucher du soleil, et la date se mesurait en fonction de la position de cet astre dans le ciel. Le printemps, période durant laquelle les jours rallongent, représentait le début naturel de l'année. D'où son étymologie : « premier temps », en français comme en italien (*primavera*).

Aujourd'hui, on considère encore le printemps comme une phase de régénération, durant laquelle nous frottons nos yeux accablés par l'hiver et nous éveillons à de nouveaux stimuli sensoriels, riches de lumière, de parfums, de saveurs et de sons. Vivre au rythme des saisons, c'est être à l'écoute de ce réveil de la nature, au lieu de sommeiller pendant qu'il se déroule. Si nous ne pouvons à l'évidence que réagir à la chaleur des rayons du soleil sur notre visage, nos sens sont sollicités de mille autres manières. Et s'ouvrir à l'éventail infini de sensations renouvelées procure des compensations et des distractions propres à se détourner d'éventuels excès alimentaires. En fait, tandis que nous nous débarrassons de nos gros manteaux, notre corps devrait se délester de ses kilos superflus.

L'arrivée des produits printaniers sur les marchés sonne le gong de nombreux plaisirs gastronomiques. Cependant, pour moi, le printemps c'est avant tout les fleurs. Je compte les jours restant jusqu'à l'ouverture de mes crocus et l'apparition, presque en une seule nuit, de celles des cerisiers, dont les pétales se détachent très vite pour couvrir le sol d'une fine couche semblable à de la neige. Et lorsque j'observe la floraison des tulipes et des jonquilles, mon cœur s'emballe littéralement.

Peut-être me trouvez-vous des accents « fleur bleue »... mais j'ai grandi dans les fleurs, certaines dans notre vaste jardin, d'autres dans les champs et dans les bois entourant la maison de ma grand-mère, en Alsace. Après la cuisine, les fleurs représentaient la deuxième grande passion de ma mère. Elle ne pouvait tout simplement pas concevoir la vie sans elles. Et moi non plus. Comme les repas, les bouquets faisaient partie de nos rituels quotidiens. Nous apprenions les noms latins des plantes, nous ramassions les plus belles et participions à la confection de merveilleuses compositions. Ma mère m'a aussi inculqué dès mon plus jeune âge l'art de soigner les fleurs coupées. Petite fille, je savais déjà qu'il fallait sectionner leurs tiges en diagonale et changer l'eau des vases un jour sur deux. Je me chargeais de cette tâche et croyez-moi, dans une grande maison ornée de fleur dans chaque pièce, ce n'était pas rien !

La chance a voulu que j'épouse un homme appréciant les fleurs presque autant que ma mère. Le samedi matin au printemps, nous nous rendons au marché. Point n'est besoin d'acheter des fleurs chères, ni d'en prendre de pleines brassées : comme pour le reste, la qualité importe plus que la quantité. Ainsi, une ou deux branches de pois de senteur dans un petit vase suffisent à ravir les yeux, à ajouter une touche de couleur dans un intérieur et à le parfumer délicatement.

Dans mon enfance, Mamie m'expliquait que les fleurs nous ressemblaient, en particulier les tulipes. Les tulipes vous sourient, vous parlent, vous disent quand elles ont besoin d'un peu plus d'eau ou quand elles reçoivent trop de lumière. Et juste avant de mourir elles atteignent le summum de leur beauté sereine, leurs tiges s'écartant comme pour une ultime étreinte et leurs pétales se contorsionnant comme pour exprimer une palette d'émotions. Regardez-les ! Leur diversité n'est-elle pas fascinante ? Pétales menus, ronds ou pointus, courte ou longue tige... et ma variété favorite, les tulipes perroquet. Sur le plan des couleurs, elles offrent au même titre que les roses un incroyable éventail. Pourtant, je me rappelle encore toutes celles de notre jardin. La première tulipe du printemps ne manque jamais de me réchauffer le cœur, que je l'admire dans un vase ou sur un marché, ou mieux encore, que je la voie sortir de terre pour annoncer les beaux jours.

Une sorte de fièvre printanière s'empare alors de moi ; je sors des draps plus colorés, rangeant pour un temps les teintes unies et les blancs éclatants dont je raffole en hiver. Dieu merci ! j'ai depuis longtemps pris l'habitude d'effectuer mon nettoyage de printemps à la fin de l'hiver (c'est d'ailleurs un exercice idéal pour occuper un samedi grisâtre de février). Alors, le printemps venu, je sais exactement où trouver chaque chose – cela m'évite de fouiller dans les placards quand le beau temps m'appelle.

Avec l'arrivée des beaux jours, vous n'avez plus aucune excuse pour ne pas vous adonner à la marche à pied. Même sous les courtes averses marquant cette saison, j'adore être en plein air. Et quand le ciel se dégage, les options se multiplient, alors vient le moment de ressortir son vélo.

Les bienfaits de la bicyclette sont bien connus. Cet exercice de cardio-training renforce le cœur et les poumons, tonifie les principaux groupes musculaires – autrement dit, ceux brûlant des graisses –, entretient la souplesse des articulations, des tendons et des ligaments ; augmente l'endurance et en plus se révèle plutôt amusant, apaisant et excellent pour l'humeur. Force est cependant d'admettre que sous nos climats, ce n'est pas une activité à pratiquer avec plaisir ni en toute sécurité, tout au long de l'année – en tout cas pas pour moi. Je remise donc mon vélo l'hiver, et cela fait de ma première sortie printanière un véritable événement.

Comme Mme Calment évoquée plus haut, les femmes de la génération de ma mère considéraient la bicyclette comme un moyen de transport tout à fait ordinaire. Et elles avaient bien raison. On estime aujourd'hui que la plupart des gens parcourent moins de sept kilomètres pour se rendre sur leur lieu de travail – cela représente environ une demi-heure de vélo. Pour Edward et pour moi, la bicyclette est un délassement. Mais toute personne pouvant utiliser son deux-roues pour ses déplacements quotidiens ne devrait pas hésiter ! La densité de la circulation, à New York comme à Paris, rebute quelque peu ; alors, nous ne faisons plus que rarement de la bicyclette dans les grandes villes, hormis un peu le week-end. Pourtant, plus jeunes, nous roulions régulièrement dans les petites rues de Greenwich Village ou sur la piste longeant l'Hudson et nous emportions très régulièrement nos vélos à la campagne. Aujourd'hui, nous réservons essentiellement cette activité à nos vacances en Provence. Une balade sur les petites routes nous donne l'impression de nous évader pleinement du quotidien, voire de nous-mêmes. D'ailleurs j'ai cette impression chaque fois que j'enfourche mon vélo. Je n'ai jamais perdu la joie éprouvée au temps de mon enfance à « filer comme le vent »...

L'hiver dernier, Edward m'a offert un Peugeot noir et argent, choisi à mon intention en secret. Pour la Saint-Valentin, il m'a donné la photo de ma nouvelle monture, accompagnée d'un joli poème sur les bicyclettes. L'objet lui-même avait été livré dans notre maison provençale, où il m'a accueillie à mon arrivée. Même si, officiellement, le printemps commençait seulement quelques jours plus tard, je n'ai pas résisté au plaisir de l'étrenner. Le fond de l'air était encore un peu frais, mais le soleil suffisait à me réchauffer et je suis allée faire mon marché à vélo.

Le marché... Autre symbole du printemps. Autrefois, la population française, en grande majorité catholique, observait le carême. Et le mardi gras, associé au carnaval était avant tout le dernier jour pendant lequel la viande et bien d'autres aliments, parmi lesquels les laitages, pouvaient être consommés sans modération. Le lendemain s'ouvrait une période de quarante jours d'abstinence (du mercredi des Cendres à Pâques), avec la seule coupure de la mi-carême pour en alléger les rigueurs. Celles de mes lectrices qui renâclent devant mon « week-end poireaux » pourraient sans dommage se pencher sur les bienfaits du carême pour leur ligne... Imaginez que non seulement pendant quarante jours on renonçait naguère aux mets les plus riches, mais que les plus fervents et les plus vigoureux prenaient un seul repas quotidien à la fin de la journée de travail. L'empereur Charlemagne, lui, prenait le sien à 14 heures – doit-on en déduire que sa journée s'achevait là ? Sans aller jusqu'à de tels extrêmes, je crois que nous aurions avantage à envisager des périodes d'abstinence – propres à remettre à zéro les compteurs de l'organisme, mais aussi à intensifier le plaisir procuré par des ingrédients dont on se sera volontairement privé pour un temps. Le jour de Pâques venu, chacun avait sans doute perdu quelques kilos accumulés pendant l'hiver, et appréciait sûrement d'autant plus le déjeuner traditionnel, l'agneau printanier et les légumes croquants de saison. Il s'agit d'un type de restriction alimentaire très différent d'un régime sur le plan psychologique : en effet, il ne s'agit pas tant de maigrir que de respecter des préceptes religieux. Cela dit, un organisme conditionné à absorber de moindres quantités trouvera naturellement tout excès désagréable.

Aller au marché met ma patience à rude épreuve, à l'approche du printemps. Je suis saturée d'agrumes, de bananes, et même lassée des dernières poires et pommes de la saison. La globalisation de l'agriculture permet certes aujourd'hui de se procurer n'importe quel fruit en toute saison et de s'accorder des avant-goûts d'été en plein hiver... Mais cela n'a rien à voir avec l'arrivée des produits locaux au rythme du réveil de la nature. Je trépigne intérieurement à l'idée de pouvoir enfin modifier mes menus et entreprendre les préparatifs de notre premier brunch en plein air de l'année !

L'apparition des premiers produits de saison aiguise aussitôt mon appétit : les petits pois dans leurs cosses ou les épinards croquants me mettent en joie, et je songe avec délices à tous les fruits et légumes merveilleux à venir à leur suite. Rien à voir avec leurs pâles cousins des supermarchés. Ces ingrédients offrent de vraies couleurs et regorgent de saveurs subtiles. Leurs producteurs exposent avec une fierté justifiée sur leurs étals leurs denrées de qualité, récoltées mûres à point. Évidemment, nous ne vivons pas dans le jardin d'Éden ! Mais quoi que vous mangiez par ailleurs, veillez à vous procurer chaque semaine des produits locaux frais. Leur parfum vous récompensera amplement de vos efforts et fera de la recette la plus simple un plat de roi dont la plus petite bouchée vous ravira.

Je l'admets volontiers, tout cela est plus facile à dire qu'à faire. Il y a un siècle, quand presque tout le monde cultivait la terre ou du moins habitait à proximité d'une ferme, manger en saison ne posait guère de problème. Les temps ont changé ; avec les bienfaits de la modernité, nous avons aussi vu apparaître une épidémie globale d'obésité... Par un paradoxe cruel, partout où l'on ne meurt pas de faim, les populations souffrent de surpoids. La nature n'est plus à notre porte, à nous de partir à sa recherche. Il n'empêche, même si je me débrouille plutôt bien dans ce domaine, je ne puis que comparer défavorablement le résultat de mes efforts avec la richesse agricole dont j'ai bénéficié dans mon enfance grâce à un père féru de jardinage : le potager et le verger nous comblaient de produits délicieux. À partir du printemps, nous ramassions légumes et fruits avant chaque repas. Et après le dîner, lorsque le temps le permettait, nous sortions rituellement en famille pour admirer l'œuvre de la nature – et de papa.

Petits pois à point

Nous cultivions des petits pois dans notre jardin. Je les grignotais crus tout juste sortis de leur cosse pendant que mon père les récoltait, moins d'une heure avant leur arrivée sur la table familiale. Cuits à la vapeur ou à l'eau bouillante et agrémentés d'une noisette de beurre, ils apportaient régulièrement de la couleur dans nos assiettes.

Tout comme le maïs, les petits pois sont des légumes particulièrement intéressants à acheter sur un marché – de préférence directement à un producteur – et à manger très frais. En effet, les sucres naturels de ces légumes se transforment presque immédiatement après leur récolte en amidon. En outre, les petits pois parfaitement mûrs et fraîchement ramassés sont pour les papilles une expérience unique. Les autres ne valent guère mieux que ceux partageant leur boîte de conserve avec des carottes coupées en dés.

RIZ COMPLET AUX PETITS POIS

(pour 4 personnes)

INGRÉDIENTS

250 g de riz complet
500 g de petits pois frais écossés
1 cuillerée à soupe d'huile d'olive
1 noix de beurre
2 cuillerées à soupe d'échalotes émincées
1/2 citron (zeste)
Sel, poivre fraîchement moulu
3 cuillerées à soupe de persil haché

1. Faites cuire le riz en suivant les instructions figurant sur l'emballage.
2. Chauffez l'huile d'olive à feu moyen dans une cocotte. Ajoutez le beurre, l'échalote et le zeste de citron, puis faites revenir pendant 5 minutes.
3. Versez les petits pois dans la sauteuse et laissez-les cuire jusqu'à ce qu'ils soient tendres. Ajoutez un peu d'eau si les échalotes roussissent avant que les petits pois ne soient à point.
4. Ajoutez le riz cuit, salez et poivrez à votre goût et mélangez bien. Avant de servir, saupoudrez de persil haché.

PETITS POIS NOUVEAUX
AUX OIGNONS GRELOTS

(pour 4 personnes)

INGRÉDIENTS

500 g de petits pois frais écossés
10 oignons grelots épluchés
1 cuillerée à soupe d'herbes de Provence
Sel, poivre fraîchement moulu

1. Dans une casserole, faites chauffer l'huile d'olive à feu doux. Ajoutez les oignons, les petits pois et les herbes de Provence ; laissez cuire doucement pendant 20 minutes en remuant de temps à autre.
2. Salez, poivrez et servez aussitôt.

Asperges

On trouve aujourd'hui des asperges tout au long de l'année, mais rien n'égale la saveur des asperges de printemps. Essayez, comparez et vous constaterez par vous-même la différence. Je raffole des asperges depuis ma plus tendre enfance. Cela n'a rien d'étonnant, car les rituels et les mets agréables découverts durant l'enfance restent des points de référence tout au long de notre existence – jeunes parents, prenez-en note ! À l'époque, n'étaient cultivées dans ma région que des asperges blanches. Elles doivent leur couleur au fait qu'elles poussent à l'abri de la lumière du jour, ce qui limite la photosynthèse. Leur saveur se révèle en général plus délicate que celle de leurs cousines vertes.

Ces tiges blanches comptaient parmi nos délices dominicaux préférés. Ma mère préparait une mayonnaise et cuisait les asperges au dernier moment à l'eau bouillante, avant de les servir en entrée. Nous disposions chacun de quatre à six asperges, et les trempions dans la mayonnaise, puis les croquions et les sucions jusqu'à la partie fibreuse immangeable. Nous plongions alors nos doigts dans des rince-doigts remplis d'eau agrémentée d'une rondelle de citron (pour éliminer la graisse). Sans doute avez-vous entendu ces histoires, pour la plupart apocryphes, d'invités mal dégrossis buvant le contenu de leur rince-doigts. Quand les mains sont collantes de suc d'asperges et de mayonnaise, il n'est pourtant guère difficile de comprendre à quel usage ce récipient est destiné !

J'ai découvert les asperges vertes à mon arrivée à New York, et notre première rencontre ne fut pas des plus heureuses. Fiers de notre nouvel appartement du West Village, nous avions invité la sœur d'Edward et son mari à déjeuner, un samedi de printemps. J'avais acheté au marché quelques bottes d'asperges – à ce propos, vérifiez toujours la fermeté des tiges, leur couleur bien verte et les écailles des pointes, qui doivent être bien serrées –, afin de préparer une quiche aux asperges sans pâte : ce plat d'une grande simplicité avait déjà séduit nombre de nos amis américains. Les œufs et les asperges se marient fort bien. D'ailleurs, un simple œuf poché constitue une excellente « fausse » sauce hollandaise si vous n'avez pas le courage de préparer une mayonnaise ou une véritable sauce hollandaise pour accompagner l'entrée. Les lardons relèvent le goût de l'ensemble et apportent une agréable touche de couleur. Mais quand j'ai apporté mon plat de céramique blanche, j'ai vu une expression gênée se dessiner sur les traits de ma belle-sœur. Pour la première fois de ma vie, je rencontrais une personne qui détestait les asperges ! Je me suis empressée de lui préparer une omelette, tandis qu'Edward, très gêné de ne pas s'être souvenu de ce détail, remplissait de nouveau les verres de vin.

Je devais découvrir par la suite que les aversions, les allergies et les intolérances alimentaires étaient bien plus répandues aux États-Unis qu'en France. On voit certes de temps à autre un enfant ou un adolescent allergique aux fruits de mer – à moins qu'il ne les juge tout simplement répugnants. Chacun ses goûts ! Nous qui prônons le culte des saveurs devons à l'évidence respecter ceux de nos amis. Si donc vous servez un plat unique, en particulier s'il contient un allergène reconnu, méfiez-vous. Mieux, renseignez-vous à l'avance – on peut être allergique à absolument n'importe quoi, même à l'ail !

Aujourd'hui, j'ai la chance de passer quelques jours à Paris, puis en Provence chaque année au mois de mars. Il m'arrive de me nourrir exclusivement d'asperges pendant tout mon séjour ! Je sais bien, d'ordinaire je prêche la variété... mais se laisser obséder par un aliment particulier dont la saison est brève ne constitue pas un péché bien lourd, pourvu que l'aliment en question ne soit ni trop gras ni plein de sucre. La plupart des légumes se prêtent donc sans dommage à de telles monomanies éphémères.

Les asperges vertes se révèlent tout aussi délicieuses que les blanches, et je les prépare de façon identique. Je les fais cuire à la vapeur puis, après les avoir égouttées, leur ajoute un morceau de beurre salé (dans l'idéal au sel de Guérande) et une touche de poivre fraîchement moulu ; ensuite, je les sers avec une source quelconque de protéines, très secondaire à mes yeux car je me régale surtout d'asperges. Les légumes de saison permettent ainsi à leurs *aficionados* de se satisfaire de quantités plus faibles de protéines (très énergétiques et pauvres en fibres, certes mais, quoi qu'en disent les régimes Atkins ou Miami, elles finiront par vous faire grossir si vous en abusez, même si vous renoncez aux féculents). Il est recommandé de manger les protéines d'abord, afin de ralentir la digestion et de favoriser l'apparition de l'impression de satiété. Apprendre à considérer les protéines comme la garniture, tandis que les légumes constituent le mets principal, voilà l'une des clés de la minceur.

ASPERGES BLANCHES À LA MAYONNAISE
(RECETTE DE MAMIE)

(pour 4 personnes)

INGRÉDIENTS

16 à 24 asperges
épluchées et
blanchies à l'eau
bouillante
1 jaune d'œuf à
température
ambiante
1 cuillerée à café
de moutarde de
Dijon
1 à 2 cuillerées à
café de vinaigre de
xérès
20 à 25 cl d'huile
de colza
Persil frais
Sel et poivre blanc
fraîchement
moulu

1. Dans un bol à température ambiante, battez ensemble le jaune d'œuf, la moutarde et le vinaigre. Ajoutez quelques gouttes d'huile sans jamais cesser de battre le mélange, jusqu'à obtenir la consistance d'une crème épaisse (utilisez pour cela environ la moitié de l'huile). Versez-la ensuite en mince filet jusqu'à l'obtention de la quantité de mayonnaise souhaitée. Salez et poivrez à votre goût.

2. Disposez les asperges chaudes dans les assiettes, décorez-les de persil et ajoutez 2 cuillerées à soupe de mayonnaise par personne. Les asperges se mangent avec les doigts. Trempez-les dans la mayonnaise et grignotez-les jusqu'à atteindre la partie trop fibreuse de la tige. Prévoyez des rince-doigts.

- -

La mayonnaise intimide souvent les cuisinières novices : si elles versent l'huile trop vite, l'émulsion ne prendra pas. Si pareille mésaventure vous arrive, prenez un bol propre, et placez-y un autre jaune d'œuf ; recommencez en ajoutant doucement la mayonnaise ratée, puis l'huile restante. Le tour est joué !

Comme pour toutes les préparations comportant des œufs crus, veillez à n'utiliser que des œufs très frais.

OMELETTE AUX ASPERGES ET AUX NOIX DE CAJOU

(pour 4 personnes)

INGRÉDIENTS

250 g de pointes
d'asperges (vertes
ou blanches)
cuites
6 œufs
60 g de noix de
cajou (non salées
et non grillées)
hachées
120 g de fromage
râpé (gruyère ou
parmesan)
1 cuillerée à café
d'huile d'olive
1 noix de beurre
1 cuillerée à soupe
de persil haché
grossièrement
Sel, poivre
fraîchement
moulu

1. Faites griller les noix de cajou à sec dans une poêle pendant quelques minutes, afin de libérer leur saveur. Mélangez-les ensuite, à part, dans un bol, avec les œufs, 2 cuillerées à soupe d'eau, le fromage râpé et le persil. Salez et poivrez.
2. Chauffez de nouveau la poêle à feu moyen et faites fondre le beurre avec l'huile. Versez le mélange à base d'œufs et laissez cuire jusqu'à ce qu'il commence à prendre. Ajoutez les pointes d'asperges et laissez cuire 4 ou 5 minutes de plus. Servez aussitôt.

ASPERGES, SAUCE AU MIEL

(pour 4 personnes)

INGRÉDIENTS

500 g d'asperges
fraîches crues
1/2 cuillerée à café
de sel
3 cuillerées à
soupe de
moutarde (de
Meaux, de
préférence)
2 cuillerées à
soupe de miel
1 cuillerée à soupe
d'échalote
émincée
1 pincée de thym
frais

1. Coupez l'extrémité inférieure des asperges (ôtez 2 à 3 cm). Portez à ébullition 2 litres d'eau salée dans un faitout assez grand pour contenir les asperges. Plongez-les dans l'eau bouillante et laissez-les cuire environ 3 minutes à couvert : elles doivent être *al dente*. Égouttez-les.

2 Mélangez bien la moutarde, le miel, l'échalote et le thym. Versez la sauce sur les asperges et servez aussitôt.

- -

La moutarde de Meaux est confectionnée avec des graines écrasées, à la place des graines moulues en poudre : cela lui donne son aspect et sa saveur assez douce caractéristiques. J'avoue avoir un faible pour elle, mais si vous préférez la moutarde de Dijon, plus claire et plus lisse, utilisez-la. Rappelez-vous toutefois qu'elle est plus forte et réduisez la quantité en conséquence.

FETTUCCINE AUX COQUILLES SAINT-JACQUES ET AUX ASPERGES

(pour 4 personnes)

INGRÉDIENTS

300 g de coquilles Saint-Jacques (sorties de leur coquille) rincées et essuyées avec du papier absorbant
300 g de fettuccine
16 asperges coupées en biseau, en morceaux de 5 cm
2 cuillerées à soupe d'huile d'olive
1 citron (zeste et jus)
2 cuillerées à soupe de basilic haché
Sel, poivre fraîchement moulu

1. Portez à ébullition 2 litres d'eau salée dans un grand faitout. Faites cuire les pâtes suivant les instructions figurant sur l'emballage. Une minute avant la fin de la cuisson, ajoutez les asperges. Égouttez pâtes et asperges et puis réservez le tout.

2. Chauffez une grande sauteuse à feu moyen avec 1 cuillerée à soupe d'huile. Ajoutez les coquilles Saint-Jacques et laissez cuire 3 minutes. Retournez-les et faites-les cuire 3 minutes sur l'autre face ou jusqu'à ce qu'elles soient dorées. Retirez les coquilles de la poêle et réservez-les.

3. Versez dans la poêle le jus du citron, les zestes et le reste de l'huile, et faites chauffer à feu doux. Ajoutez les pâtes, les asperges et les Saint-Jacques. Mélangez bien. Salez et poivrez à votre goût. Garnissez de basilic et servez immédiatement.

Encore des pâtes, s'il vous plaît !

À l'instar des sucres lents, les pâtes ont été réhabilitées au cours de ces dernières années. Dans le même temps, l'industrie agroalimentaire a fait machine arrière après avoir commercialisé à grand renfort de marketing ses produits « pauvres en glucides ». Mais cela ne signifie pas qu'il faille tomber dans l'excès inverse. Ceux d'entre nous qui n'ont pas banni les pâtes de leur alimentation – et nul ne devrait le faire – doivent cependant garder en mémoire qu'il s'agit d'aliments dotés d'un indice glycémique relativement élevé, pour reprendre le jargon des nutritionnistes. Même si je ne suis pas très partisane de cette notion, et encore moins des régimes entièrement basés là-dessus, il faut le savoir : les pâtes font grimper le taux d'insuline et peuvent, de ce fait, induire des fringales conduisant à en redemander. Comme j'adore les pâtes, je les compte parmi les aliments potentiellement dangereux pour moi : ceux dont je suis encline à abuser.

Quand j'étais enfant, nous mangions des pâtes trois ou quatre fois par mois. Ma mère les accommodait de manière à nous faire manger plus de légumes ; elle avait mis au point quelques menus à plat unique pour les jours où elle n'avait pas le temps de préparer un repas complet. En effet, il est idéal de manger plusieurs plats, mais, avec un peu d'imagination, on peut fort bien en combiner les éléments en un seul mets, équilibré et savoureux. Un reste de poulet ou de thon ou encore du foie de veau haché comblaient nos besoins en protéines, et les légumes se taillaient la part du lion dans la recette. Et nous, nous avions l'impression de « manger des pâtes ». Je le précise au passage, les pâtes excluaient le pain de la table.

Ma véritable histoire d'amour avec les pâtes a cependant commencé plus tard, lorsque j'ai visité l'Italie avec mon mari. Un été, Edward a travaillé sur une exposition de photos à la Casa Guidi, à Florence, l'ancienne demeure des écrivains et poètes anglais Robert et Elizabeth Browning. Nous logions dans un petit hôtel au bord de l'Arno, dans une grande chambre dotée d'une terrasse. Le panorama était impressionnant. Juste au-dessus des toits, tout le cœur de la ville s'étendait sous nos yeux, le majestueux Duomo dans son écrin de collines. Ne travaillant pas, je me chargeais de l'organisation de nos repas et de nos loisirs. Je découvris rapidement que les petites épiceries du quartier préparaient des plats fantastiques de pâtes à emporter ; je les achetais juste avant le retour d'Edward pour déjeuner. Chaque jour, nous goûtions à une spécialité différente. Me remémorant les conseils de ma mère, je veillais aussi à ce que nous mangions un peu de verdure (pour les vitamines et les fibres) et un peu de saucisson ou quelque autre source de protéine (pour favoriser la satiété). Je ne crois pas avoir jamais dégusté de mets à la fois aussi simples et aussi délicieux que pendant ce séjour florentin. Assis sur notre petite terrasse ombragée, nous déjeunions dans un cadre idyllique, à mille lieues de l'agitation du monde moderne. Une brise tiède, une nourriture simple et savoureuse, un verre de chianti, un fruit et la perspective d'une sieste : le bonheur.

Oui, nous mangions des pâtes tous les jours, parfois même au déjeuner *et* au dîner, mais toujours en portions raisonnables. Les Italiens considérant traditionnellement celles-ci comme une entrée, ils n'en proposent donc pas d'assiettée débordante. Pour respecter les mêmes préceptes à la maison, pesez tout simplement les pâtes avant de les faire cuire. On se donne rarement la peine de remettre une casserole sur le feu, juste parce qu'on reprendrait volontiers un peu de pâtes... d'ailleurs, le temps pour l'eau d'arriver à ébullition, on n'aura plus faim.

Après un mois de ce régime, nous n'avions pas pris un gramme. Certes, nous étions jeunes et marchions beaucoup ; mais autour de nous, des Italiens de tous âges affichaient pour la plupart une silhouette svelte. Aujourd'hui, malheureusement, l'Italie – comme ses voisins européens – tend à oublier ses traditions culinaires au profit d'une alimentation américanisée, avec d'inévitables conséquences sur le tour de taille. À cette époque, les Italiens mangeaient eux aussi leurs pâtes avec le reste de leur nourriture, et non l'inverse ; il ne s'agissait pas de pâtes mal cuites avec une sauce *marinara* fadasse et du parmesan en sachet. Elles agrémentaient des mets équilibrés intelligemment conçus et se suffisant pratiquement à eux-mêmes. De ce fait, il suffisait d'une portion modeste pour être repu et éviter toute fringale dans l'après-midi. D'ailleurs, nous en oubliions régulièrement notre pause *gelato* de 4 heures. Quand nous prenions une glace, nous le faisions par plaisir, et certainement pas parce que notre déjeuner nous avait laissés sur notre faim.

Le truc de ma mère consistant à mélanger légumes et féculents est un classique des tables françaises, et en particulier des mamans soucieuses de glisser des légumes verts dans l'alimentation de leurs enfants. Brillat-Savarin disait : « Le nombre des saveurs est infini. » Il en va de même des combinaisons légumes-pâtes, garantes d'une satiété durable. Les légumes apportent des fibres solubles pour une libération lente de l'énergie et des insolubles pour la digestion et la satiété, tandis que les pâtes apportent l'énergie de leurs glucides complexes. Tout athlète vous le confirmera.Récemment, Edward et moi avons dîné dans un bon restaurant italien de quartier du 7e arrondissement, non loin de la tour Eiffel. Il appartient à deux sœurs originaires de Bergame, et elles le tiennent avec l'aide d'un vieux serveur chinois. Comme à l'accoutumée, l'endroit affichait complet. Près de nous, deux couples se sont installés avec leurs enfants – quatre en tout, âgés de six à douze ans environ. Les petits ont mangé un plat de pâtes, puis ont quitté la table. « Appelle-moi sur mon portable dès que tu seras arrivé à la maison », a demandé le père à l'aîné. Lui dégustait encore son entrée. Même si cette tactique ne correspond guère à ma conception d'un vrai repas en famille, j'ai constaté avec amusement que les plus jeunes appréciaient toujours autant les pâtes. Et je me suis entendue dire – sans doute que l'enfant en moi s'exprimait : « Tu sais, Edward, je pourrais manger des pâtes tous les jours. » Ce soir-là, j'ai commandé des spaghetti aux langoustines, et Edward des spaghetti carbonara. Chacun de nous a picoré dans l'assiette de l'autre, les deux plats étaient excellents. Par chance, c'est la Française adulte en moi et non l'enfant qui commande au restaurant, et je me contente de manger des pâtes une fois par semaine en moyenne.

SPAGHETTI À LA TÉTRAGONE
ET AU JAMBON CRU
(pour 4 personnes)

INGRÉDIENTS

500 g de spaghetti
Tétragone jeunes
épinards,
(Préparation : voir
recette page
suivante)
60 g de jambon
cru coupé en
petits dés
4 cuillerées à
soupe de
parmesan râpé
2 cuillerées à
soupe de persil
haché
Sel, poivre
fraîchement
moulu

1. Portez à ébullition 2 litres d'eau salée dans un grand faitout. Faites cuire les spaghetti selon les instructions figurant sur leur emballage, égouttez-les et réservez-les. Mettez de côté un verre de l'eau de cuisson.
2. Versez l'eau réservée dans une sauteuse avec la tétragone cuite. Mélangez bien, ajoutez le jambon et laissez cuire pendant 2 minutes en remuant constamment.
3. Réchauffez les pâtes dans la poêle avec la sauce à la tétragone. Disposez-les dans un plat de service, saupoudrez de parmesan et de persil. Salez, poivrez et servez aussitôt.

■ ■

Si vous ne trouvez pas de tétragone, vous pouvez utiliser de jeunes pousses d'épinards.

TÉTRAGONE SAUTÉE

(pour 4 personnes)

INGRÉDIENTS

1 kg de tétragone
(jeunes épinards)
2 cuillerées à
soupe d'huile
d'olive
2 gousses d'ail
hachées
1 cuillerée à soupe
de jus de citron
Sel, poivre
fraîchement
moulu

1. Nettoyez soigneusement la tétragone à l'eau claire.
2. Chauffez l'huile dans une sauteuse à feu vif. Ajoutez l'ail, la tétragone et le jus de citron. Salez, poivrez et faites revenir le tout pendant quelques minutes pour que la tétragone absorbe pleinement les arômes d'ail et de citron. Ne laissez pas les feuilles noircir. Servez avec un plat de viande, ou utilisez cette préparation dans le cadre de la recette de pâtes précédente.

■ ■

PAPPARDELLE AUX LÉGUMES PRINTANIERS

(pour 4 personnes)

Cette recette me rappelle la *pasta primavera tellement à la mode aux États-Unis à la fin des années 1980*, où elle avait été lancée par nos amis Sirio et Egi Maccioni, les propriétaires du célèbre restaurant new-yorkais Le Cirque. La légende veut qu'ils aient inventé le plat servi dans cet établissement à la fin des années 1970, au cours d'un séjour au Canada avec des amis, parmi lesquels deux critiques gastronomiques du New York Times, Pierre Franey et Craig Claiborne. Un jour qu'ils se trouvaient à court de provisions, Pierre et Egi, en véritables magiciens des fourneaux, sauvèrent la situation grâce à un paquet de pappardelle (longues pâtes un peu plus larges que les tagliatelle), une boîte de petits pois et quelques légumes... À son retour, Sirio décida, pour commémorer cette aventure, de servir ce plat dans son restaurant. Seul problème : Le Cirque est un temple dédié à la gastronomie française et le chef offusqué refusa tout net de le confectionner (d'après mes sources, il mettait tant de mauvaise grâce à réaliser la recette que le résultat se révélait toujours immangeable). Il en fallait cependant plus pour empêcher Sirio de mener à bien son projet : il créa l'événement en décidant que la *pasta primavera* – ainsi avait-il baptisé l'invention de son épouse et de Pierre – serait préparée en salle. Match nul ! Quoiqu'il ne figurât presque jamais sur la carte, hormis de temps à autre comme spécialité du jour, ce plat était toujours disponible pour qui le demandait. Très vite, l'idée de Sirio envahit la ville, puis le pays tout entier avant d'apparaître jusque sur les tables du Vieux Monde. Il n'en existe pas de recette officielle : ce sont juste des pâtes aux légumes printaniers. Sirio est né en Toscane, mais nous obéissons aux mêmes préceptes culinaires... Ma version de la *pasta primavera* n'est qu'un humble hommage à celle du Cirque.

INGRÉDIENTS

300 g de
pappardelle
500 g d'asperges
vertes coupées en
deux dans le sens
de la longueur
(ôtez au préalable
l'extrémité
fibreuse sur 2 à
3 cm)
250 g de petits
pois frais écossés
5 cuillerées à
soupe de
parmesan
fraîchement râpé
3 cuillerées à
soupe de persil
haché
grossièrement
2 cuillerées à
soupe d'échalotes
émincées
3 cuillerées à
soupe d'huile
d'olive
2 cuillerées à
soupe de pignons
Gros sel de mer,
poivre
fraîchement
moulu

1. Plongez les asperges dans de l'eau bouillante salée jusqu'à ce qu'elles commencent à devenir tendres (environ 5 minutes). Faites blanchir les petits pois à part pendant 1 minute.
2. Dans une casserole à fond épais, faites revenir les échalotes à feu moyen dans l'huile jusqu'à ce qu'elles blondissent. Ajoutez les petits pois et les asperges puis laissez cuire quelques minutes.
3. Faites cuire les pappardelle en suivant les instructions figurant sur l'emballage. Égouttez-les, puis versez-les dans la casserole contenant les légumes. Mélangez bien. Ajoutez les pignons, le parmesan et le persil. Salez, poivrez, et servez aussitôt.

Par ici les poireaux !

Le poireau, légume star de *Ces Françaises qui ne grossissent pas* a, sans me flatter, vu sa cote monter aux États-Unis à la suite de la publication de mon ouvrage. Bien sûr, il ne s'agit pas d'un légume exclusivement français même s'il jouit dans l'Hexagone d'un rang quasi aristocratique : ne surnomme-t-on pas ainsi le ruban vert et blanc de l'Ordre national du Mérite agricole ? Le poireau symbolise aussi le pays de Galles, et Shakespeare le cite dans *Henry V*. Il est temps de rendre à ce mal-aimé, dont la saveur douce évoque l'oignon et parfois la noix, si riche en nutriments et légèrement diurétique, la place qu'il mérite.

Dans mon enfance, on mangeait des poireaux presque toute l'année, hormis d'août à octobre. En hiver, ils sont plus gros et il faut éviter les plus énormes, souvent trop fibreux. Le printemps et l'été apportent en revanche des spécimens minces et tendres, suivis des fins poireaux-baguettes – il existe des mini-poireaux.

Quand, à la suite de la publication de mon premier ouvrage, les magazines d'outre-Atlantique ont publié ma recette de *Potage magique aux poireaux*, accompagnée d'une photo de poireaux plongés entiers dans un faitout, j'ai compris qu'il me faudrait fournir quelques explications supplémentaires. Je rappelle donc à toutes fins utiles la nécessité de débarrasser chaque tige de la partie vert foncé, car seul le blanc et le vert clair sont comestibles. Il faut aussi couper le pied chevelu du légume. Voilà qui est fait.

J'aimerais aussi signaler, sans renier le moins du monde les vertus de ce *Potage magique*, que les poireaux se prêtent à quantité de recettes moins spartiates !

POTAGE MAGIQUE AUX POIREAUX

(pour 1 personne pour le week-end)

1 kg de poireaux	1. Coupez les feuilles vert foncé des poireaux ; gardez seulement les blancs et un peu de vert clair. Lavez avec soin puis coupez en tronçons.
Sel	2. Placez les poireaux dans un grand faitout et recouvrez-les d'eau. Salez légèrement. Portez à ébullition puis baissez le feu et laissez frémir à découvert pendant 20 à 30 minutes. Réservez le bouillon et disposez les poireaux dans un plat.

- -

Il s'agit d'un week-end (pas plus de deux jours) de purification, à ne pas prolonger. N'en abusez pas ; je recommande un « week-end poireaux » par trimestre, pas plus.

Si vous êtes accoutumée à une alimentation très copieuse, vous aurez sans doute faim et vous sentirez fatiguée. Pas de jogging ni d'autres activités fatigantes durant ces deux jours. Contentez-vous de vous reposer, de lire et d'apprécier la saveur des poireaux.

À celles ne supportant pas de se nourrir exclusivement de poireaux pendant deux jours, je suggère une « journée poireaux » tous les deux mois, même si ce n'est pas tout à fait aussi efficace. Dans ma famille, on pratiquait religieusement ce rituel de purification deux à quatre week-ends par an.

Il convient de boire le jus de cuisson des poireaux réchauffé ou à température ambiante, à raison d'un quart de litre toutes les deux ou trois heures.

Aux repas, ou si vous avez faim, mangez deux ou trois poireaux arrosés de quelques gouttes d'huile d'olive et de jus de citron, en ajoutant un soupçon de sel et de poivre. Si vous le souhaitez, saupoudrez-les de persil haché. Voilà de quoi se composera votre alimentation durant ces deux jours, jusqu'au dîner du dimanche : vous pourrez vous accorder une portion de viande ou de poisson (120 à 150 g, ne rangez pas encore votre balance de cuisine !), accompagnée de légumes cuits à la vapeur, avec un peu de beurre. Terminez par un fruit.

Au terme de ce week-end détoxifiant, continuez à manger des poireaux. Quand vous les aurez apprivoisés, vous trouverez vous-même comment intégrer les poireaux aux préparations les plus variées. En attendant, voici quelques-unes de mes recettes préférées.

HUÎTRES SUR LIT DE POIREAUX VAPEUR

(pour 4 personnes)

INGRÉDIENTS

250 g de poireaux
2 douzaines
d'huîtres
2 jaunes d'œufs
10 cl de vin blanc
8 noix de beurre
Sel, poivre
fraîchement
moulu

1. Préchauffez le four à 150 °C.
2. Nettoyez les poireaux et coupez-les en fines rondelles. Faites-les cuire à la vapeur pendant 4 minutes, puis réservez-les.
3. Brossez les coquilles des huîtres et jetez celles qui restent ouvertes. Disposez les huîtres fermées sur une feuille de papier sulfurisé recouverte d'une couche de gros sel (cela les empêchera de glisser). Placez le tout pendant quelques minutes dans le four préchauffé, jusqu'à ce que les huîtres s'ouvrent. Retirez la partie comestible en filtrant puis en réservant le liquide présent dans la coquille. Préchauffez le gril.
4. Remplissez la partie inférieure des coquilles d'huîtres de poireaux, ajoutez l'huître ; recouvrez le tout avec l'autre moitié de la coquille. Réservez.
5. Préparez la sauce en faisant cuire le liquide récupéré dans les huîtres avec le vin jusqu'à ce que l'ensemble réduise de moitié. Hors du feu, ajoutez les jaunes d'œufs puis le beurre en battant pour obtenir une consistance crémeuse. Salez et poivrez à votre goût.
6. Placez les huîtres reconstituées sous le gril pendant 30 secondes. Retirez les demi-coquilles supérieures. Versez 1 cuillerée à soupe de sauce dans chaque coquillage, et servez aussitôt avec de la baguette (chaude de préférence) et le reste de la bouteille de vin blanc.

- -

FETTUCCINE AUX POIREAUX

(pour 4 personnes)

INGRÉDIENTS

400 g de
fettuccine
500 g de blanc de
poireaux coupé en
tronçons de 2 à
3 cm
8 tranches fines
de jambon cru
6 cuillerées à
soupe d'huile
d'olive
120 g de
parmesan
fraîchement râpé
Sel, poivre
fraîchement
moulu

1. Portez à ébullition 2 litres d'eau salée dans un grand faitout. Faites cuire les fettuccine en suivant les instructions figurant sur l'emballage.
2. Pendant ce temps, mettez l'huile à chauffer dans une sauteuse. Faites revenir les poireaux, à feu de moyen à vif, jusqu'à ce qu'ils deviennent transparents.
3. Quand les pâtes sont cuites, égouttez-les et versez-les dans la sauteuse contenant les poireaux. Mélangez, ajoutez le parmesan, salez et poivrez. Servez aussitôt avec le jambon en garniture.

- -

QUICHE AUX POIREAUX ET AUX ÉPINARDS

(pour 4 personnes)

INGRÉDIENTS

2 blancs de
poireaux coupés
en tronçons
150 g d'épinards
lavés et hachés
1 chou-laitue (ou
1 chou vert)
2 oignons moyens
épluchés et
coupés en dés
2 gros œufs
200 g de gruyère
râpé
25 cl de crème
(prévoyez-en un
peu plus)
1 cuillerée à soupe
d'huile d'olive
1 pincée de
muscade
Sel, poivre
fraîchement
moulu

1. Préchauffez le four à 180 °C.
2. Jetez les feuilles externes du chou, puis faites blanchir les autres à l'eau bouillante jusqu'à ce qu'elles soient tendres – comptez environ 10 minutes (inutile de saler l'eau). Posez les feuilles de chou cuites sur du papier absorbant pendant qu'elles refroidissent et sèchent. Garnissez-en ensuite le fond d'un plat anti-adhésif allant au four.
3. Faites fondre les poireaux et les oignons dans l'huile, à feu moyen. Ajoutez les épinards. Salez et poivrez. Laissez réduire les épinards, puis égouttez-les bien.
4. Dans un grand bol, mélangez les œufs, la crème, le fromage râpé et la muscade, salez et poivrez. Incorporez les légumes au mélange et versez délicatement le tout dans le plat garni de feuilles de chou.
5. Mettez au four pendant 25 à 30 minutes, jusqu'à ce que la quiche soit ferme au toucher. Laissez-la reposer 10 minutes avant de la servir.

■ ■

CREVETTES ET POIREAUX MIMOSA

(pour 4 personnes)

INGRÉDIENTS

250 g de crevettes
décortiquées,
nettoyées et cuites
8 poireaux
2 œufs
1 échalote
1 cuillerée à café
de moutarde de
Meaux
2 cuillerées à
soupe de vinaigre
de vin rouge
1 pincée de curry
3 cuillerées à
soupe d'huile
d'olive
Sel, poivre
fraîchement
moulu

1. Nettoyez soigneusement les poireaux en ne gardant que le blanc et environ 5 cm de vert. Plongez-les dans de l'eau bouillante salée pendant 6 à 10 minutes. Ils doivent être cuits mais encore fermes. Égouttez et réservez.
2. Faites durcir les œufs 8 minutes à l'eau bouillante, puis épluchez-les et hachez-les.
3. Épluchez l'échalote, hachez-la et mettez-la dans un bol : ajoutez la moutarde, le vinaigre et le curry. Salez et poivrez. Mélangez bien puis ajoutez l'huile sans cesser de battre.
4. Disposez les crevettes au centre d'un plat de service, entourées de poireaux. Nappez de sauce et saupoudrez d'œuf dur haché.

- -

Ce plat est meilleur avec des poireaux tièdes. Vous pouvez aussi le préparer avec de la chair de crabe à la place des crevettes. En Provence, nous le préparons aussi avec des anchois marinés. Ces trois ingrédients se marient à merveille avec les poireaux, le crabe offrant une version plus raffinée de la recette, tandis que les anchois lui confèrent une saveur plus prononcée et rustique.

COQUILLES SAINT-JACQUES
ET POIREAUX SAUCE AU CHAMPAGNE
(pour 4 personnes)

INGRÉDIENTS

16 coquilles
Saint-Jacques
rincées et
égouttées sur du
papier absorbant
4 blancs de
poireaux
1 noix de beurre
1 cuillerée à soupe
d'échalotes
émincées
15 cl de
champagne brut
1 cuillerée à soupe
d'huile d'olive
1 cuillerée à soupe
de persil haché
Sel, poivre
fraîchement
moulu

1. Nettoyez soigneusement les poireaux, puis détaillez-les en tranches ultra-fines, comme si vous prépariez du carpaccio de poireaux.
2. Faites fondre le beurre dans une sauteuse. Ajoutez l'échalote et faites-la revenir à feu moyen pendant 5 minutes. Ajoutez les poireaux et le champagne, salez et poivrez puis laissez les légumes « suer » pendant 10 à 15 minutes – jusqu'à ce que les poireaux soient tendres.
3. Dans une autre poêle, faites chauffer l'huile d'olive à feu moyen pour saisir les coquilles Saint-Jacques, 1 minute de chaque côté. Veillez à ne pas les faire trop cuire, car elles prennent alors une consistance caoutchouteuse. Salez et poivrez à votre goût.
4. Étalez les poireaux dans un plat de service et disposez les Saint-Jacques dessus. Arrosez délicatement de sauce au champagne et décorez de persil haché. Servez aussitôt.

- -

Servez ce plat accompagné du reste du champagne ou d'un vin blanc sec. Vous pouvez remplacer le persil par des œufs de saumon ou, pour faire vraiment une folie, par du caviar (environ 1/2 cuillerée à café par coquille).

POIREAUX MOZZARELLA

(pour 4 personnes)

INGRÉDIENTS

500 g de blanc de
poireaux
250 g de
mozzarella
(coupée en
tranches de 5 mm
d'épaisseur)
1 ou 2 bottes de
basilic
1 à 2 cuillerées à
soupe d'huile
d'olive
1 cuillerée à café
de vinaigre de vin
ou de xérès
Sel (idéalement
fleur de sel
fraîchement
moulue – si
parfumée...)
Poivre
fraîchement
moulu

1. Préchauffez le gril.
2. Nettoyez soigneusement les poireaux et plongez-les 6 à 10 minutes dans de l'eau bouillante salée, pour qu'ils soient cuits mais encore fermes. Égouttez-les.
3. Disposez les poireaux dans un plat allant au four et recouvrez-les d'une couche de feuilles de basilic. Posez la mozzarella en tranches sur les feuilles de basilic. Placez sous le gril et surveillez de près. Le fromage devrait commencer à fondre et à dorer au bout de 3 à 5 minutes. Retirez alors le plat du four.
4. Mélangez l'huile et le vinaigre, et arrosez-en la mozzarella. Salez, poivrez et servez aussitôt avec du pain de campagne.

SARDINES AUX CAROTTES ET AUX POIREAUX
(pour 4 personnes)

Toute personne s'intéressant un tant soit peu à la nutrition et à sa santé connaît les bienfaits des acides gras oméga-3 présents dans divers poissons, par exemple le saumon, le maquereau et les sardines. Bien que je ne sois pas médecin, on me demande souvent dans quelle mesure ces bénéfices contrebalancent les dangers que recèle aussi, dit-on, le poisson. Je fais une fois encore appel à mon principe de modération et je suggère d'en manger, une fois par semaine. Cela dit, le saumon est onéreux, surtout le saumon sauvage, le seul que l'on devrait consommer (plusieurs études indiquent que le saumon d'élevage offre une concentration huit fois plus élevée de toxiques environnementaux et beaucoup moins de bonnes graisses). Comme je doute que les océans gagnent en propreté dans les prochaines décennies, je crains pour l'avenir des saumons sauvages... Je recommande donc de leur préférer les sardines – de surcroît beaucoup plus abordables. Non seulement j'apprécie leur saveur et leur richesse en oméga-3, mais comme elles sont plus petites, donc placées plus bas sur la chaîne alimentaire, elles emmagasinent moins de produits toxiques apportés par l'alimentation. Dans cette recette, elles sont simplement accompagnées de carottes et de poireaux, deux légumes présents crus ou cuits dans mon réfrigérateur d'un bout de l'année à l'autre. S'il reste quelques sardines, étalez-les sur une tranche pain de campagne avec un peu de gruyère ou de cheddar, et passez le tout au gril jusqu'à ce que le fromage fonde.

INGRÉDIENTS

12 sardines moyennes, lavées et vidées (environ 750 g)
180 g de carottes pelées et coupées en rondelles fines
300 g de blanc de poireaux coupé en tranches fines
3 cuillerées à soupe d'huile d'olive
2 cuillerées à soupe d'échalotes émincées
1 noix de beurre
1 cuillerée à soupe d'origan frais haché
Jus de citron
Sel, poivre fraîchement moulu

1. Préchauffez le four à 180 °C.
2. Dans une sauteuse, chauffez 2 cuillerées à soupe d'huile puis faites cuire les carottes à feu moyen pendant 5 minutes. Ajoutez 75 centilitres d'eau, les poireaux et les échalotes, salez et poivrez. Laissez mijoter à couvert 5 à 7 minutes en remuant de temps à autre, jusqu'à ce que les légumes deviennent tendres. Ajoutez le beurre et laissez cuire encore 1 ou 2 minutes.
3. Disposez les sardines en une seule couche au fond d'un plat allant au four. Arrosez-les avec le reste de l'huile, salez et poivrez puis saupoudrez d'origan. Faites-les cuire 5 à 7 minutes de chaque côté. Arrosez-les de jus de citron puis servez avec les carottes et les poireaux.

MAQUEREAU AUX CAROTTES ET AUX POIREAUX
(pour 4 personnes)

Le maquereau, autre remplaçant potentiel du saumon, se révèle savoureux et d'un bon rapport qualité-prix, un peu comme le thon voici une vingtaine d'années, avant la mode des sushis et du sashimi, lorsque les meilleurs morceaux n'étaient pas réservés aux restaurants japonais et qu'on ne parlait pas encore couramment de maguro ou de toro. Profitez donc du maquereau avant qu'il ne subisse le même sort. La meilleure saison de pêche dure de mai-juin à l'automne (même chose pour les sardines). Je dois la recette qui suit à une charmante Espagnole qui tient un stand au marché aux poissons d'Union Square, à New York.
Ingrédients

INGRÉDIENTS

750 g de filets de maquereau
Mélange de carottes et de poireaux de la recette précédente
4 cuillerées à soupe de romarin frais haché
2 cuillerées à soupe d'échalotes émincées
3 cuillerées à soupe d'huile d'olive
1 citron (jus)
Sel, poivre fraîchement moulu

1. Préparez une marinade avec 2 cuillerées à soupe d'huile, le romarin, l'échalote et le jus du citron. Versez-la sur les maquereaux et laissez mariner pendant 10 à 20 minutes.
2. Chauffez le reste de l'huile dans une sauteuse et faites cuire les maquereaux à feu moyen environ 3 minutes de chaque côté.
3. Salez et poivrez ; ayez la main légère sur le sel, car le maquereau est déjà assez salé. Servez avec le mélange de carottes et de poireaux.

SAUMON AU FENOUIL EN PAPILLOTE

(pour 4 personnes)

INGRÉDIENTS

4 pavés de
saumon de
120-150 g chacun
2 bulbes de
fenouil nettoyés et
coupés en
tranches minces
90 g de gingembre
frais pelé et coupé
en fins bâtonnets
4 cuillerées à
soupe d'huile
d'olive
1 citron (zeste et
jus)
Sel, poivre
fraîchement
moulu

1. Préchauffez le four à 200 °C.
2. Placez le gingembre, le zeste et le jus du citron dans un bol. Salez, poivrez et mélangez bien.
3. Coupez 8 morceaux de papier sulfurisé (ou de papier aluminium) en carrés assez larges pour un pavé de saumon avec un bord libre de 5 cm. Posez un peu de fenouil et un pavé de saumon au centre de la feuille et arrosez de mélange gingembre-citron. Répétez l'opération avec les trois autres pavés.
4. Recouvrez ces carrés des autres feuilles de papier et repliez leurs bords pour former des paquets fermés.
5. Placez les papillotes sur une plaque de cuisson, puis mettez-les au four pendant 12 à 15 minutes. Servez aussitôt.

POULET RÔTI AUX ENDIVES

(pour 4 personnes)

INGRÉDIENTS

1 poulet de
1,500 kg à 1,750
6 endives
1 citron (écorce et
jus)
1 cuillerée à soupe
d'huile d'olive
1 oignon rouge
épluché et émincé
2 cuillerées à
soupe d'échalotes
émincées
25 cl de vin rouge
4 noix de beurre
2 cuillerées à
soupe de vinaigre
de vin rouge
Sel et poivre
fraîchement
moulu

1. Préchauffez le four à 200 ºC.
2. Salez et poivrez bien le poulet à l'extérieur et à l'intérieur. Glissez dedans l'écorce du citron. Badigeonnez le poulet d'huile puis placez-le au four. Retournez-le deux fois au cours des 30 minutes qui suivent. Baissez la température à 180 ºC et laissez cuire 20 minutes de plus. Ajoutez l'oignon et l'échalote, laissez cuire 10 minutes, puis versez le vin. Baissez la température du four à 150 ºC et faites cuire encore 15 minutes (temps de cuisson total : 1 h 15).
3. Pendant la cuisson du poulet, coupez les endives en deux dans le sens de la longueur et badigeonnez-les de 2 noix de beurre fondu avant de les placer sous le gril. Dès qu'elles commencent à dorer, retournez-les pour colorer l'autre face. Placez-les dans un plat allant au four, salez, poivrez et arrosez de jus de citron. Mettez-les 5 minutes au four, jusqu'à ce que leur cœur soit tendre.
4. Retirez le poulet du four, réservez son jus de cuisson (il doit y en avoir environ 25 cl). Découpez le poulet et disposez-le sur un plat avec les endives.
5. Mélangez le jus de cuisson des endives à celui du poulet, passez le tout, ajoutez le vinaigre et le reste du beurre et versez sur le poulet. Servez aussitôt.

SALADE DE PISSENLIT

(pour 4 personnes)

Mes amis américains sont toujours très surpris quand je leur propose de manger des pissenlits, qu'ils considèrent comme une mauvaise herbe à éradiquer. Peu m'importe : j'adore ces feuilles découpées, aussi bien crues en salade que sautées avec un peu d'huile d'olive et de citron, à la grecque.

INGRÉDIENTS

1 botte de
pissenlit (environ
300 g) lavé et
égoutté
30 g de parmesan
1 filet d'anchois
haché
1 cuillerée à café
d'échalote
émincée
1 cuillerée à café
de moutarde de
Meaux
1 cuillerée à soupe
de vinaigre de vin
rouge
3 cuillerées à
soupe d'huile
d'olive
Poivre
fraîchement
moulu

1. Mélangez l'échalote, la moutarde, le vinaigre et l'anchois au fond d'un saladier. Poivrez et versez doucement l'huile en filet sans cesser de battre, afin d'obtenir une sauce homogène.
2. Ajoutez les pissenlits, tournez la salade et parsemez-la de copeaux de parmesan (émincé à l'aide d'un épluche-légumes).

SALADE D'ÉPINARDS AU SAUMON

(pour 4 personnes)

Si vous ne trouvez pas de saumon sauvage frais, n'hésitez pas à préférer du saumon du Pacifique en boîte à un poisson d'élevage – je n'ai rien contre les conserves !

INGRÉDIENTS

350 g de filets de saumon cru (ou de saumon fumé ou de saumon en conserve)
350 g d'épinards lavés et égouttés
1 échalote émincée
1 pincée de sel de mer
10 cl de vinaigre de xérès
1 cuillerée à café de moutarde de Meaux
2 cuillerées à soupe de vinaigre de vin rouge ou de framboise
4 cuillerées à soupe d'huile d'olive
Poivre fraîchement moulu

1. Mélangez l'échalote, le sel et le vinaigre de xérès. Versez le tout sur le saumon et laissez mariner pendant au moins 1 heure, et si possible pendant 3 heures.
2. Égouttez le saumon mariné et coupez-le en tranches très fines.
3. Préparez une sauce avec la moutarde, le poivre et le vinaigre de vin rouge (ou de framboise). Ajoutez l'huile d'olive en remuant bien.
4. Versez cet assaisonnement sur les épinards disposés au centre d'un grand plat. Mélangez délicatement. Arrangez les tranches de saumon autour des épinards et servez accompagné de pain complet grillé et beurré.

HARICOTS VERTS AUX TOMATES

(pour 4 personnes)

INGRÉDIENTS

500 g de haricots verts cuits à la vapeur pendant 8 minutes
2 tomates moyennes coupées en grosses tranches
4 anchois hachés
2 échalotes émincées
1 cuillerée à soupe de basilic frais ciselé
2 cuillerées à soupe d'huile d'olive
Sel et poivre fraîchement moulu

1. Chauffez l'huile dans une poêle à feu moyen puis faites revenir les anchois et les échalotes pendant 2 minutes. Ajoutez les tomates et laissez cuire quelques minutes encore. Salez et poivrez à votre goût, puis ajoutez le basilic.
2. Versez les haricots verts chauds dans un plat de service et arrosez-les de cette sauce à la tomate et aux anchois. Servez aussitôt.

COURGETTES VAPEUR AU BASILIC

(pour 4 personnes)

INGRÉDIENTS

4 courgettes
moyennes
coupées en
tronçons de
2-3 cm
2 cuillerées à
soupe de basilic
frais ciselé
120 g de
parmesan
1 citron (jus)
2 cuillerées à
soupe d'huile
d'olive
Sel, poivre
fraîchement
moulu

1. Faites cuire les courgettes à la vapeur pendant 6 minutes.
2. Mélangez bien jus de citron, huile, sel et poivre.
3. Disposez les courgettes fumantes dans un plat de service, arrosez-les de sauce et garnissez-les de copeaux de parmesan. Saupoudrez de basilic et servez aussitôt.

- -

CHAMPIGNONS SAUTÉS

(pour 4 personnes)

INGRÉDIENTS

750 g de
champignons (de
1 à 3 variétés
différentes)
30 g de comté
râpé
2 cuillerées à
soupe de persil
haché
1/2 citron (jus)
2 cuillerées à
soupe d'huile
d'olive
1 noix de beurre
Sel, poivre
fraîchement
moulu

1. Nettoyez les champignons avec une petite brosse ou du papier absorbant puis coupez-les en gros morceaux.
2. Chauffez l'huile dans une poêle, versez dedans les champignons et arrosez-les du jus de citron. Laissez revenir quelques minutes, puis ajoutez le beurre ; laissez cuire quelques minutes de plus, jusqu'à ce que l'eau rendue par les champignons s'évapore. Salez, poivrez et saupoudrez de persil.
3. Ajoutez le fromage râpé et laissez le tout sur le feu encore 1 minute environ – le fromage doit commencer à fondre. Mélangez délicatement et servez aussitôt.

ÉPINARDS AUX RAISINS SECS ET AUX PIGNONS

(pour 4 personnes)

INGRÉDIENTS

500 g d'épinards
2 cuillerées à
soupe de raisins
secs blonds
4 cuillerées à
soupe de pignons
2 cuillerées à
soupe d'huile
d'olive
Sel, poivre
fraîchement
moulu

1. Nettoyez les épinards.
2. Chauffez l'huile dans une grande sauteuse et faites dorer les raisins secs et les pignons (1 à 2 minutes). Retirez-les à l'aide d'une écumoire et réservez-les.
3. Placez les épinards dans la sauteuse, salez et poivrez ; laissez cuire à couvert à feu moyen pendant 3 à 6 minutes, jusqu'à ce que les épinards réduisent. Ajoutez les raisins secs et les pignons ; laissez cuire 1 minute encore en remuant sans cesse. Servez immédiatement.

Agneau de printemps

En Europe, au Moyen-Orient et en Afrique du Nord, des coutumes religieuses souvent immémoriales ont longtemps voulu qu'on sacrifie des agneaux et la tradition se perpétue dans certaines régions. Je me rappelle notamment un voyage au Maroc pendant la fête de l'Aïd el-Kébir : dans tous les villages, on voyait des agneaux à la gorge tranchée suspendus par les pattes arrière. Quoi qu'il en soit, en France comme dans toute l'Europe, l'agneau de printemps est associé à la fête de Pâques, dont il constitue le menu traditionnel. Bien entendu, on en trouve à présent toute l'année, à la fois pour satisfaire la demande et à cause de l'inversion des saisons dans l'hémisphère Sud, notamment en Nouvelle-Zélande et en Australie, les deux plus gros exportateurs mondiaux de viande ovine.

Les agneaux printaniers étant abattus entre trois et cinq mois, ils n'ont pas encore le goût puissant de mouton qui rebute certains. En revanche, la saveur tout comme la texture de leur chair peut beaucoup varier. Comme toujours, les petits producteurs veillant de près sur l'alimentation de leur bétail produisent les viandes les plus savoureuses.

CURRY D'AGNEAU AUX AUBERGINES

(pour 4 personnes)

INGRÉDIENTS

500 g d'épaule
d'agneau
désossée et
coupée en
tranches
1 grosse
aubergine lavée et
coupée en dés
2 tomates
coupées en dés
2 yaourts
4 cuillerées à
soupe d'échalotes
émincées
4 cuillerées à
soupe de
coriandre fraîche
ciselée
2 citrons (jus)
2 cuillerées à
soupe de curry en
poudre
2 cuillerées à
soupe d'huile
d'olive
1 bâtonnet de
cannelle
1 fleur d'anis
étoilé (badiane)
Sel, poivre
fraîchement
moulu

1. Battez à la fourchette un yaourt, le jus d'un citron et 1 cuillerée à soupe de curry. Versez ce mélange sur l'agneau et laissez-le mariner pendant 2 à 3 heures au réfrigérateur.
2. Faites cuire l'aubergine à la vapeur pendant 4 minutes puis réservez-la. Chauffez l'huile à feu moyen dans une sauteuse ; faites dorer l'échalote, puis ajoutez la cannelle, l'anis étoilé et le reste du curry. Au bout d'une minute, versez les aubergines et les tomates dans la sauteuse. Salez, poivrez et laissez mijoter à feu doux pendant 15 minutes.
3. Allumez le gril et faites cuire l'agneau avec sa marinade pendant 10 minutes en le retournant régulièrement.
4. Ajoutez dans la sauteuse l'autre yaourt et le jus d'un citron aux légumes ; laissez cuire le tout 5 minutes à feu moyen. Saupoudrez de coriandre. Servez l'agneau (2 tranches par personne) et les aubergines.

CARRÉ D'AGNEAU À LA PERSILLADE

(pour 4 personnes)

Le dimanche de Pâques était dans ma famille une journée vouée à l'agneau : après le gâteau en forme d'agneau du petit déjeuner, nous dégustions à midi un agneau de printemps, toujours cuisiné très simplement pour que l'on profite au maximum de sa saveur délicate. Notre troisième agneau de la journée était en fait un mouton, celui du Petit Prince, *de Saint-Exupéry, dont nous relisions les aventures sans nous lasser.*

INGRÉDIENTS

2 carrés d'agneau de 4 côtes chacun
3 gousses d'ail épluchées et émincées
3 cuillerées à soupe de persil haché
12 cuillerées à soupe de chapelure
2 cuillerées à soupe d'échalotes émincées
3 cuillerées à soupe d'huile d'olive
Sel et poivre fraîchement moulu

1. Préchauffez le four à 230 °C.
2. Chauffez l'huile dans une sauteuse à feu vif. Faites revenir l'ail et l'échalote pendant 10 secondes sans cesser de remuer. Ajoutez la chapelure et le persil ; et laissez dorer 1 minute au moins en mélangeant toujours. Salez, poivrez et réservez.
3. Salez et poivrez l'agneau puis disposez les carrés dans un plat à rôti. Enduisez la viande de la préparation à base de chapelure. Faites cuire jusqu'à ce que la température à cœur atteigne 55° (si vous n'avez pas de thermomètre à viande, utilisez une brochette pour piquer la viande : le jus doit être clair). L'agneau est cuit à point lorsqu'il est rosé au centre. Laissez la viande reposer 5 minutes avant de la découper. Détaillez chaque carré en 4 côtes et servez accompagné de petits pois.

Pigeon

Les lecteurs de mon premier ouvrage se rappelleront peut-être en quels termes mon père m'avait accueillie à mon retour de mon premier séjour aux États-Unis, avec dix kilos de plus que lors de mon départ : « Tu ressembles à un sac de patates. » Le tact n'était pas le fort de cet homme attachant. Il se montrait en général juste, mais ne voyait pas l'intérêt de flatter. Du moins savait-on que ses compliments étaient sincères... même s'ils venaient parfois un peu tard. Il a fallu un an, bien après que j'aie retrouvé ma silhouette grâce aux conseils du Dr Miracle, pour que mon père déclare enfin : « Tu es à nouveau mon petit pigeon voyageur. » Le compliment peut paraître farfelu, mais pas dans notre contexte familial.

En sus de son jardin et de ses abeilles, papa avait un troisième hobby, il était membre d'une société de pigeons voyageurs. Il élevait donc une soixantaine d'oiseaux dans le pigeonnier derrière la maison. Deux fois par jour, il allait les inspecter, leur distribuer un mélange de grains spécialement conçu par ses soins, remplir leur abreuvoir et contrôler la bonne hygiène de leurs quartiers. Même s'il rentrait épuisé, il n'oubliait jamais ses pigeons.

J'avais le droit d'admirer – exclusivement sous son œil vigilant – leurs œufs minuscules, les bébés pigeons et les jeunes adultes. Papa leur parlait, tout en les examinant pour déterminer s'ils étaient prêts à effectuer leur premier vol. Certains d'entre étaient rapidement écartés ; il sentait qu'ils deviendraient des « bâtards », autrement dit ces gros volatiles paresseux, sans grâce ni allure, qui hantent les villes de toute la planète.

Pour devenir pigeon voyageur, il fallait être en forme, mince et racé. Les élus arboraient un plumage net, un regard clair et perçant ; leurs mouvements étaient harmonieux. Vraiment rien à voir avec leurs cousins citadins. Au printemps dernier, cette distinction m'est soudain revenue en mémoire à la vue du public sortant d'un cinéma de Broadway. Une bonne partie de ces hommes et de ces femmes se traînaient lourdement en mâchonnant des chips d'un air absent, tristement semblables aux affreux pigeons des jardins publics.

Mon père était très fier de ses pigeons, mais il ne les choyait pas comme des animaux de compagnie. Leur élevage avait pour finalité de nous fournir à l'occasion de jeunes pigeons rôtis, succulents avec des petits pois de saison. Nous nous en régalions à trois ou quatre reprises tout au plus au cours du printemps, et nous en salivions longtemps à l'avance. Les petits os du pigeon exigeant qu'on le mange avec les doigts, c'est grâce à ce plat que j'ai pour la première fois utilisé un rince-doigts, indispensable en l'occurrence.

Bien sûr, seuls quelques pigeons étaient ainsi sacrifiés : la grande passion de mon père était les pigeons voyageurs. De la fin du printemps au début de l'été, il sélectionnait l'élite de son escadrille pour l'inscrire à des compétitions, comme tous les autres membres de la société le faisaient. Les concurrents étaient envoyés en train à Brest, Biarritz ou Barcelone ; puis, après une nuit de repos, on les libérait pour qu'ils regagnent leurs pénates à tire-d'aile. Le dimanche après-midi, mon père scrutait le ciel d'un œil impatient. Dès qu'un oiseau franchissait l'entrée du pigeonnier, il déclenchait un signal ; mon père alors se précipitait pour le débarrasser de sa petite bague argentée, qu'il insérait dans une horloge spéciale enregistrant officiellement son heure exacte d'arrivée. À la fin de la saison des voyages, quand tous les pigeons des sociétaires avaient parcouru l'Europe, on proclamait les vainqueurs. Papa finissait toujours parmi les trois premiers, ce dont il était extrêmement fier, tout comme des trophées en forme de volatiles argentés ou dorés qu'il récoltait.

PIGEONNEAUX RÔTIS

(pour 4 personnes)

INGRÉDIENTS

4 pigeonneaux
40 g de lardons
4 tomates
moyennes
coupées en quatre
2 échalotes
épluchées et
coupées en deux
2 cuillerées à
soupe d'huile
d'olive
Persil haché
1 noix de beurre
Sel, poivre
fraîchement
moulu

1. Faites chauffer une cocotte à feu moyen, puis ajoutez l'huile, le beurre, les échalotes, les tomates et les lardons. Après quelques minutes, disposez les pigeonneaux dans la cocotte. Salez et poivrez.
2. Couvrez la cocotte et laissez cuire à feu doux pendant 1 h 30. Ôtez le couvercle pendant les 10 dernières minutes de cuisson. Vous pouvez ajouter à ce moment des petits pois frais. Saupoudrez de persil et servez.

Où sont les fraises d'antan ?

Les symboles du printemps sont légion, mais aucun n'évoque mieux à mon sens l'arrivée des beaux jours que l'apparition des premières fraises sur les marchés à la fin du mois de mai ou début juin. Dans mon enfance, j'aimais à croire que mon père en plantait rangée après rangée dans notre jardin à mon intention, sachant qu'il s'agissait de mon fruit préféré. Il couvrait le sol de paille autour de chaque plan, afin de protéger les précieux fruits du contact de la terre, si bien que quand nous les ramassions, mûres à point, les fraises avaient à peine besoin d'être nettoyées. Afin de faire durer la saison des fraises aussi longtemps que possible, papa en cultivait deux ou trois variétés plus ou moins hâtives. Inutile de dire qu'elles ne ressemblaient en rien aux énormes hybrides en vente aujourd'hui dans les supermarchés. Je signale au passage qu'il ne faut jamais servir les fraises glacées : cela tue leur saveur – tout comme celle de quantité d'autres fruits, d'ailleurs.

Les fraises se prêtent à mille usages, mais je m'efforce de m'en tenir à une règle absolue, la simplicité. Les gâteaux aux fraises, par exemple, sont délicieux, mais pourquoi surcharger ? Ma recette favorite consiste à servir les fraises nettoyées et coupées en tranches dans un joli plat, avec une cuillerée à soupe de crème fraîche, de yaourt nature, de crème fouettée, de ricotta, de mascarpone, ou avec une boule de glace à la vanille. Une pincée de poivre fraîchement moulu relève à merveille ce mélange de saveurs fruitées et lactées.

Pour les occasions plus formelles, je préfère aux préparations trop sucrées comme les meringues la douceur naturelle des bonnes fraises. En Italie, on sert couramment ces fruits avec quelques gouttes de jus de citron, parfois un trait de vinaigre balsamique de qualité. Cela dit, une tarte sablée recouverte de fraises et d'une fine couche de coulis donne un résultat aussi simple que parfait, mais dont il convient de se délecter occasionnellement... N'oublions pas que la saveur sucrée du dessert doit théoriquement rincer le palais après le dernier plat salé.

La douceur des fraises se marie bien avec d'autres fruits moins avantagés par la nature. J'aime, par exemple, ajouter deux belles poignées de fraises quelques minutes avant la fin de la cuisson de ma compote à la rhubarbe, tout de même assez acide. Je sers ce mélange accompagné de yaourt, de fromage blanc ou de ricotta fraîche, recette proposée communément dans les bistrots traditionnels à la saison des fraises.

Une autre variation sur ce thème, cette fois plus sucrée, consiste à mélanger quelques tranches de fraises et des framboises avec une crème brûlée ou de la crème anglaise : cela offre un agréable contraste de textures, sans excès de sucreries.

COMPOTE DE RHUBARBE ET DE FRAISES

(pour 4 personnes)

Voici une autre recette simple et traditionnelle de mon enfance qui me rappelle des souvenirs merveilleux. L'arôme à la fois subtil et intense de ces fruits frais me ramène à ces plantations rouges de fraises...

INGRÉDIENTS

250 g de fraises rincées, égouttées, équeutées et coupées en tranches
500 g de rhubarbe épluchée et coupée en tronçons de 1 cm
80 g de sucre en poudre
1 pincée de cannelle en poudre
1 cuillerée à soupe de jus de citron

1. Mélangez le sucre et la cannelle. Versez les jus de citron dans une casserole avec 4 cuillerées à soupe d'eau et un tiers de la rhubarbe, puis saupoudrez de mélange sucre-cannelle. Alternez les couches de rhubarbe et de sucre-cannelle, jusqu'à épuisement des ingrédients. Couvrez et faites cuire à feu très doux pendant 10 à 20 minutes, jusqu'à ce que la rhubarbe commence à s'attendrir.
2. Ajoutez les fraises et laissez cuire quelques minutes encore. Laissez refroidir puis placez au réfrigérateur avant de servir.

∎ ∎ ∎ ∎ ∎ ∎ ∎ ∎ ∎ ∎ ∎ ∎ ∎ ∎ ∎ ∎ ∎ ∎ ∎

Cette compote est délicieuse aussi à température ambiante ; elle se marie à merveille avec le yaourt (comptez environ 1 cuillerée à soupe de compote pour 1 yaourt).

SOUPE DE FRAISES AU MASCARPONE

(pour 4 personnes)

INGRÉDIENTS

500 g de fraises
100 g de mascarpone
2 cuillerées à soupe de sucre en poudre
2 cuillerées à soupe de jus de citron
4 brins de menthe fraîche

1. Nettoyez les fraises puis essuyez-les délicatement. Équeutez-les, à l'exception de 4 fruits (pour la décoration)
2. Mélangez les fraises équeutées, le jus de citron et le sucre en écrasant un peu les fraises afin d'en libérer le jus.
3. Dans un autre récipient, battez vivement le mascarpone au fouet.
4. Versez la soupe de fraises dans des coupes, recouvrez-la de mascarpone battu puis décorez d'une fraise et d'un brin de menthe.

Parures printanières

L'arrivée du printemps ne se célèbre pas uniquement dans la cuisine, loin s'en faut. Il est temps de vous réhabituer à passer plus de temps hors de chez vous. L'heure a sonné de troquer votre garde-robe hivernale contre des tissus plus légers, des cotonnades, et des teintes plus vibrantes. Certaines se préoccupent de savoir quelles couleurs sont tendance, mais j'avoue me soucier nettement plus des offrandes de la nature que des directives de la mode. Voici venue l'occasion de tenter des expériences à votre guise, tout en recherchant une certaine harmonie. Pour ma part, je me base toujours sur des coupes simples, des matières unies et des couleurs neutres, tee-shirts classiques, polos, chemises en jersey, le tout de bonne qualité mais sans ostentation.

Je complète cette base avec de fort utiles variations sur un thème, autrement dit un assortiment d'accessoires qui constituent ma griffe personnelle : colliers, lunettes de soleil et surtout écharpe. Pour beaucoup d'étrangers, les Françaises et les foulards vont de pair, et l'art de les nouer les bluffe...

Le Nœud classique

Il se fait au moyen d'un carré et permet d'obtenir un V couvrant votre dos avec un nœud situé quelque part sous le menton. Un grand modèle flottera sur vos épaules, tandis qu'un plus petit offre un style printanier idéal, surtout si vous le portez avec un pull léger à col rond coupé près du corps. Vous pouvez aussi porter le foulard sous le pull, pour un effet plus « cravate ».

Afin d'obtenir un résultat plus glamour, pour le soir par exemple, laissez glisser le foulard sur vos épaules, de façon à vous en servir comme d'un châle.

1. Prenez un foulard carré et pliez-le en diagonale, afin de former un triangle. Saisissez la partie la plus longue

du triangle par ses deux extrémités et continuez à la plier vers la pointe jusqu'à obtenir une bande large d'environ cinq centimètres.

2. Sans en lâcher les deux extrémités, drapez le foulard autour de votre cou et nouez-le devant vous comme une cravate, en laissant les pointes libres – enroulez l'une des extrémités autour de l'autre de manière à former une boucle à travers laquelle vous passerez l'autre extrémité du foulard. Serrez ensuite ce nœud à votre convenance.

Foulard-veste « à la Mireille »

Prenez une grande écharpe rectangulaire aussi longue que possible. Il m'arrive de rajouter des bandes de soie aux extrémités de mes écharpes pour les rallonger et faciliter leur transformation en « veste ».

1. Drapez l'écharpe sur vos épaules en la laissant pendre beaucoup plus bas d'un côté que de l'autre. Pour une femme de taille moyenne, cela signifie qu'un pan doit arriver juste en deçà de sa taille et l'autre juste au-dessus de ses genoux.

2. Croisez les extrémités et enroulez le pan le plus long autour de votre corps de manière à en faire le tour complet pour rejoindre le pan le plus court juste au-dessus de votre hanche. Fixez avec un nœud simple.

L'immense avantage de ce drapé réside dans sa versatilité : on n'obtient jamais le même effet. Et suivant l'écharpe choisie, ce drapé convient aussi bien pour un café en terrasse que pour un cocktail élégant en plein air.

Mutabilité

Le printemps est arrivé, mais comme toutes les bonnes choses il aura une fin. J'ai commencé cet interlude avec des envolées lyriques sur les fleurs, la plus belle offrande de cette saison à mes yeux. Je crois cette opinion largement partagée, hormis par les personnes affligées de rhume des foins. En effet, seuls les cœurs les plus durs restent fermés devant les crocus et les jonquilles, puis les tulipes. Que dire des amandiers en fleurs en Provence au mois de mars, de l'éclosion des bourgeons de cerisiers en avril, objet d'un véritable culte au Japon, ou encore de la floraison des cornouillers new-yorkais à l'orée du mois de mai ? Nous oublions cependant parfois à quel point leur caractère éphémère est partie intégrante du plaisir pris à les admirer. En effet, si les fleurs de cerisier perduraient des mois durant, elles deviendraient banales. Toute leur valeur réside en fait dans ce que les poètes élisabéthains appelaient la « mutabilité ». C'est elle aussi, je suppose, qui explique pourquoi Van Gogh choisit d'immortaliser les iris provençaux, plutôt que la lavande qui bleuit bien plus durablement les collines de la région...

Menus

« Le menu que je préfère, c'est la chair de votre cou », chantait Georges Brassens dans *J'ai rendez-vous avec vous*. Voilà un parfait exemple de menu à la française, tout est affaire de plaisir. Ne nourrissez cependant pas de faux espoirs, les menus proposés dans ce livre ne sont nullement érotiques...

Il va sans dire que chaque jour, chaque saison et chaque menu devrait débuter par ce qui constitue l'essence même de la vie : un verre d'eau. Si celle de votre robinet n'est pas bonne, choisissez une eau en bouteille à votre goût et apprenez à la préférer aux breuvages sucrés naturellement ou artificiellement. Prenez l'habitude de boire un grand verre en vous levant le matin, afin de vous réhydrater.

Rappelez-vous également qu'il est indispensable de prendre trois repas quotidiens. Le pain dégusté le matin sera de préférence grillé : cela le rend plus digeste et permet, accessoirement, de terminer le pain de la veille au lieu de le jeter. Accordez-vous si vous le souhaitez quelques copeaux de bon beurre, beaucoup plus savoureux et bien meilleur pour votre santé que les substituts et autres pâtes à tartiner telles que la margarine, qui à mon sens n'ont de place que dans la poubelle.

Mes menus apportent un mélange de protéines, de glucides et de graisses correspondant à un ratio de 30/50/20 de chacun de ces nutriments. Rappelez-vous, vous pouvez vous montrer souple : un peu plus de ceci contre un peu moins de cela ; mais vous devez veiller à maintenir cet équilibre global sur la semaine. N'oubliez pas non plus de profiter de vos repas. Manger est une expérience sensorielle, pensez à nourrir chacun de vos cinq sens et à apprécier les petites expériences, comme les souvenirs agréables que votre repas vous évoque ou qu'il vous forge pour l'avenir.

Puisqu'ils peuvent être ajustés au gré des besoins de chacun, mes exemples de menus conviennent tout aussi bien au maintien d'un poids de forme qu'à la perte de quelques kilos, en accord avec les principes exposés dans *Ces Françaises qui ne grossissent pas* (en particulier dans le chapitre 3 consacré à la remise des compteurs à zéro). À vous d'affiner vos menus en fonction de votre propre mode de vie.

Les portions indiquées ici le sont pour des « petits formats » comme le mien. Si vous affichez une taille au-dessus de la moyenne, donc un poids plus important, même si vous n'êtes pas en surpoids, vous devrez les moduler. La Solution des 50 % vous aidera à déterminer quelle dose vous satisfait sans prendre de kilos. Si ces repas ne vous suffisent pas, ajoutez un en-cas, de préférence un yaourt.

À mesure que votre sens des proportions évoluera, vous pourrez recourir à des substitutions. Je présente en effet ici un échantillonnage de mets que j'aime, mais vous devez écouter vos propres désirs. Si vous préférez par exemple le vin rouge avec le poisson, n'hésitez pas ! Si vous n'appréciez pas du tout le vin, vous vous privez d'un des grands plaisirs de l'existence, mais ainsi soit-il... Quand je recommande des boissons non caloriques, je pense à l'eau, au thé vert, aux tisanes et au café. Tâchez toutefois de limiter votre apport en thé noir ou en café à deux tasses par jour, car la caféine est apéritive, en particulier certains jours du mois. En outre, ces boissons déshydratent et l'eau qu'elles contiennent ne peut être comptabilisée dans votre apport quotidien.

S'agissant des potages en particulier, ne vous croyez pas obligée de suivre mes recettes à la lettre – de toute façon, une soupe n'a jamais deux fois le même goût. Ne vous affolez donc pas s'il vous manque un ingrédient. Remplacez-le par ce que vous avez en stock et laissez votre créativité s'exprimer. Ainsi, si vous préférez saupoudrer vos asperges d'amandes plutôt que de noix de cajou, ne vous gênez surtout pas ! Rappelez-vous néanmoins ceci : un potage aux légumes verts n'a bien souvent besoin d'aucun adjuvant.

Pour les salades, mon assaisonnement favori mêle sel, poivre, huile d'olive de très bonne qualité et vinaigre (1 cuillerée à soupe de vinaigre pour 3 cuillerées à soupe d'huile, un dosage suffisant pour deux personnes). Pour le relever, ajoutez un peu de moutarde et, bien entendu, des fines herbes fraîches à volonté. Oubliez les vinaigrettes toutes préparées, aucune n'est digne de votre cuisine.

Si vous n'aimez pas les abricots secs, optez pour des dattes ! Rappelez-vous que tous les bons aliments sont autorisés, à condition de ne pas en abuser... La clé du succès réside dans la (petite) taille des portions et dans la diversité de l'alimentation. Apprenez aussi à mangez plus lentement, en mastiquant bien.

Voici, pour terminer, quelques « trucs » pour évaluer la taille d'une portion :
- pour le pain ou le chocolat, 30 grammes ;

- pour les céréales, huit cuillerées à soupe et 12 centilitres de lait (vous pouvez doubler ces quantités si vous vous trouvez à votre poids d'équilibre) ;
- pour le riz, 85 grammes ; pour les pommes de terre, 90 grammes ; pour les pâtes, 100 grammes cuites en garniture, 200 grammes en plat principal ;
- pour les fruits, en général un gros fruit ou deux poignées de petits. Toutefois, une banane, une poire, une mangue ou un pamplemousse représentent deux portions.

*

Pour simplifier les menus proposés ci-après, certaines quantités sont indiquées avec pour unité le bol (12 cl).

LUNDI

Petit déjeuner
8 cuillerées à soupe de muesli
12 cl de lait
1 verre de fraises
1 tranche de pain multi-céréale grillé et beurré
Café ou thé

Déjeuner
2 poignées d'épinards en salade avec des champignons
Vinaigrette à l'huile d'olive
40 g de fromage de votre choix
1 petit pain
1 verre de myrtilles
Boisson non calorique

Dîner
Foie de veau aux légumes verts (p. 241)
2 louches de pommes de terre sautées
1 yaourt
2 clémentines
1 verre de vin rouge

MARDI

Petit déjeuner
2 pruneaux
1 yaourt avec 1 cuillerée à soupe de muesli aux noix de pécan et un filet de miel
1 cuillerée à soupe de noix de soja
Café ou thé

Déjeuner
Salade composée avec 1 œuf dur, du thon et des haricots verts
Vinaigrette moutarde-huile d'olive
1 tranche de pain complet
1 poire
1 carré de chocolat noir
Boisson non calorique

Dîner
Saumon à l'oseille (p. 171)
100 g de tagliatelle au citron [1]
2 tranches de baguette
Petits pots au café (p. 340)
1 verre de vin rouge

---

1. Voir *Ces Françaises qui ne grossissent pas – Comment font-elles ?*, Éditions Michel Lafon, 2005, Éditions J'ai lu, 2007, ou www.mireille giuliano.com.

MERCREDI

Petit déjeuner
8 cuillerées à soupe de céréales
   au son
12 cl de lait
1/2 banane
1 tranche de pain de seigle
   beurrée
Café ou thé

Déjeuner
Escalope de poulet aux asperges
1 yaourt
1 mangue
Boisson non calorique

Dîner
Poulet rôti aux endives (p. 75)
Courgettes vapeur au basilic
   (p. 79)
Soupe de fraises au mascarpone (p. 91)
1 verre de vin rouge ou blanc

JEUDI

Petit déjeuner
1 verre de jus d'orange fraîchement pressé ou
   1 orange
1 œuf à la coque
1 tranche de pain complet
   grillée et beurrée
Café ou thé

Déjeuner
Sandwich au rosbif
Carottes râpées assaisonnées
   de jus de citron
1 pomme
Boisson non calorique

Dîner
Spaghetti à la tétragone et au
   jambon cru (p. 58)
Salade verte
1 verre de fraises avec 1
   boule de glace à la vanille
1 verre de vin rouge

VENDREDI

Petit déjeuner
1 tranche de jambon cuit
1 yaourt
1/2 muffin anglais grillé et
    beurré
1 kiwi
Café ou thé

Déjeuner
Salade de brocolis vapeur
Saumon à l'unilatérale[1]
1 filet d'huile d'olive (sur le
    saumon et les brocolis)
1 tranche de pain
1 bol de salade de fruits
Boisson non calorique

Dîner
Maquereaux aux carottes et
    aux poireaux
2 louches de pommes de
    terre vapeur
Tarte aux fruits
1 verre de vin rouge

SAMEDI

Petit déjeuner
40 g de fromage
8 cuillerées à soupe de flocons
    d'avoine avec des myrtilles
1 petite brioche ou 1 tranche
    de pain au levain
Café ou thé

Déjeuner
Poireaux mozzarella (p. 70)
1 tranche de pain de campagne
1 mandarine
Boisson non calorique

Dîner
1 steak
2 cuillerées à soupe de purée
    de pommes de terre
    (recette de Mamie, p. 165)
Haricots verts aux tomates
    (p. 78)
Flan au chocolat
1 verre de vin rouge

---

1. Voir *Ces Françaises qui ne grossissent pas – Comment font-elles ?*,
op. cit.

DIMANCHE

Petit déjeuner
1verre de jus d'orange fraîchement pressé ou 1 orange
Omelette aux asperges et aux noix de cajou (p. 51)
1 tranche de pain au levain grillée et beurrée
Café ou thé

Déjeuner
Curry d'agneau aux aubergines (p. 83)
100 g de pâtes
Salade verte aux fines herbes
1 verre de fraises avec du mascarpone
1 verre de vin rouge

Dîner
200 g de légumes à la vapeur
Vinaigrette à l'huile d'olive
1 tranche de pain
1 yaourt
1 verre de compote de rhubarbe et de fraises (p. 90)
Boisson non calorique

3

EN ÉTÉ, LA NATURE NOUS SOURIT

S'il est une chose que j'envie à ceux de mes compatriotes restés au pays, c'est leurs six semaines de congés annuels, inimaginables aux États-Unis – où elles ne cessent de fasciner et de susciter les critiques. Ne pensez toutefois pas que j'aimerais passer plusieurs semaines vautrée dans un hamac. Au contraire, comme nombre de personnes, je me réveille en vacances plus tôt qu'à l'accoutumée et je me couche un peu plus tard, comme pour profiter pleinement des journées interminables de la belle saison ! Il s'agit une fois encore d'une affaire d'équilibre, et rien n'est plus facile que de préserver cet équilibre en été.

Que je me trouve à New York, à Paris ou en Provence, ou encore ailleurs, les jours les plus longs sont pour moi les plus agréables de l'année et mon énergie n'est limitée que par la chaleur parfois oppressante, même en Provence. Dans certaines régions, la touffeur humide de l'été est insupportable. Là-bas, l'été ressemble un peu à ce que l'hiver est pour nous : une période durant laquelle on s'efforce de se mettre à l'abri. Sans contester l'inconfort touchant les habitants de ces zones, je ne puis m'empêcher de constater qu'elles figurent un assez bon exemple de notre dépendance envers les techniques modernes et de nos attentes en ce début de XXIe siècle. D'ailleurs, même dans les régions dotées d'un climat tout à fait agréable, quantité de personnes passent une grande partie de l'été dans une bulle climatisée, simplement parce que la norme en matière de confort a évolué. À Houston au Texas, par exemple – ville qui a remporté en 2005 le triste titre de « Capitale de l'obésité » des États-Unis, avant d'être supplantée en 2006 par Chicago, autre endroit où les écarts de température se révèlent souvent éprouvants –, les étés torrides voient les habitants se terrer entre leur voiture, leur maison et les centres commerciaux, tous climatisés, quand ils ne se réfugient pas carrément dans les montagnes du Colorado. Les villas les plus luxueuses de cette cité possèdent même des « jardins » équipés d'air conditionné.

Même si je comprends leur attitude, cela m'attriste que l'on puisse considérer l'été comme une saison à fuir. Force est de le constater, cette tendance est dans l'air du temps. Autrefois, quand on n'avait pour se rafraîchir que des vérandas ombragées, des ventilateurs et de la citronnade bien fraîche, on supportait plutôt mieux les variations de température. On ralentissait certes son rythme de vie, tout en maintenant une certaine activité, et on acceptait de transpirer un tantinet – l'horreur absolue pour les élégantes de Madison Avenue ! Je ne pense pas que ce soit une coïncidence si l'alourdissement global des Américains va de pair avec l'essor de la climatisation et de la télévision. Je ne suggère pas de revenir en arrière, mais de reprendre cette bonne habitude : chercher à apprécier chaque saison pour ce qu'elle peut offrir, et pas seulement pendant les vacances. L'été offre des expériences uniques. C'est aussi un état d'esprit et une attitude, et en aucun cas le moment de prendre du poids.

Pour moi, été rime avec soirées et week-ends en plein air, dès que le temps le permet. Les marchés surgissent partout, comme des champignons après l'averse. La variété des produits saisonniers – fruits rouges, légumes dont les couleurs vives annoncent les nutriments qu'ils contiennent (les étiquettes de mère Nature), herbes fraîches et odorantes et merveilleuses fleurs – est telle qu'on ne sait plus où donner de la tête, des yeux et du palais. Une promenade entre les étals d'un marché est pour moi non seulement un merveilleux moyen de me détendre et une occasion de croiser des amis, de bavarder avec les producteurs, mais aussi de profiter pleinement du ciel bleu et du soleil (évidemment munie d'une crème solaire à indice de protection 15, de lunettes de soleil et d'un chapeau). Nous le savons tous aujourd'hui, le soleil est l'ennemi de notre peau et ses rayons accélèrent le vieillissement du visage et des mains. Cela dit, je suis restée trop française pour souscrire à la terreur du soleil qui semble s'emparer actuellement des États-Unis. Les magazines consacrés à la santé et à la beauté paraissent en quête perpétuelle de nouveaux produits à indice de protection de plus en plus élevé, comme s'il fallait à tout prix fuir la lumière. Et tandis que quelques irréductibles continuent à jouer les poulets rôtissant sur leur serviette de plage, d'autres, soucieuses d'avoir le beurre et l'argent du beurre, autrement dit le bronzage sans les dommages liés aux rayons solaires, se badigeonnent d'un autobronzant donnant à leur visage une teinte orangée caractéristique. Là encore, faisons preuve d'un peu de bon sens. Le soleil joue un rôle essentiel dans la synthèse de vitamine D par l'organisme, en l'absence de laquelle il ne peut fixer le calcium : veillez donc à vous y exposer un peu, sans excès. Et sachez qu'en l'absence de protection, on peut attraper un coup de soleil en dix minutes seulement. Prenez tout particulièrement soin de vos mains et de votre visage. Bref, trouvez le juste milieu, ni adoratrice du soleil ni vampire.

En été je m'habille légèrement, souvent en blanc ou en teintes pastel et je porte principalement du coton. N'oubliez pas que par temps vraiment chaud, on peut être plus au frais avec des vêtements couvrants qu'en dévoilant plus son corps. De mon côté, j'oublie les talons au profit de sandales plates ou d'espadrilles, un classique indémodable. Comme je fais beaucoup de vélo et que j'adore me baigner, je me lave très souvent les cheveux ; j'adopte donc une coupe facile à entretenir. Mon conseil : en cette saison, faites simple en matière de coiffure, sans toutefois négliger votre chevelure. En effet, les climats chauds, qu'ils soient secs ou humides agressent fortement les cheveux et la peau. Comme au plus fort de l'hiver, il est impératif de bien les hydrater. Les soins les plus efficaces sont ceux contenant du beurre de karité, à utiliser deux ou trois fois par semaine, selon le degré de sécheresse de ses cheveux (pour le déterminer, il suffit de les toucher). Avant d'appliquer ce produit, j'effectue toujours un dernier rinçage à l'eau froide additionnée d'une cuillerée à café de vinaigre ou d'un jus de citron, recette inculquée par ma mère pour donner de la brillance auxcheveux. J'aime aussi terminer ma douche par un jet d'eau froide, ce qui relance la circulation sanguine. Ces gestes de beauté à base d'eau froide se révèlent d'ailleurs excellents tout au long de l'année ; mais si on n'y a pas été accoutumée depuis l'enfance, il est bien plus facile de les tenter en été. Même remarque à propos d'un autre de mes rituels matinaux, consistant à glisser un ou deux glaçons dans un gant de toilette (un contact direct avec la peau peut faire éclater les vaisseaux capillaires sous-cutanés) passé doucement sur le visage, en particulier autour des yeux. Je fais cela juste après mon premier verre d'eau de la journée – indispensable, je le rappelle, en toute saison.

À présent vous avez garni votre trousse à outils saisonnière de crèmes, de protections solaires et de produits hydratants pour les cheveux et le corps. Passons au maquillage ! Laissez-le prendre lui aussi des vacances : ayez la main légère et oubliez pour un temps le fond de teint. Étalez un peu de crème solaire sur votre visage et laissez votre peau respirer. Profitez aussi de vos loisirs pour vous faire des masques de beauté. Voici deux recettes d'été de ma mère, la première à base de fraises, la seconde à base de concombre – toujours des produits de saison. Pour le premier, écrasez quelques fraises avec une demi-cuillerée à café de miel et une demi-cuillerée à café de vaseline ; appliquez ce mélange sur le visage, laissez poser quinze minutes, puis rincez. Deuxième recette, mélangez quelques tranches de concombre avec deux cuillerées à soupe de yaourt ; appliquez ce masque sur le visage et les yeux puis recouvrez-le d'un linge mouillé ; attendez quinze minutes avant de rincer.Je change aussi de parfum au fil des saisons, car je préfère les eaux de toilette, les fragrances florales et citronnées au printemps et en été, réservant les mélanges plus sophistiqués ou capiteux aux saisons froides.

Consacrer des heures à son apparence physique empêche de profiter pleinement de la saison de l'année pendant laquelle nous devrions être les plus actifs et rester à l'extérieur pour nous livrer à des activités... de saison. Si vous ne profitez pas de l'instant et hibernez tout l'été, vous allez à l'encontre des mécanismes saisonniers destinés à préserver votre équilibre pondéral. Ceux-ci peuvent se résumer en quelques mots : l'été offre un vaste éventail de saveurs si satisfaisantes qu'elles nous détournent des aliments néfastes. Par ailleurs, la forte chaleur n'incite pas à manger plus que nécessaire. L'organisme a surtout besoin de produits faciles à digérer et qui l'aident à reconstituer ses indispensables réserves d'eau et d'électrolytes. En raison du plaisir à sortir pour jouir du beau temps, on bouge plus facilement, surtout si l'on se donne pour règle de marcher tôt le matin ou le soir à la fraîche. L'envie de s'amuser pousse aussi vers les activités sportives sans crainte du ridicule. Ainsi, même les moins douées au volley-ball se laisseront entraîner sur le terrain par l'esprit estival. Oubliez toute fierté mal placée et suivez vos envies. Je n'ai rien d'une grande nageuse, mais je me jette à l'eau à la première occasion. On a envie de faire mille choses, car au soleil tout devient amusant. De ce fait, ne pas grossir devient plus un avantage annexe que le but principal.

Quand j'étais enfant, les déjeuners d'été du samedi étaient des repas froids servis à l'ombre sur la terrasse dominant notre jardin. Nous avions commencé notre journée, comme nous la finirions et comme je le fais toujours, avec un grand verre d'eau. Soucieuse de prévenir toute déshydratation parmi les siens, Mamie laissait en permanence à portée de main une grande carafe d'eau régulièrement remplie. Sur la table voisinaient une baguette, un plateau de fromages, un peu de saucisson ou de jambon, ainsi que quelques tomates, radis et laitues cueillis juste auparavant par mes soins, éventuellement avec l'aide d'une amie venue déjeuner, et simplement rincés au robinet du jardin ; nous n'entrions même pas dans la maison. Après le déjeuner, dégusté lentement et dans le calme, puis une brève pause digestive, on nous distribuait de petits bols et nous filions cueillir des framboises « pour tout le monde », rappelait Mamie, consciente que, sans ce rappel à l'ordre, nous risquions de nous accroupir devant les arbustes pour les dépouiller à notre aise sans songer à en rapporter aux convives restés à table. Là, nous prélevions certes notre dîme au passage mais rapportions des bols pleins de framboises. Après cela, tout le monde bavardait tranquillement à l'ombre. Même avec les portes et les fenêtres ouvertes de manière à ménager des courants d'air, il faisait trop chaud pour rester à l'intérieur comme pour s'agiter dans le jardin. Nous jouions donc plutôt le soir, parfois jusqu'à 22 heures.

Dans l'ensemble, on nous laissait nous occuper à notre guise dans le jardin. Au milieu de l'après-midi, l'une de nos voisines, Mme Regnaud, venait nous rendre visite, parfois avec un nouveau livre acheté à l'intention de ses petits-enfants, dont elle nous lisait un ou deux chapitres au frais. Nous fermions les yeux, et aucun autre son ne nous parvenait que sa voix sur fond de gai babil d'oiseaux. Mamie reparaissait pour notre « quatre heures », qui n'était pas un goûter mais un plateau de citronnade fraîchement préparée et destinée à nous inciter à boire un peu. La boisson n'était ni acide ni particulièrement sucrée. Quand j'y réfléchis, je suis frappée par le fait qu'une telle scène aurait fort bien pu se dérouler au xixᵉ siècle, et qu'elle paraît pourtant à des années-lumière de l'époque actuelle. C'est fou comme notre mode de vie s'est emballé au cours des dernières décennies. Malheureusement, nous avons abandonné quantité de rituels en oubliant de les remplacer intelligemment. Ainsi, la plupart des enfants d'aujourd'hui préféreraient jouer avec leur PlayStation dans une pièce climatisée. Voilà deux conceptions diamétralement opposées du confort et du plaisir. En ce qui me concerne, je me réjouis de pouvoir encore passer un après-midi d'été dans quelque refuge ombragé parmi les fleurs, un livre à la main et un verre d'eau citronnée ou d'infusion de menthe ou de basilic glacée à proximité.

N'étant plus des enfants, nous ne pouvons consacrer tout l'été à notre bon plaisir. La plupart d'entre nous, travaillant à l'intérieur, passent donc l'essentiel de leur journée dans la bulle climatisée évoquée plus haut. La chaleur paraît particulièrement pénible, car elle entrave nos efforts pour offrir une image professionnelle impeccable. Et nous devons nous débrouiller pour négocier le passage des véritables réfrigérateurs que sont devenus la plupart des bureaux, des magasins, des restaurants et autres lieux publics à l'extérieur. Même si l'air conditionné a mis plus longtemps à s'imposer en Europe, la situation y est désormais quasi identique à celle des États-Unis. Pour survivre à ces aléas, la simplicité reste là encore la solution la plus adaptée. Je recommande la constitution d'une sorte d'« uniforme » composé de quelques pantalons adaptés à sa silhouette, d'une ou deux jupes et de beaux tee-shirts en coton. Achetez les plus jolis, mieux vaut en posséder quelques-uns de bonne qualité qu'une pléthore de nippes trop vite devenues informes. Vos chemisiers, qu'ils soient en coton merce-risé ou en jersey de coton, devront être faciles à laver et à repasser pour offrir une apparence toujours nette. Choisissez des vêtements simples avec quelques détails discrets indiquant un article de qualité (boutons, côtes ou bordure contrastée). On en trouve facilement, y compris sur les marchés à bas prix. Défroissez les pantalons de laine sèche au-dessus d'une baignoire pleine d'eau chaude, ou repassez-les à fer doux, afin de les faire nettoyer le moins souvent possible car les nettoyages à sec usent les fibres des vêtements. Si vous portez du lin, aucun problème : ce tissu se froisse avec élégance. Ajoutez une robe droite et agrémentez le tout de vos propres accessoires.

Côté bijoux, point n'est besoin de vous fournir chez Cartier : je possède un rang de grosses perles de bois acheté dans un souk de Marrakech qui rehausse le plus simple des tee-shirts. Désormais, le plastique imite fort bien l'ivoire (d'ailleurs, qui voudrait se parer des défenses de ce pauvre Babar ?). Achetez vos colifichets à la mode dans les boutiques élégantes si vous le souhaitez, mais vous trouverez souvent des objets tout à fait identiques dans les grands magasins ou même sur des étals de rue, à un prix nettement inférieur. Songez que plus un objet est en vogue, plus il risque de se démoder la saison suivante ; il ne mérite donc pas un investissement lourd. N'abusez pas des bijoux, surtout l'été. Si vous portez un collier imposant, des boucles d'oreilles élaborées seront nettement de trop. Pour être à la fois à la mode et élégante – une notion plus complexe liée à votre style personnel –, contentez-vous de signaler par un élément de votre tenue (une couleur, la forme d'un sac...) que vous connaissez les dernières tendances. N'achetez en revanche jamais un ensemble complet et ne cherchez pas à avoir l'air de sortir d'une boîte. Agrémentez votre « uniforme » de base de quelques clins d'œil à la mode et des accessoires qui font votre look individuel. À vous de construire ce dernier.

Mes conseils devraient vous permettre d'arpenter les rues de l'été sans perdre de votre chic. Reste le problème des inévitables périodes passées dans les bulles climatisées ! Inutile de vous ruiner en vêtements dernier cri tant que vous n'aurez pas auparavant investi dans un cardigan classique, de préférence en cachemire léger, afin de vous éviter de périr d'hypothermie derrière votre bureau. Un bon cachemire, délicatement lavé à la main et régulièrement débouloché, dure des années. L'an prochain, vous en ajouterez un deuxième d'une autre couleur, et ainsi de suite...

Pour vous protéger contre les basses températures des lieux climatisés, je recommande aussi les écharpes ; si ces accessoires peuvent sembler incongrus l'été, ils habillent pourtant et personnalisent un simple ensemble jupe-tee-shirt. Vous ne portez pas votre écharpe ? Attachez-la, comme le faisait Grace Kelly, à la poignée de votre sac à main. L'été, je choisis des foulards et des écharpes en coton, en mousseline ou en chiffon et les porte de manière spécifique à la saison.

Paréo-robe de plage

Voilà longtemps que j'ai abandonné mes habitudes adolescentes de bronzage intensif sur la Côte d'Azur ; à l'époque nous croyions encore que le soleil était bénéfique. Aujourd'hui, je me couvre un peu plus quand je me montre en maillot de bain devant des étrangers. Il existe un secteur entier du prêt-à-porter appelé collections Croisière, mais à mon goût une écharpe légère nous couvre beaucoup mieux et plus simplement, mon maillot de bain et moi. Je la porte alternativement en jupe sur un maillot une pièce ou en robe avec un deux-pièces. Il faut un grand carré pour une jupe et un foulard encore plus grand, carré ou rectangulaire, pour une robe. Cet acces-

110

soire me permet de passer directement de la plage au déjeuner sans rentrer me changer.

Pour la jupe
1. Pliez le carré en diagonale.
2. Repliez le pan le plus long, afin de former une petite bande ou ceinture et enroulez-la autour de votre taille puis nouez-la sur une hanche ou dans le dos. Rectifiez la longueur de cette jupe improvisée. Et voilà, le tour est joué !

Pour la robe
1. Drapez l'écharpe autour de vous et passez-en les extrémités sous les bras. Faites un nœud serré devant.
2. Repliez l'extrémité supérieure de l'écharpe, afin de masquer le nœud, et tirez légèrement sur cette partie pour imprimer à votre décolleté une légère forme en V, plus élégante.

Dans mes jeunes années, l'été représentait la période traditionnelle des vacances et impliquait un départ, soit pour passer quelques semaines chez ma grand-mère dans la campagne alsacienne, soit pour occuper un job d'été en Autriche, ou encore explorer la Yougoslavie. Quel que soit l'itinéraire choisi, l'idée de base consistait à s'adapter à la saison, surtout pas à la fuir ! J'ai découvert les vacances à la plage relativement tard, d'abord sur la Côte d'Azur puis dans le cadre de mon programme d'échange scolaire, à Nantucket, avec ma famille américaine adoptive. Cette dernière expérience fut de loin la plus exotique, aussi bien en termes de paysage que d'anthropologie sociale. À bien des égards, le voyage tout comme la saisonnalité désorganisent notre existence en nous offrant des expériences plus complètes : nos sens sont émoustillés par des décors nouveaux et nous essayons d'en retenir les moindres détails, dirigeant ces informations directement vers notre cerveau « reptilien », vestige d'une époque plus rude où observer son environnement pouvait sauver la vie. Voilà sans doute pourquoi le chianti bu chez soi n'a pas le même goût que celui dégusté en Toscane. De même que les bouquets de lavande vendus sur les marchés parisiens ne dégagent pas un parfum identique à celui embaumant les collines provençales. Les changements de décor se révèlent bénéfiques, car ils offrent à nos sens de nouveaux stimuli.

Tout le monde ne semble pas comprendre l'importance de ce phénomène pour l'état de santé général. Si la sérénité d'une plage en fait une destination de vacances fort agréable – notamment pour moi, car peu d'environnements favorisent mieux la méditation et nul exercice physique ne me paraît plus agréable qu'une promenade au bord de l'eau –, je connais cependant quantité de femmes de tous âges qui voient dans de telles vacances l'occasion de mettre leurs neurones en veilleuse. « Je vais jouer les lézards », entend-on régulièrement dans la bouche de personnes qui travaillent dur le reste du temps et envisagent de partir se reposer « sur la côte ». Notre quotidien moderne nous donne trop à penser et le monde évolue si vite que nous avons du mal à le suivre. Cependant, l'antidote n'est pas à mon sens de cesser de penser mais plutôt de penser à autre chose. S'abrutir de cocktails tropicaux et de soleil n'apporte peut-être pas autant de repos et de régénération que l'on serait tenté de le croire. C'est juste un répit, parfois suffisant. En général, on profite mieux de ses vacances si elles entraînent une immersion dans un cadre radicalement différent, qu'il s'agisse d'un type de paysage, d'une culture, d'une langue et, bien entendu, d'une cuisine. Inutile pour cela de partir en trekking dans l'Atlas ou de parcourir l'Arctique en traîneau ! Pour moi, prendre conscience de l'endroit où je me trouve est indispensable. Je garde précieusement dans mon cœur des moments incroyables vécus dans des lieux *a priori* banals, un minuscule restaurant perdu dans le sud de la Sicile, un petit temple proche de Kyoto, une auberge tenue par un cuisinier talentueux au cœur du Massif central... En de telles occasions, on ne songe même pas à se montrer glouton ; on se sent simplement libre.

Comme je le disais, de telles vacances n'ont pas besoin d'être exotiques, elles doivent juste nous stimuler. Au cours des quinze dernières années, depuis que nous avons commencé à louer notre maison en Provence et *a fortiori* depuis que nous en possédons une, nos étés sont principalement centrés autour de cette région. Chaque année, nous redécouvrons le Sud, sa chaleur, ses cigales, sa lavande, ses marchés débordant de bonnes choses, ses couchers de soleil à couper le souffle – pour nous mille sources d'inspiration. La Provence représente à bien des égards, l'été de mon esprit, un monde rêvé d'abondance et de paix qui demeure dans mon cœur tout au long de l'année. Je n'éprouve jamais la moindre difficulté à remplir la maison ; certains me demandent même pourquoi je lance aussi régulièrement des invitations, dans la mesure où s'occuper correctement de ses hôtes est fatigant. En réalité, cela me stimule d'aider les autres à se détendre. Ma seule exigence : ils doivent abandonner leurs gadgets électroniques et surtout leur téléphone mobile en franchissant notre seuil. Certains citadins ont vraiment du mal à s'y résoudre ; ils ne savent absolument pas comment se détendre. Mais quand leur esprit a pris le « bon » pli, quand nous les avons sensibilisés aux merveilles autour d'eux, au miracle que cette région représente, leur esprit ne tarde pas à suivre.

Le week-end, nos déjeuners – en ville comme à la campagne, et que nous soyons en couple ou entourés d'amis –, sont placés sous le signe de la simplicité. Au risque de me répéter... plus un produit est frais, moins il a besoin d'être masqué. Quantité de recettes furent d'ailleurs inventées pour rendre comestibles des ingrédients immangeables au naturel, en particulier pendant les périodes de l'année où la nature se montre chiche. Cette nécessité ne s'applique nullement l'été, quand il existe tant de produits à déguster crus ou se prêtant à des préparations ultra-rapides. D'ailleurs, qui a envie de s'agiter quand il fait chaud ?

Peu d'aliments se révèlent hors de notre portée gastronomique, en particulier s'ils peuvent cuire au gril. Des chefs novateurs ont d'ailleurs expérimenté à l'envi ce mode de cuisson ces dernières années. Nous adorons les légumes grillés en entrée ainsi que la viande, le poisson et le poulet grillé – un délice ! Quant à nos pêches grillées servies en dessert, elles donnent un avant-goût du paradis.

Les pique-niques, voilà une agréable occasion de déjeuner simplement : un peu de fromage, de saucisson, du bon pain et une bouteille de vin composent un festin à déguster dans un champ ou sous un arbre, surtout après une promenade pendant laquelle on laisse la nature éveiller tous ses sens.

Les potages, décidément indispensables en toute saison, ont aussi leur place dans les menus estivaux. Non seulement ils libèrent – et ce en toute simplicité – les saveurs les plus subtiles des produits saisonniers, mais ils constituent des mets légers et digestes, très satisfaisants et laissant libre cours à la créativité des cuisiniers. Avec un peu d'imagination, vous parviendrez toujours à en varier la recette. En outre, les potages contribuent à maintenir l'hydratation du corps pendant les mois les plus propices à la transpiration. Un potage chaud, comme un thé brûlant, rafraîchit, mais un potage froid se révèle souvent plus appétissant lorsque la température s'élève. Peu de plats sont plus savoureux qu'un bon potage froid.

Nombre de personnes s'étonnent de la simplicité des recettes de potage, songeant plutôt à des légumes mijotant des heures durant. Cela suppose de consacrer une demi-journée, pendant les longs mois d'hiver, à préparer divers bouillons congelés en cas de besoin. Quand je sers du poulet, j'en recycle souvent la carcasse en la mettant à bouillir dans une casserole avec un mirepoix (des légumes coupés en dés et lardons) pendant qu'Edward apporte le dessert sur la table. Notre dîner n'est pas achevé que j'entreprends déjà la préparation du suivant. Cela vous paraît trop fastidieux ? Ne vous en faites pas, on peut préparer de délicieuses soupes simplement avec de l'eau et d'excellents bouillons tout préparés. Quantité de légumes courants peuvent être mixés avec un peu de bouillon ou d'eau, fournissant une base de départ parfaite pour inventer une recette. Osez les aromates et les fines herbes, et éventuellement en touche finale une cuillerée de yaourt, un peu de fromage frais ou du fromage râpé. L'amidon des légumes ainsi passés donne du corps à la soupe ; inutile, donc, de prévoir une liaison à la crème ou aux œufs comme pour une bisque ou un velouté.

Grenouilles

Quand je suis arrivée à Boston, dans le cadre d'un programme d'échange scolaire, certaines de mes camarades de classe et de leurs parents me surnommaient *Frenchy*, « Petite Française » : cela leur paraissait sûrement plus facile à retenir et à prononcer que Mireille. Et comme c'était dit avec affection, cela ne me vexait nullement. J'appréciais moins en revanche qu'on me qualifie de *Froggie*, « Petite Grenouille » et je ne comprenais pas ce surnom. Il m'a fallu plusieurs années avant d'apprendre qu'à l'étranger, on traitait parfois les Français de grenouilles parce qu'ils consommaient ces batraciens. Hors de nos frontières, ce plat surprend au point que certains Américains croient qu'il s'agit d'une légende. J'imagine les GI's de retour de la Seconde Guerre mondiale expliquant à leurs familles incrédules : « Et ils mangent des grenouilles ! » Je l'avoue, j'adore les grenouilles, ou plus exactement leurs cuisses simplement sautées dans un mélange d'huile et de beurre avec de l'ail et du persil. Je comprends toutefois que cela puisse paraître étrange pour un non-initié. Dans mon enfance, nous dégustions souvent des cuisses de grenouilles le dimanche au dîner grâce à M. Barbier, un grand homme au visage poupon qui fournissait Mamie en œufs, en fromage et en volailles. Tous les samedis matin, il arrivait avec sa camionnette pleine de produits achetés aux fermiers de son village et des hameaux avoisinants. Pendant la saison des grenouilles, de l'été à l'automne, il appelait parfois pour annoncer qu'il était en mesure d'en fournir à ses bons clients, dont nous faisions partie. Il surgissait alors le soir, muni d'un panier recouvert d'un torchon et nous en salivions d'avance. J'ignore si nous étions vraiment de si bons clients ou s'il nous nommait ainsi pour nous faire comprendre que nous bénéficiions d'une faveur spéciale. Nous adorions nous sentir privilégiés de la sorte.

Je ne le réalisais pas à l'époque, mais M. Barbier pêchait lui-même ces batraciens et les dépouillait. Pour moi, l'apparition dans mon assiette des seules parties comestible des grenouilles, leurs pattes, relevait plutôt du mystère. Je voyais bien que le contenu de son panier ne ressemblait guère aux personnages des Fables de La Fontaine, ni aux princes changés en crapauds de mes livres d'enfants. Mon père, quant à lui, ne voyait pas l'intérêt de m'avertir trop tôt de telles réalités : la méthode conduisant une grenouille à devenir une paire de cuisses de grenouilles ; ou encore les petits lapins compagnons de jeu, un jour dépouillés et vidés pour entrer dans la composition d'un ragoût ou d'un civet. Il se débrouillait donc pour éluder mes questions. D'ailleurs, aujourd'hui encore, je ne sais pas exactement comment l'opération se déroule... et je ne suis pas sûre de vouloir le savoir. Une fois attablée devant une assiette de cuisses de grenouilles sautées, je me préoccupe uniquement d'en savourer la chair délicate. Cependant, je pense toujours à ce cher M. Barbier, notre « porteur de grenouilles » au visage souriant. J'aime à penser qu'en continuant à déguster tant d'années plus tard ce plat emblématique de l'Hexagone aux yeux des étrangers, je rends hommage à ses efforts pour capturer celles qui agrémentaient les tables de mon enfance.

Je ne donnerai pas ici de recette de cuisses de grenouilles, car la méthode la plus simple que j'évoquais plus haut se révèle la plus savoureuse. On peut au choix préparer les grenouilles telles quelles ou les passer dans la chapelure avant de les cuire. Je me permets quand même de vous signaler où déguster les meilleures cuisses de grenouilles de la planète : en Alsace, au restaurant Buerehiesel de Strasbourg, trois étoiles au guide Michelin. Ses *schniederspätzle* (sorte de nouilles) accompagnées de cuisses de grenouilles poêlées au cerfeuil constituent un délice que tout gastronome devrait goûter au moins une fois dans sa vie. Les alchimistes officiant dans les cuisines de l'établissement font revenir les petites cuisses dans de l'huile, du beurre, du persil et probablement quelques autres ingrédients secrets. Saisissez-les avec vos doigts et laissez les cuisses fondre dans votre bouche dans une explosion de saveurs. À présent, vous connaissez la rigueur avec laquelle j'applique d'ordinaire mon principe de modération : vous comprendrez combien j'adore ce plat si je vous dis que j'ai vraiment failli en commander une deuxième portion... Chacun a son péché mignon, pourquoi les grenouilles ne seraient-elles pas le mien ? Il convient de mentionner ici que l'illustre œnologue Robert Parker partage ma passion pour les spécialités de Buerehiesel et admet avoir demandé du rab. Quant à savoir s'il en a réclamé au dessert, cela demeure matière à spéculation.

SOUPE FROIDE DE CONCOMBRE

(pour 4 personnes)

Mes amies provençales appellent cette recette Gaspacho à la Mireille, *quoiqu'elle ressemble bien peu à ce plat espagnol traditionnel. J'adore en servir au déjeuner par les chaudes journées d'été. Parfois, je passe cette soupe au mixeur avant de la réfrigérer. Tout comme le poireau, le concombre est un léger diurétique riche en potassium et pauvre en sodium ; tous deux favorisent l'élimination des toxines. Les crevettes apportent pour leur part des protéines ; avec une tranche de baguette ou de pain complet, un fruit frais en guise de dessert, on obtient un repas équilibré idéal pour un déjeuner sous la tonnelle avec les chant des cigales ou le babil de vos enfants en fond sonore.*

INGRÉDIENTS

2 concombres de 20 cm (environ 500 g) épluchés
2 poignées de crevettes décortiquées, nettoyées et cuites
2 yaourts
25 cl de lait (entier ou demi-écrémé)
1 citron (jus)
4 cuillerées à soupe de menthe fraîche ciselée
Sel, poivre fraîchement moulu
Quelques feuilles de menthe (pour la décoration)

1. Coupez les concombres en deux dans le sens de la longueur, ôtez les pépins à l'aide d'une cuillère à café, puis détaillez-les en tronçons de 2 à 3 centimètres. Saupoudrez de sel et laissez dégorger pendant 10 minutes. Égouttez puis essuyez avec du papier absorbant.
2. Mélangez le concombre avec le lait ; ajoutez le yaourt, le jus de citron, la menthe ciselée, salez et poivrez. Servez garni de crevettes et décoré de feuilles de menthe.

POTAGE VERT

(pour 4 personnes)

Mon amie Jacqueline, une fan de légumes verts, ne cesse d'inventer de nouvelles recettes. Voici la dernière en date. J'en raffole !

INGRÉDIENTS

2 blancs de poireaux coupés en tranches minces
5 poignées de haricots verts coupés en tronçons de 5 cm
5 poignées de brocolis (bouquets uniquement)
2 courgettes moyennes coupées en tranches
30 cl de lait (entier ou demi-écrémé)
1,25 l de bouillon de légumes (ou d'eau)
2 cuillerées à soupe d'huile d'olive
Sel, poivre fraîchement moulu
4 cuillerées à soupe de persil haché

1. Chauffez l'huile à feu moyen dans une cocotte et faites cuire les poireaux quelques minutes. Ajoutez les haricots verts, remuez de temps à autre pendant 5 minutes ; ajoutez les brocolis, les courgettes et le bouillon de légume (ou l'eau). Portez à ébullition, puis baissez le feu et laissez frémir pendant 20 à 25 minutes. Quand les légumes sont tendres, passez-les au moulin à légumes.
2. Remettez la purée de légumes dans la cocotte, salez et poivrez à votre goût. Versez le lait et laissez cuire à feu moyen 10 minutes de plus, en remuant. Servez saupoudré de persil.

SOUPE DE BETTERAVE

(pour 4 personnes)

À mon sens, la saveur de la betterave est sans égale dans une salade comme dans un potage. Le plus souvent, je prépare cette soupe à l'avance et je la sers glacée, mais il m'arrive aussi d'en proposer façon « vieille Russie », chaude avec une cuillerée de crème aigre.

INGRÉDIENTS

500 g de betterave rouge cuite et coupée en dés
4 yaourts
2 cuillerées à soupe d'échalotes émincées
1 cuillerée à soupe d'ail émincé
1 pincée de cumin
Sel, poivre fraîchement moulu
2 cuillerées à soupe d'aneth ciselé

1. Mélangez bien les cubes de betterave et le yaourt. Ajoutez l'échalote, l'ail et le cumin. Salez et poivrez à votre goût. Placez le tout au réfrigérateur pendant au moins 2 heures.
2. Rectifiez l'assaisonnement, puis servez dans des bols (au préalable placés au réfrigérateur) la soupe saupoudrée d'aneth.

SOUPE FROIDE AU FENOUIL

(pour 4 personnes)

Christine adore le fenouil, tout comme moi. L'été, j'en mange cru ou cuit, seul ou avec d'autres ingrédients comme dans cette recette. Les restaurants indiens en servent souvent les graines en fin de repas : tout comme le persil, elles rafraîchissent naturellement l'haleine. Christine prépare ce potage avec de jeunes bulbes tendres et l'agrémente de brousse corse. À New York, je remplace cette spécialité méridionale par de la ricotta.

INGRÉDIENTS

500 g de bulbes de fenouil nettoyés et coupés en morceaux
120 g de brousse ou de ricotta
1,25 l de bouillon de légumes (ou d'eau)
1 cuillerée à soupe d'huile d'olive
2 cuillerées à soupe de jus de citron
Sel, poivre fraîchement moulu
4 cuillerées à soupe de persil haché
1 pincée de paprika

1. Portez le bouillon de légumes à ébullition. Plongez le fenouil dedans et laissez mijoter 20 minutes. Passez le tout au mixeur ou au moulin à légumes (grille fine). Laissez refroidir puis placez au réfrigérateur pendant 2 heures.
2. Ajoutez la ricotta, l'huile et le jus de citron à la soupe glacée. Mélangez bien. Rectifiez l'assaisonnement et servez dans des bols individuels décorés de persil et de paprika.

POTAGE DE LÉGUMES D'ÉTÉ AU FROMAGE

(pour 4 personnes)

Les femmes de ma famille manifestaient un véritable génie dans la combinaison des aliments pour rendre un mets plus nutritif ou faire d'une simple soupe un repas équilibré. Pourquoi préparer une béchamel quand il suffit d'ajouter du fromage pour enrichir une recette en protéines ? Avec du bon pain et un fruit, que demander de plus ?

INGRÉDIENTS

500 g de pommes de terre épluchées et coupées en dés
500 g de carottes épluchées et coupées en rondelles
1 poivron (vert, jaune ou rouge) épépiné et détaillé en lamelles
120 g de feta
1 oignon émincé
2 échalotes émincées
2 cuillerées à soupe d'huile d'olive
1 cuillerée à soupe de jus de citron
Sel, poivre fraîchement moulu

1. Chauffez l'huile à feu moyen dans une grande cocotte puis faites revenir l'oignon et l'échalote jusqu'à ce qu'ils deviennent translucides. Ajoutez les pommes de terre, les carottes, le poivron et 1,5 litre d'eau. Portez à ébullition, puis baissez le feu et laissez frémir pendant 15 à 20 minutes.
2. Saupoudrez de feta puis arrosez de jus de citron. Rectifiez l'assaisonnement et servez ce potage.

SOUPE FROIDE AUX CAROTTES

(pour 4 personnes)

INGRÉDIENTS

750 g de carottes pelées
1 grosse pomme de terre farineuse épluchée
33 cl de lait froid (entier ou demi-écrémé)
3 cuillerées à soupe de basilic ciselé
Sel, poivre fraîchement moulu

1. Chauffez 75 cl d'eau salée dans un faitout. Dès qu'elle frémit, ajoutez les carottes et les pommes de terre. Faites cuire jusqu'à ce qu'elles soient tendres (comptez 20 minutes environ). Laissez refroidir, puis passez au presse-purée. Réfrigérez la soupe obtenue pendant au moins 2 heures.
2. Juste avant de servir, ajoutez le lait froid et le basilic. Mélangez bien et rectifiez l'assaisonnement. Ce plat se déguste glacé.

SOUPE DE MELON

(pour 4 personnes)

Un plat ultra-rafraîchissant qui ravira les amateurs de douceurs.

INGRÉDIENTS

1 melon
2 jaunes d'œufs
90 g d'amandes en poudre
30 g d'amandes en lamelles grillées
1/2 cuillerée à soupe de yaourt
1 généreuse cuillerée à soupe de crème fraîche
2 cuillerées à soupe d'aneth ciselé
Sel, poivre fraîchement moulu

1. Portez 1 litre d'eau à ébullition dans un faitout et versez-y les amandes. Attendez la reprise de l'ébullition, puis éteignez le feu et laissez infuser 15 minutes. Filtrez et réservez.
2. Mélangez la crème fraîche et le yaourt pour obtenir une crème aigre ; battez-la dans un saladier avec les jaunes d'œufs. Ajoutez tout doucement l'« infusion d'amandes » sans cesser de remuer. Laissez refroidir. Salez et poivrez à votre goût.
3. Coupez le melon en 2 et débarrassez-le de ses pépins. Détaillez sa chair en petits dés et ajoutez-la à la soupe. Servez garni d'aneth et des amandes émincées.

VICHYSSOISE

(pour 4 personnes)

INGRÉDIENTS

4 blancs de poireaux émincés
250 g de pommes de terre épluchées et coupées en dés
1 oignon épluché et émincé
3 cuillerées à soupe de crème fraîche
1 cuillerée à soupe de yaourt
2 noix de beurre
1 l de bouillon de poule
Quelques brins d'aneth (pour la décoration)
Sel et poivre fraîchement moulu

1. Faites fondre le beurre dans un faitout. Faites revenir les poireaux et l'oignon à feu doux à moyen pendant 10 minutes. Ajoutez les pommes de terre, puis le bouillon et portez à ébullition. Baissez le feu et laissez frémir 35 minutes en couvrant partiellement le récipient.
2. Passez au presse-purée – puis au chinois, si vous souhaitez un potage très liquide. Remettez dans le faitout, salez et poivrez à votre goût. Rallumez le feu. Combinez la crème fraîche et le yaourt pour obtenir une crème aigre, et versez-la dans la soupe à la reprise de l'ébullition. Mélangez bien. Laissez refroidir.
3. Quand cette soupe aura refroidi, réfrigérez-la pendant 6 heures au moins. Servez-la froide, de préférence dans des tasses, et saupoudrée d'aneth ciselé.

■ ■

Une amie italienne remplace les poireaux par des courgettes (avec un temps de cuisson réduit de 10 minutes), la crème aigre par du mascarpone et l'aneth par du basilic : *assolutamente delicioso*.

Tomates

Rares sont les amateurs ou les fines gueules qui ne s'extasient pas sur les tomates d'été. Même les personnes peu soucieuses de consommer des produits de saison le reconnaissent : une tomate fraîche cueillie le jour même et sa cousine acquise dans un supermarché en décembre (ou même en juillet) se ressemblent comme le jour et la nuit. Une véritable tomate peut presque constituer un repas à elle seule, tandis que les « contrefaçons » ne méritent même pas de se glisser entre les tranches d'un sandwich.

Si les jonquilles et les fraises me crient l'arrivée du printemps, rien n'évoque pour moi l'été comme une fleur de tournesol et le rouge d'une tomate mûre à souhait. Mais pourquoi nous focalisons-nous sur ce légume au demeurant banal, dont nous avons tous appris, puis oublié, qu'il s'agit en réalité d'un fruit ? Songez à ce « détail » si vous envisagez par le plus grand des hasards de mettre une tomate au réfrigérateur : il ne vous viendrait pas l'idée d'en faire autant avec un fruit mûr, n'est ce pas ? Dont acte. En fait je pense que, tout comme les fraises, les tomates semblent avoir été conçues dans l'unique but de capturer l'énergie du soleil pour la transformer en saveur.

Si vous maltraitez une tomate – si vous la ramassez avant maturité, l'expédiez vers le Nord ou la laissez dépérir sur un étal de supermarché –, vous obtiendrez exactement ce que vous méritez : une pomme de terre avec un petit supplément de lycopène. Encore suis-je en train de me montrer injuste envers les pommes de terre, mais ces tubercules auront leur heure de gloire dans le chapitre consacré à l'hiver. Pour l'instant, nous nous préoccupons de l'été et, en cette saison-là, nous devons laisser les tomates se livrer à leur activité favorite, boire les rayons du soleil. J'ai goûté les meilleures tomates de ma vie, tout comme le meilleur basilic d'ailleurs, dans la région des

Pouilles, à l'extrême sud de l'Italie. N'attendez de moi en l'espèce aucun chauvinisme. En matière d'ingrédients, je recherche seulement les meilleurs produits. J'ignore si leur saveur unique résultait de la combinaison de chaleur et de sécheresse propre à cette région très méridionale. Les Italiens, amateurs de bonnes choses s'il en est, ne laissent aucun de ces précieux fruits se perdre. J'ai ainsi vu des tomates par camions entiers se diriger vers une usine de conserves d'Avellino pour y être transformées en sauce. Je signale à ce propos qu'une bonne sauce tomate vaut dix mauvaises tomates et représentent en hiver le meilleur moyen de profiter de cette offrande estivale et de ses nutriments uniques. Je ne parle même pas de son goût...

Où qu'il se trouve, un de mes vieux amis mange des tomates chaque matin au petit déjeuner pendant toute la saison de maturité de ces fruits, laquelle recouvre, en gros, les mois d'été. Je le soupçonne, eu égard à son âge, de ne pas seulement s'intéresser à la saveur des tomates, mais aussi au lycopène qu'elles contiennent, lequel a une action préventive reconnue sur le cancer de la prostate. Cela dit, une de mes cousines – pourtant dépourvue de prostate – adore elle aussi les tomates au petit déjeuner : elle les mange sous forme de confiture, qu'elle prépare avec des tomates épépinées mais avec la peau, puis passées au mixeur avec une pincée de sucre. Juste avant de les transvaser dans des bocaux stériles, elle ajoute au mélange une gousse de vanille. Le matin, elle tartine son pain de cette confiture, sans beurre. Après cela, osez prétendre qu'il ne s'agit pas d'un fruit !

Quant à moi, je préfère les tomates crues et j'en fais le meilleur usage, avec une prédilection particulière pour ce que les Italiens appellent *insalata caprese* : un mélange de tomates, de mozzarella et de basilic frais avec une goutte d'huile d'olive. On en sert en bien d'autres endroits qu'à Capri, notamment chez moi. En Provence, nous dînons d'ailleurs souvent de tomates. Notre repas principal est le déjeuner, bien souvent suivi d'une sieste réparatrice à l'ombre puis, lorsque la chaleur retombe, d'une promenade avec cueillette de framboises sauvages sur les buissons bordant la route. Nous dînons tard et dehors, bien souvent d'une simple salade de tomates avec un peu de pain de campagne pour saucer, du fromage de chèvre frais et divers fruits en dessert. Vous trouvez ce repas bien léger ? Croyez-moi, personne ne se lève de table en restant sur sa faim.

Le fantasme absolu des fous de tomates, dont je suis, serait un repas entier préparé à partir de ce fruit. Je connais actuellement un seul chef capable de réaliser ce tour de force, Christian Étienne qui officie à Avignon. Je lui ai envoyé des amis. Ils ont tellement apprécié son menu qu'ils sont retournés chez lui dans le courant de la même semaine. On peut faire tant de choses avec les tomates qu'il faut bien plus d'un repas pour s'en lasser !

SALADE DE TOMATES TOUTE SIMPLE DE MIREILLE

(pour 4 personnes)

INGRÉDIENTS

6 tomates
4 cuillerées à
soupe d'huile
d'olive
4 cuillerées à
soupe de basilic
ciselé
Fleur de sel
Poivre
fraîchement
moulu

1. Coupez les tomates en tranches et disposez-les dans 4 assiettes. Saupoudrez-les de sel et laissez-les dégorger pendant 20 minutes (une astuce pour libérer toute leur saveur). Épongez-les ensuite avec du papier absorbant.
2. Arrosez chacune des assiettes d'un filet d'huile d'olive, poivrez et garnissez de basilic. Servez cette salade accompagnée de pain de campagne pour ne pas perdre une seule goutte de ses délicieux sucs.

■ ■

On peut ajouter quelques gouttes de vinaigre ou quelques fines tranches d'oignon.

SALADE AIGRE-DOUCE
DE LÉGUMES ET DE FRUITS

(pour 4 personnes)

INGRÉDIENTS

250 g de haricots
verts frais
2 épis de maïs
1 avocat coupé en
fines lamelles
1 laitue épluchée,
nettoyée et
essorée
1 pamplemousse
pelé à vif et coupé
en tranches
300 g d'ananas
frais coupé en dés
1 citron (jus)
1 cuillerée à café
de moutarde de
Meaux
2 cuillerées à
soupe de vinaigre
de vin rouge
3 cuillerées à
soupe d'huile
d'olive
3 cuillerées à
soupe d'huile de
tournesol
Sel, poivre
fraîchement
moulu

1. Faites cuire les haricots verts à la vapeur pendant 8 minutes puis réservez-les.
2. Faites cuire le maïs à la vapeur pendant 3 minutes. Séparez les grains de l'épi à l'aide d'un couteau aiguisé.
3. Arrosez l'avocat de jus de citron.
4. Préparez la sauce en mélangeant la moutarde, le sel, le poivre et le vinaigre. Ajoutez les deux huiles sans cesser de mélanger.
5. Disposez tous les fruits et légumes dans un saladier, versez la sauce dessus et remuez délicatement.

ORECCHIETTE AU THON ET AUX COURGETTES

(pour 4 personnes)

INGRÉDIENTS

360 g
d'orecchiette
(pâtes)
2 courgettes
moyennes
coupées en
tranches fines
2 gousses d'ail
épluchées et
émincées
500 g de tomates
cerises coupées
en deux
1 boîte de 180 g
de thon à l'huile
d'olive
1 noix de beurre
ou 1 cuillerée à
soupe d'huile
d'olive
4 cuillerées à
soupe d'huile
d'olive
Sel, poivre
fraîchement
moulu
2 cuillerées à
soupe de basilic
frais haché

1. Portez 2 litres d'eau à ébullition dans un grand faitout et faites cuire les orecchiette suivant les instructions figurant sur l'emballage.
2. Placez les courgettes dans un saladier et égouttez les pâtes par-dessus. Laissez-les mariner dans l'eau de cuisson pendant 2 minutes pour les attendrir, puis égouttez-les. Remettez les courgettes dans le saladier.
3. Faites fondre le beurre (ou versez 1 cuillerée à soupe d'huile d'olive) dans une sauteuse, puis faites revenir à feu moyen l'ail et les tomates. Retirez du feu. Ajoutez le thon, puis les pâtes. Versez le tout sur les courgettes et mélangez bien. Arrosez d'huile d'olive, rectifiez l'assaisonnement et servez aussitôt, garni de basilic.

PAPILLOTES DE ROUGETS DE ROCHE AUX ÉPINARDS

(pour 4 personnes)

INGRÉDIENTS

8 filets de rougets de roche d'environ 60 g chacun
500 g d'épinards nettoyés et égouttés
4 cuillerées à soupe d'échalotes en tranches
8 tranches de citron vert
4 cuillerées à soupe de crème fraîche
2 cuillerées à soupe d'huile d'olive
Sel, poivre fraîchement moulu

1. Préchauffez le four à 150 °C.
2. Découpez 8 morceaux de papier sulfurisé (ou aluminium) assez larges pour recevoir les filets de rougets en laissant un bord libre de 5 cm. Badigeonnez légèrement d'huile d'olive 4 de ces carrés.
3. Empilez au centre de chaque carré huilé un quart des épinards, 1 cuillerée à soupe de crème fraîche, 2 filets de poisson, 1 cuillerée à café d'échalote et 2 tranches de citron vert. Salez et poivrez.
4. Posez les 4 morceaux de papier restants par-dessus et repliez les bords de manière à former des papillotes. Posez ensuite celles-ci sur une plaque de cuisson et mettez-les au four 15 à 20 minutes.
5. Servez aussitôt les papillotes entières.

- -

Vous pouvez préparer cette recette avec d'autres poissons, notamment du cabillaud.

CANARD AUX PÊCHES AU BARBECUE

(pour 4 personnes)

INGRÉDIENTS

2 magrets de canard
4 pêches jaunes ou nectarines dénoyautées et coupées en 8 tranches chacune
1 cuillerée à café de miel
1/2 citron (jus)
1 noisette de beurre
Sel, poivre fraîchement moulu

1. Préparez le barbecue ou préchauffez le gril du four.
2. Chauffez le miel à feu moyen avec quatre cuillerées à soupe d'eau et le jus de citron en remuant jusqu'à ce qu'il ait entièrement fondu (cela prend environ 2 minutes). Laissez refroidir 5 minutes.
3. Badigeonnez les magrets avec la moitié du miel fondu.
4. Faites fondre le beurre à feu moyen dans une sauteuse et ajoutez les tranches de pêches. Versez le reste de la sauce au miel et laissez cuire quelques minutes. Les pêches doivent être tendres mais encore fermes.
5. Faites griller les magrets 3 minutes de chaque côté. Laissez-les reposer quelques minutes, puis découpez-les en biais. Disposez-les dans un plat de service, recouverts des pêches et de leur jus.

∎ ∎

Je vous conseille de servir ce plat avec des légumes verts tels que des courgettes ou des haricots verts, qui se marient harmonieusement avec, tant sur le plan des couleurs que sur celui de l'équilibre alimentaire.

POULET AU PASTIS

(pour 8 personnes)

J'adore la Provence, mais j'avoue n'avoir jamais pu me faire à son breuvage emblématique : je trouve le pastis trop fort (et bon nombre de mes amies partagent cette opinion). En plus, cette boisson rafraîchissante « descend toute seule », si bien qu'il est tentant d'en abuser... Or, le pastis enivre vite et j'ai trop souvent observé son effet sur les joueurs de pétanque du village avec des fins de parties peu ragoûtantes. À l'apéritif, je préfère donc la version sans alcool et sans sucre : cela me permet d'en savourer le goût... sans les inconvénients.

En cuisine, en revanche, rien ne remplace l'authentique pastis. C'est mon amie Georgette qui m'a appris à l'utiliser – elle-même prépare un remarquable lapin au pastis. J'ai adapté sa recette pour le poulet et n'ai récolté que des compliments !

INGRÉDIENTS

Pour la marinade

15 cl (1 verre et demi) de pastis
6 cuillerées à soupe d'huile d'olive
Sel, poivre fraîchement moulu
1 poulet de 1,5 kg découpé en 8 morceaux
2 oignons épluchés et coupés en tranches
4 tomates coupées en dés
4 gousses d'ail épluchées et émincées
3 cuillerées à soupe d'huile d'olive
2 poignées d'olives noires dénoyautées et hachées
2 bottes de basilic ciselé
2 cuillerées à café de graines fenouil
Sel, poivre fraîchement moulu

1. Préparez la marinade en mélangeant le pastis et l'huile avec du sel et du poivre.
2. Disposez les morceaux de poulet au fond d'un plat creux, arrosez-les de marinade puis recouvrez le récipient de film plastique. Réfrigérez pendant 2 heures au moins (si possible, laissez le poulet mariner une nuit entière).
3. Chauffez 3 cuillerées à soupe d'huile d'olive à feu moyen dans une cocotte puis faites suer les oignons pendant 6 minutes environ. Ajoutez les tomates, l'ail et les graines de fenouil. Poursuivez la cuisson pendant 15 minutes, en remuant de temps à autre.
4. Ajoutez les morceaux de poulet et leur marinade dans la cocotte. Couvrez et laissez mijoter à feu doux à moyen 30 minutes environ. Ajoutez les olives et un tiers du basilic. Remettez le couvercle et cuisez encore 30 minutes, jusqu'à ce que les morceaux de poulet soient cuits. Rectifiez l'assaisonnement, garnissez avec le reste du basilic et servez aussitôt.

Vous pouvez accompagner ce poulet de riz ou de pâtes et, côté boisson, d'un côtes-du-Rhône rouge.

POIVRONS TRICOLORES

(pour 4 personnes)

Le poivron, une plante originaire du Nouveau Monde, s'est implanté sur la planète tout entière. Si le goût des asperges varie peu avec leur couleur, celui des poivrons est déterminé par leur teinte. Les verts, récoltés avant leur pleine maturité, offrent une saveur moins subtile et délicate que leurs frères jaunes ou rouges cueillis plus tardivement. Le surplus de soleil dont ils ont bénéficié rend leur peau plus fine et leur chair plus parfumée. Ainsi ces petits lampions colorés ravissent-ils également les yeux et les papilles. Ils se dégustent indifféremment crus en salade, cuits à l'étouffée ou grillés. Comme pour les fraises, les spécimens plus petits et biscornus se révèlent bien supérieurs aux variétés géantes et bien symétriques produites à grande échelle.

Vous l'aurez compris, j'adore ces légumes aussi divers que savoureux. En revanche, je comprends mal qu'on perde son temps à les faire griller afin de les débarrasser de leur peau. Pour ma part je tiens à conserver celle-ci et les précieux nutriments qu'elle contient. J'achète un ou deux poivrons de chaque couleur au marché presque tous les samedis, puis les prépare... par exemple de la façon suivante.

INGRÉDIENTS

6 poivrons (2 rouges, 2 oranges et 2 jaunes)

1. Coupez les poivrons en deux dans le sens de la longueur. Ôtez leur pédoncule et tout l'intérieur (pépins et côtes). Coupez-les en larges bandes.
2. Placez les poivrons rouges au fond d'un cuit-vapeur, puis les oranges et les jaunes. Faites cuire 6 à 8 minutes. Et voilà !

Ces poivrons se marient à merveille avec le poisson, la viande blanche ou les pâtes. Arrosez-les simplement d'un filet d'huile d'olive, en ajoutant un peu de sel et de poivre. Je garde les restes au réfrigérateur pour les manger froids au déjeuner, en semaine, avec un peu de poulet, de thon ou de saumon froid, ou quelques crevettes ; ou encore en salade avec quelques feuilles de laitue ou de roquette, et un œuf dur ou quelques morceaux de feta. J'ajoute alors une vinaigrette moutardée et toujours beaucoup de persil haché. Autre solution, encore plus simple : sur une tartine de pain de campagne ou de pain au levain, poser les poivrons à température ambiante, quelques grains de sel, une goutte d'huile d'olive et du persil. Le tour est joué...

COULIS DE CRESSON

(pour 4 personnes)

INGRÉDIENTS

2 bottes de cresson
4 cuillerées à soupe de crème fraîche ou de yaourt
3 jaunes d'œufs
1 pincée de muscade fraîchement râpée
Sel, poivre fraîchement moulu

1. Rincez bien le cresson et cuisez-le à la vapeur pendant 5 minutes.
2. Mélangez-le avec la crème fraîche ou le yaourt, les jaunes d'œufs et la muscade. Salez et poivrez à votre goût et servez aussitôt.

- -

AUBERGINES SAUTÉES FAÇON TAPENADE

(pour 4 personnes)

INGRÉDIENTS

2 aubergines moyennes non épluchées et coupées en tranches (2 à 3 cm d'épaisseur)
1 oignon rouge épluché et émincé
Tomates concassées en conserve (1 grosse boîte)
2 cuillerées à soupe de câpres
8 olives vertes dénoyautées
8 olives noires dénoyautées
4 cuillerées à soupe d'huile d'olive
12 cl de vinaigre de vin rouge
Sel, poivre fraîchement moulu

1. Saupoudrez les tranches d'aubergine de sel et laissez-les dégorger pendant 20 minutes puis rincez-les à l'eau froide et épongez-les. Un tel traitement attendrit les aubergines et élimine leur amertume.
2. Chauffez l'huile à feu moyen dans une sauteuse et faites revenir les aubergines et l'oignon, jusqu'à ce qu'ils dorent et deviennent légèrement croquants. Réservez-les.
3. Versez les tomates et le vinaigre dans la sauteuse et faites cuire quelques minutes à feu moyen. Ajoutez les câpres et les olives. Salez et poivrez à votre goût. Mélangez avec les aubergines et l'oignon, et servez immédiatement.

LÉGUMES SAUCE AU YAOURT

(pour 6 personnes)

INGRÉDIENTS

6 pommes de terre nouvelles moyennes épluchées, coupées en tranches et cuites à l'eau bouillante salée pendant 10 minutes
1 gros concombre épluché et coupé en dés
1 tomate coupée en huit
4 branches de céleri coupées en tronçons de 1 cm
1 poignée de raisins secs
2 cuillerées à soupe de moutarde de Meaux
2 cuillerées à soupe de vinaigre de vin rouge
6 cuillerées à soupe d'huile de noix ou de noisette
1 yaourt
2 cuillerées à soupe de ciboulette hachée
Sel, poivre fraîchement moulu

1. Mélangez la moutarde et le vinaigre dans un bol avec l'huile, puis ajoutez le yaourt et la ciboulette. Salez et poivrez. Battez bien le tout.
2. Versez cette sauce sur les légumes et remuez délicatement. Servez accompagné de pain pita.

Viva la plancha !

Comme je l'ai dit, le barbecue constitue notre arme secrète tout au long de l'été. Même si les Français l'admettent rarement, ils envient aux Américains et aux Australiens ce mode de cuisson convivial et ludique. Nous voyons d'ailleurs de plus en plus d'amis repartir nantis d'un barbecue acheté durant leur séjour aux États-Unis.

Non seulement c'est une façon simple et pratique de recevoir, mais cela permet aussi de désacraliser la gastronomie en revenant aux choses simples et aux saveurs naturelles, en oubliant pour un temps les rituels formels d'un repas pris dans la salle à manger. Cela dit, je n'aimerais pas voir un jour prochain une baraque à frites servir un savoureux pavé de Salers provenant d'un bovin auvergnat âgé de quatre ans dans une assiette en papier, encore moins garni de frites arrosées de ketchup.

Le barbecue d'Edward a conquis mon cœur la première fois qu'il l'a utilisé devant moi. Un ami nous ayant offert une bouteille de vin rouge d'exception, il avait décidé de nous offrir une côte de bœuf. Tandis que le gril chauffait, il a saupoudré la viande de quelques minuscules bribes d'ail et versé dessus le jus d'un citron, avant de la mettre à cuire avec quelques gros champignons Portobello, plus savoureux que leurs cousins de Paris. Sel et poivre sont intervenus après la cuisson. Un régal... Nos souvenirs sont tissés de tels événements.

En s'intéressant aux barbecues, les Français ont redécouvert une invention espagnole du XIXe siècle, plus saine que le gril en termes de santé. La *plancha* est une plaque d'acier conducteur qui permet de cuire la viande très rapidement sans adjonction de gras ; comme il s'agit d'une surface plate et lisse, la viande risque moins de brûler. Les puristes feront remarquer que ce mode de cuisson se prive du principal avantage du barbecue. Les médecins s'accordent en revanche pour dire que tout aliment calciné devient carcinogène – et notre chaîne alimentaire nous apporte déjà bien assez d'agents de ce type.

La *plancha* présente l'avantage supplémentaire de permettre une cuisson « minute », c'est-à-dire à la dernière minute, tout en préservant la texture et la saveur des ingrédients frais. De plus, elle peut s'utiliser aussi bien à l'intérieur qu'à l'extérieur. Depuis bien longtemps, les Espagnols préparent certaines de leurs tapas à la *plancha*. De fait, un menu varié ne pose aucun problème ; on peut faire cuire la plupart des aliments en un clin d'œil, une fois la plaque bien chaude.

Une année, Edward et moi avons passé la fête de Thanksgiving en Espagne. Soudain, j'ai été saisie de nostalgie, comme Woody Allen : « Quand je suis à Paris, j'ai envie d'être à New York et quand je suis à New York, j'ai envie d'être à Paris. » En tout cas, je rêvais de la dinde traditionnelle... Une amie barcelonaise a donc décidé de préparer à mon intention une interprétation italo-locale avec des escalopes de dinde, du marsala et de la sauge. Deux heures avant cette version expatriée du festin annuel dont la préparation demande une journée aux cuisinières américaines, elle a posé une mince tranche de jambon Iberico sur chaque morceau de dinde puis, par-dessus, une lamelle de mozzarella et quelques feuilles de sauge fraîche. Elle a ensuite roulé les escalopes en petits rouleaux fixés à l'aide d'un cure-dent. Une fois disposés dans un plat à gratin, ils ont été arrosés de marsala (le xérès convient aussi) et d'huile d'olive avec un soupçon de sel. Après avoir arrosé les escalopes à plusieurs reprises, elle a placé le plat au réfrigérateur jusqu'au moment de mettre les rouleaux à cuire, pendant 8 à 10 minutes sur une *plancha* préchauffée. Pendant les deux dernières minutes de cuisson, elle a ajouté une délicieuse garniture de pommes en rondelles. Ce jour-là, nous avons accompagné ce repas d'un merveilleux rioja, mais j'ai repris cette recette à la maison et l'ai servie avec un bon zinfandel. Un excellent mariage aussi. Je recommande aux déçus de la fade dinde traditionnelle de réaliser cette délicieuse recette à la catalane. Et si elle vous paraît trop minimaliste pour l'automne, elle vous ravira l'été par sa simplicité. Dans ce cas, vous devrez remplacer les pommes, même si on en trouve l'été tout comme la plupart des autres fruits, car ce n'est pas la saison idéale pour en manger et il existe trop d'alternatives estivales pour s'en contenter.

Tutti frutti

L'été offre en effet une belle abondance de fruits, dont je me délecte au naturel. Je les mange aussi rapidement que possible après leur cueillette, à température ambiante et en général tels que la nature nous les a donnés – même s'il m'arrive à l'occasion d'ajouter un peu de crème ou de glace à la vanille sur mes fraises ou mes pêches. Fraises, myrtilles, mûres, cerises de toutes sortes, pêches blanches, pêches jaunes, prunes grosses ou petites, abricots, melons, la plupart des fruits mûrissent au cœur de l'été. La nature se montre si généreuse qu'il arrive même aux grands supermarchés d'en proposer de très corrects. Il n'empêche, ils ont la manie de les conserver à température trop basse et au-delà de leur maturité optimale. Optez plutôt pour les points de vente de légumes frais, proposant aussi des fruits frais. Si vous ne prenez pas la peine de les dénicher, vous vous priverez d'un des principaux plaisirs de l'été et aussi de l'un des meilleurs moyens de ravir vos papilles sans risque de grossir. Vous vous priverez en outre de l'option la plus simple en termes de dessert : aucune préparation ou si peu...

Je le reconnais cependant, même avec la meilleure volonté du monde, on ne trouve pas toujours des fruits mûris à point et il faut parfois se contenter de ce qui nous est proposé. Ainsi, il se révèle de plus en plus ardu de dénicher de bons abricots, un de mes fruits favoris, hormis pour qui possède un abricotier. Les fruits en vente sur les meilleurs marchés sont parfois fibreux et dépourvus de saveur. En outre, les meilleures variétés ne figurent au menu que très brièvement. Ainsi, dans notre région de Provence, se cultive une variété acidulée dont la saison n'excède pas quelques semaines. Nous en profitons autant que nous le pouvons... mais trois semaines, c'est court. Dans mon enfance, ma mère mettait les abricots en conserve pour faire des tartes l'hiver suivant.

ABRICOTS AU FOUR

(pour 4 personnes)

INGRÉDIENTS

16 abricots
dénoyautés et
coupés en deux
1 cuillerée à café
d'extrait de vanille
1 verre de
vermouth sec
6 cuillerées à
soupe de miel

1. Préchauffez le four à 180 °C.
2. Disposez les demi-abricots au fond d'un plat allant au four, en les faisant se chevaucher. Mélangez la vanille et le vermouth puis arrosez-en les fruits. Terminez par un filet de miel, puis placez le tout au four pendant 20 minutes, jusqu'à ce que les abricots soient tendres.
3. Laissez refroidir puis réfrigérez la préparation. Servez-la accompagnée de crème fraîche ou de crème fouettée (ou encore sur un lit de yaourt).

PÊCHES GRILLÉES À LA CANNELLE ET AU ROMARIN

(pour 4 personnes)

À l'instar des abricots, les pêches doivent être mangées parfaitement mûres. Mais comme ces fruits s'abîment facilement, ils sont souvent cueillis encore durs comme des balles de tennis. Si vous attendez, ces pêches mûriront, bien sûr, mais elles n'auront jamais la saveur d'un fruit récolté mûr à point. Ceux-là se reconnaissent sans difficulté à leur odeur incomparable... Les autres se prêtent à merveille à d'excellentes préparations cuites.

INGRÉDIENTS

4 pêches
1 cuillerée à soupe
de sucre en
poudre
1 pincée de
cannelle
2 cuillerées à
soupe d'huile de
colza
4 brins de romarin
hachés

1. Préchauffez le gril du four.
2. Rincez et essuyez les pêches, coupez-les en deux et ôtez les noyaux. Posez les demi-fruits au fond d'un plat à gratin. Mélangez le sucre et la cannelle, puis ajoutez l'huile et badigeonnez les pêches de ce mélange. Saupoudrez le tout de romarin. Laissez mariner 10 minutes en retournant les pêches et en les badigeonnant à nouveau d'huile sucrée.
3. Faites griller les pêches pendant 2 à 3 minutes sur chaque face, jusqu'à ce qu'elles deviennent tendres mais pas molles. Servez-les sans plus tarder nature, ou accompagnées d'une boule de glace à la vanille ou à la cannelle.

- -

FIGUES À LA RICOTTA

(pour 4 personnes)

INGRÉDIENTS

8 figues fraîches
16 cuillerées à
soupe de ricotta
4 cuillerées à
soupe de miel
4 lamelles
d'écorce d'orange
1 cuillerée à soupe
de zeste d'orange

1. Versez 1 verre d'eau, le miel ainsi que les zestes et écorces d'oranges dans une sauteuse. Faites chauffer à feu moyen en remuant jusqu'à ce que le miel soit complètement dissous – comptez environ 2 minutes. Portez à ébullition pendant 5 minutes environ, pour faire réduire et épaissir ce sirop.
2. Hors du feu, enrobez délicatement les figues de sirop.
3. Versez 4 cuillerées à soupe de ricotta dans chaque coupe de service, ajoutez 2 figues et arrosez de sirop.

Ramener l'été à l'intérieur

Quand vient la fin de l'été... on a du mal à se résoudre à voir bientôt les fleurs tirer leur révérence. Qui parmi nous n'a jamais rêvé de faire perdurer l'été bien à l'abri dans son appartement ou sa maison ? Malheureusement, la plupart des plantes d'extérieur s'acclimatent mal à l'intérieur. Les géraniums, par exemple, s'épanouissant si joliment sur nos terrasses ou les rebords de nos fenêtres se plaisent beaucoup moins entre quatre murs. Et si certaines plantes plus délicates, comme les rosiers miniatures ou les soucis, acceptent mieux cette migration, sachez-le, leur espérance de vie à l'intérieur excède à peine celle des fleurs coupées.

En clair, il faut profiter des fleurs d'été en saison. Les arbres ont perdu leurs boutons, mais les roses sont en pleine floraison, tout comme les plantes annuelles, parmi lesquelles mes chères sauges, lantanas et cosmos. Si vous avez eu la chance de les voir pousser dans votre jardin, les fleurs coupées constituent votre récompense. Ma fleuriste Anaïs a accroché dans son magasin un panonceau affirmant : « Qui plante son jardin plante son bonheur. » On ne saurait mieux exprimer les choses. Les moins chanceux devront se contenter de jardiner par procuration dans les marchés aux fleurs.

Vous pouvez en revanche cultiver des fines herbes sur le rebord de la fenêtre de votre cuisine, notamment du basilic, plante fort délicate arrivant très rarement sur les marchés les feuilles intactes. Il demande peu de soins et vous ravira de ses feuilles odorantes.

En attendant, passez le plus de temps possible au-dehors pour profiter des teintes multicolores des massifs et des jardins !

*

*Pour simplifier les menus proposés ci-après,
certaines quantités sont indiquées
avec pour unité le bol (12 cl).*

✳ Une semaine de menus d'été ✳

LUNDI

Petit déjeuner
Boisson aux myrtilles [1]
1 tranche de pain multicéréale,
    grillée et beurrée
1 tranche (30 g) de jambon cuit
Thé ou café

Déjeuner
Vichyssoise (p. 125)
1 œuf dur
1 portion de pastèque
Boisson non calorique

Dîner
Poulet grillé au thym
Aubergines sautées façon
    tapenade (p. 139)
1 épi de maïs grillé
Salade verte
Pêches grillées à la cannelle
    et au romarin (p. 146)
1 verre de vin rouge

MARDI

Petit déjeuner
30 g de gruyère, comté ou
    cantal
8 cuillerées à soupe de muesli
1 verre de lait
1 poignée de fraises
Thé ou café

Déjeuner
Salade tomates-mozzarella
1 tranche de pain de campagne
2 poignées de cerises
Boisson non calorique

Dîner
Poisson aux amandes [1]
90 g d'asperges avec
    1 cuillerée à café d'huile
    d'olive
2 tomates
Salade de tomates toute simple
    de Mireille (p. 129)
1 bol de salade de fruits frais
1 verre de vin blanc ou rouge

---

1. Voir *Ces Françaises qui ne grossissent pas – Comment font-elles ?*,
op. cit.

MERCREDI

Petit-déjeuner
2 pruneaux
1 œuf à la coque
30 g de salami ou de saucisson
2 tranches de baguette
    beurrées
Thé ou café

Déjeuner
Soupe d'été froide au yaourt
    et à la betterave[1]
100 g de poisson
1 yaourt, 1 bol de légumes
    verts
1 nectarine
Boisson non calorique

Dîner
Orecchiette au thon et aux
    courgettes (p. 131)
Salade verte
1 part de melon
1 verre de vin blanc ou rouge

JEUDI

Petit-déjeuner
1 tranche de jambon cru
8 cuillerées à soupe de céréales
    au son
1 verre de lait
1 poignée de framboises
Thé ou café

Déjeuner
Concombre au yaourt
1 blanc de poulet grillé
1 tranche de pain aux olives
3 abricots frais
Boisson non calorique

Dîner
120 g d'escalope de veau
1 grosse tomate grillée
1 bol de riz complet aux
    petits pois (p. 45)
1 bol de fruits rouges
1 verre de vin blanc, rosé ou
    rouge

---

1. Voir *Ces Françaises qui ne grossissent pas – Comment font-elles ?*, *op. cit.*

VENDREDI

Petit déjeuner
1 verre de jus de tomate
1 yaourt
1 bol de fruits rouges
1 tranche de pain complet
   grillée et beurrée
Thé ou café

Déjeuner
Ratatouille [1]
1 tranche de pain de campagne
30 g de fromage de chèvre
1 pêche
1 carré de chocolat
Boisson non calorique

Dîner
Flétan en papillote [1]
Coulis de cresson (p. 138)
1 noisette de beurre
30 g de fromage (bleu)
3 crackers
2 prunes
1 verre de vin blanc ou rouge

SAMEDI

Petit déjeuner
1 verre de jus d'orange fraîchement pressé ou
   1 orange
1 yaourt
1 pain au chocolat ou 1 tranche
   de pain aux raisins
Thé ou café

Déjeuner
Soupe de melon (p. 124)
Mini-plateau de fromages
   (3 variétés, 30 g de chaque)
1 tranche de pain de campagne
Salade verte
1 bol de fraises
Boisson non calorique

Dîner
Rouget de roche aux épinards
   en papillote (p. 132)
1 bol de poivrons tricolores
   (p. 136)
Salade de mesclun
1 part de tarte aux myrtilles
1 verre de champagne, de vin
   pétillant ou de vin blanc

---

1. Voir *Ces Françaises qui ne grossissent pas – Comment font-elles ?*,
op. cit.

DIMANCHE

Petit déjeuner
1 bol de fruits rouges
1 yaourt
1 croissant
Thé ou café

Déjeuner
Steak grillé sauce au vin (p. 186)
Légumes grillés
Salade verte
1 bol de fraises
1 boule de glace à la vanille
1 verre de vin rouge

Dîner
1 bol de potage froid (à la betterave,
p. 120 ou au fenouil, p. 121)
1 tranche de pain de campagne
Salade avec des olives et 1 œuf dur
2 prunes jaunes
Boisson non calorique

4

EN AUTOMNE,
QUAND LES FEUILLES TOMBENT

Pour bon nombre d'entre nous, la fin de l'été représente une période de tristesse, voire de deuil. De plus, incapables de remarquer combien la belle saison facilite notre existence, nous l'avons partiellement gaspillée en récriminations – l'été n'est plus ce qu'il était, etc. – comme nous le faisons pendant le reste de l'année. Pourtant, les personnes travaillant tout au long de cette saison admettent que le rythme se ralentit, on dépense moins d'énergie, la routine est brisée par l'absence de certains collègues et on vit essentiellement dans l'attente du week-end.

Nous ne prenons souvent conscience de cette relative douceur de vivre qu'au moment de reprendre un rythme de travail plus trépidant. Aux États-Unis, l'année recommence véritablement à l'issue du premier week-end de septembre, celui de *Labor Day* (la fête du Travail) au nom prédestiné, qui représente le dernier véritable week-end de vacances, ou du moins le dernier pris l'esprit en congé. Le rideau se lève sur une nouvelle année scolaire, et tout recommence. Dans mon secteur professionnel comme dans beaucoup d'autres, l'automne est une période capitale.

Le choc est brutal. Tandis que nous profitons de la douceur estivale, nous nous préoccupons rarement des grands aspects stratégiques de notre existence, tels que nos attentes professionnelles ou émotionnelles en suspens. Dans le même temps, qui dit nouveau départ dit regain d'énergie. Nouveaux défis, volonté de gestion plus efficace de son travail et de ses objectifs : tout cela a de quoi nous stimuler, et promet de réelles récompenses psychologiques et financières... mais aussi plus de stress. Une journée ne comporte que vingt-quatre heures et il nous faut bien dormir un peu...

Le grand écueil du passage à l'automne est ailleurs. Tandis que nous reprenons le cours de notre existence habituelle avec une énergie plus ou moins décuplée, nous tendons inévitablement à négliger un peu notre bien-être et plus généralement à oublier notre place dans l'ordre naturel des choses. Et parfois, cela nous conduit à prendre quelques kilos. Il s'agit là d'ailleurs d'une tendance répandue parmi les mammifères. Bien d'autres espèces s'enrobent de graisse protectrice dès que l'air se rafraîchit – seulement, eux s'abstiennent complètement de manger pendant les mois qui suivent ! Toujours cette histoire de compensation. Pour nous autres humains, les choses sont moins simples.

L'automne figure traditionnellement l'ultime épisode de la pléthore estivale de produits naturels et de saveurs accompagnées d'assez peu de calories. Pourtant, cette saison possède son charme propre. « Toi aussi tu possèdes ta propre musique », a écrit le poète John Keats, évoquant l'automne. Pour ma part, je ne renoncerais pour rien au monde au crissement des feuilles mortes sous mes pieds, encore moins à la lumière adoucie, aux nouvelles teintes des paysages et au parfum de feu de bois montant de la cheminée d'un voisin. Lors de mon premier séjour outre-Atlantique, je suis arrivée à Weston, dans le Massachusetts, en automne (et encore mince). Ce premier contact avec les États-Unis devait se révéler d'autant plus intense que je me trouvais en Nouvelle-Angleterre, patrie des premiers immigrants venus du Vieux Continent. C'est là que j'ai pour la première fois fêté Thanksgiving, la fête américaine par excellence, célébrée le dernier jeudi de novembre. Je me rappelle encore ma première bouchée de sauce aux *cranberries*, mon premier roulé-boulé dans un monceau de feuilles de chêne et d'érable... Nulle part ailleurs on n'admire plus pleinement le changement saisonnier des couleurs de la nature ; ma fascination d'adolescente pour ce spectacle ne s'est jamais démentie. Aujourd'hui, les habitants de la région trouvent les admirateurs des feuilles rouges un peu trop nombreux...

L'automne n'est évidemment pas simplement fait pour courir après les feuilles mortes. En fait l'habitude moderne de faire coïncider le début de l'année avec la rentrée des classes et la reprise du travail après la pause estivale est d'une certaine façon calquée sur le rythme de la nature. Le moment est en effet venu de recueillir, littéralement et métaphoriquement, le fruit de nos efforts. Des siècles, des millénaires durant, le seul moyen de passer sans encombre l'hiver consistait à faire provision des fruits de la terre à l'automne et de les mettre à l'abri pour les conserver et s'en nourrir pendant la période de sommeil de la nature. Dans le secteur viticole, celui dans lequel j'ai travaillé, une mauvaise récolte reste d'ailleurs un drame, du moins sur le plan commercial.

Aujourd'hui, les méthodes agricoles modernes et le développement des échanges internationaux ont sans conteste libéré les habitants des régions industrialisées du spectre de la famine. Toutefois, cette plénitude permanente a un prix : la perte des repères saisonniers et un véritable divorce d'avec les rythmes naturels. À l'inverse de l'été, l'automne ne nous fournit pas d'indications incontestables sur ce que nous devrions manger. Notre mode de vie se fait plus sédentaire, et pour beaucoup d'entre nous plus citadin. Il existe cependant quantité de moyens de mettre son esprit et son corps à l'écoute de cette saison. Sans aller jusqu'à faucher votre propre blé, vous pouvez faire un peu plus que vous procurer quelques coloquintes décoratives.

Fleurs d'automne

Si vous préférez les couleurs proposées par la nature à celles privilégiées lors des défilés de haute couture de Paris, Milan ou New York, efforcez-vous de regarder au-delà des amoncellements des feuilles mortes inscrites dans votre inconscient culturel. En effet, même dans les régions où les feuilles ne changent pas de couleur, on en fait dessiner aux enfants l'automne venu, car elles remplacent pour le plaisir de nos yeux l'opulence florale des deux saisons précédentes. Cependant, quantité de fleurs s'épanouissent bien après la fin de l'été, et font la joie des abeilles, notamment. Sinon, nous n'aurions pas de miel.

La fleur tardive la plus répandue est le chrysanthème. On en trouve un peu partout dans des conteneurs en plastique à glisser dans des pots décoratifs, seuls ou avec une garniture feuillue. Il en existe une multitude de variétés, depuis les petits chrysanthèmes pompon jusqu'aux japonais chevelus, de quoi satisfaire tous les goûts. Toujours soucieuse de simplicité, je n'associe jamais plus de deux couleurs. Ces plantes sont suffisamment bon marché pour pouvoir en acheter plusieurs et les renouveler tout au long de la saison. Suivant l'effet recherché et la superficie de vos pénates, vous en achèterez un ou deux ou bien une douzaine. Que vous choisissiez la sobriété ou l'abondance, ne gâchez pas votre effet en mélangeant trop de variétés différentes. Selon la météo et l'état de nos plantations, nous les adoptons plus ou moins tard.

Parmi les autres fleurs d'automne chères à notre cœur figurent les marguerites et les rudbeckias. Ces derniers sont vendus en pot, mais supportent plus mal la vie à l'intérieur. Nous les disposons donc sur notre terrasse.

Nous décorons aussi notre intérieur et notre terrasse de petits asters ; à la maison, nous les posons dans des coins, afin de profiter de leurs couleurs éclatantes.

Veillez en outre, l'automne venu, à préserver le temps consacré à vos activités personnelles et à votre relaxation. Sinon, vous risquez de renoncer complètement à cette part primordiale de votre existence. Certains voient dans une telle dérive une vertu ; moi, j'y vois un alibi pour trop manger. Faire une bonne promenade, en particulier dans un parc, n'exige pourtant pas un effort surhumain en cette saison. À New York et à Paris, j'adore l'effervescence des rues au retour des congés d'été. J'aime retrouver des amis pour bruncher, après quoi nous allons voir une nouvelle exposition ou tout simplement faire un tour dans les magasins de SoHo, deux distractions idéales pour un week-end d'automne. Pensez toutefois à prévoir des programmes de ce type et surtout à vous y tenir. Cette autodiscipline peut paraître ambitieuse, mais elle seule vous permettra de ne pas laisser vos responsabilités professionnelles accaparer chaque instant de votre quotidien. Il faut savoir s'accorder des plages de tranquillité.

L'automne est aussi la saison idéale pour reprendre votre entraînement de musculation avec des haltères légers, en particulier si vous avez dépassé la quarantaine. Ce type d'exercice simplissime se révèle bien plus efficace que les heures passées par tant de nos contemporaines sur des machines de cardio-training... L'écrivain Colette, première adepte moderne de l'exercice à la maison, avait installé chez elle des appareils évoquant quelque peu ceux utilisés pour le Pilates. Comme je l'ai déjà expliqué, de courtes périodes d'activité plus intense réparties sur la semaine sont amplement suffisantes pour votre santé. Ne tombez donc pas dans le stakhanovisme sportif. L'idéal, aussi bien sur le plan physique que sur le plan mental, consiste à rester en forme tout en profitant de la vie.

L'une des clés pour gérer la montée de stress accompagnant cette période de l'année consiste à accroître son activité physique à l'intérieur. Soyons honnêtes, plus les jours raccourcissent, moins on passe de temps au-dehors. De ce fait, plus on est vulnérable aux tentations du canapé du salon ou de l'écran du téléviseur. Je continue autant que possible à marcher et à faire du vélo, je préfère les escaliers à l'ascenseur, et je prévois des séances plus rapprochées de yoga. Je m'agite plus aussi dans ma maison. Et parfois, je me contente d'un simple voyage intérieur, me concentrer sur une tâche simple, par exemple. Veiller à parsemer ses journées de minuscules oasis de sérénité fait toute la différence en matière de santé du cœur et de l'âme.

En parlant de petits déplacements, ma grand-mère avait conçu la promenade idéale pour les dimanches matin d'automne. Nous allions dans la forêt voisine admirer la lumière filtrant à travers le feuillage des arbres pour danser dans le sous-bois, jouir du silence et respirer les merveilleuses odeurs de décomposition qui montaient de l'humus, comme si nous goûtions un vin millésimé. Je le signale au passage, il existe d'ailleurs une gastronomie typiquement automnale liée à ce processus de décomposition végétale. Il en est ainsi de la vinification du sauternes, indissociable de la « pourriture noble » qui se développe sur les raisins utilisés pour sa fabrication.

Dans ces bois, il nous arrivait d'apercevoir un cerf n'ayant pas flairé notre approche. Et nous ramassions des champignons sous l'œil expert et vigilant de ma grand-mère, toujours prompte à nous diriger vers les espèces les plus succulentes, tout en nous apprenant à reconnaître les variétés vénéneuses. Rien à voir avec les champignons vendus sous plastique dans les supermarchés, certes sans danger mais à peu près aussi excitants sur le plan gustatif que leur quête est hasardeuse... À quelques centaines de mètres seulement du jardin, nous étions plongés dans un univers complètement différent, en quelque sorte hors du monde.

La nature regorge de tels microcosmes dans lesquels il nous est permis de nous introduire, au moins par la pensée. La forêt en était un, les ruches de mon père un autre.

La fille de l'apiculteur

L'or profond du miel est pour moi indissociable de l'automne. Il me rappelle immédiatement ma première leçon dans l'art de récolter cette manne. Car si le miel se conserve et se consomme toute l'année – vous le constaterez d'ailleurs, je l'utilise dans des recettes en toute saison –, il se récolte sous les rayons du soleil mûrissant. La façon dont les abeilles officiaient dans leurs cellules collantes pour produire un suc aussi fantastique relevait pour moi d'un fascinant mystère. À l'âge de huit ans, j'avais du mal à comprendre tout ce processus. Mon apiculteur de père adorait me l'expliquer et moi, je ne me lassais jamais d'écouter ses récits. Les abeilles constituaient en effet son troisième passe-temps de choix, avec son jardin et ses pigeons.

Même s'il pratiquait l'apiculture en amateur, il semblait tout savoir sur la manière de maintenir un environnement sain pour son essaim, préserver la santé de sa reine et inciter ses sujets à accomplir avec zèle leur dur labeur, conditions indispensables à une bonne récolte. Au grand dam de ma mère, il insistait pour conserver quelques ruches au beau milieu de nos parterres de fleurs. En effet, en termes d'immobilier apicole, l'emplacement est absolument primordial. Nous observions avec fascination le ballet des insectes de papa. Le pauvre se trouvait nettement moins à l'aise pour nous expliquer avec des termes adaptés à notre âge pourquoi la reine était la seule femelle sexuellement mature de la ruche, comment elle s'accouplait avec tous les mâles fertiles, recevant ainsi des millions de gamètes mâles qui lui permettaient de pondre jusqu'à trois mille œufs par jour... Il faut l'admettre, les abeilles ne constituent pas un modèle idéal pour un cours d'éducation sexuelle et le comportement de leurs reines illustre en quelque sorte les pires cauchemars d'un bon père de famille ! Heureusement, nous nous préoccupions plus du spectacle que du commentaire qui l'accompagnait.

Arrivait le moment solennel, quoique un brin terrifiant, où j'étais autorisée à enfiler de longs gants et à porter un chapeau de paille muni d'un voile protecteur de gaze afin d'aider mon père à entretenir le logis de ces dames. Rien de plus fascinant à mes yeux que les alvéoles pleines de miel. Cela me paraissait un peu injuste de leur retirer ainsi le fruit de leurs efforts, mais les abeilles semblaient faire confiance à mon père et elles avaient raison. Bien entendu, il savait quand le miel était prêt à être récolté et exactement combien il fallait en laisser pour que la colonie survive à l'hiver, jusqu'au retour des fleurs. Papa disait qu'elles fabriquaient bien plus de miel que nécessaire : elles étaient donc ravies de nous faire cadeau du reste.

Si toute la famille se régalait de miel, seuls papa et moi en aimions les alvéoles. Je jugeais cette fragile construction de cire magnifique, une véritable cathédrale de Chartres version insecte. C'était aussi le miel de choix des connaisseurs. Nous découpions les rayons en morceaux et les mangions tels quels, oubliant tout à fait alors le travail intensif que leur fabrication avait demandé aux abeilles. Parfois je mélangeais ce miel avec mon fromage chéri de l'époque, les petits-suisses ; aujourd'hui j'en ajoute à mes yaourts maison. Le reste de la récolte, le miel liquide, était transvasé dans des bols et consommé de mille manières ou offert en cadeau à notre entourage.

L'hiver, les jours où notre petit déjeuner se composait d'une grosse tranche de pain recouverte d'une épaisse couche de beurre arrosée de miel, nous louions toujours l'amitié liant notre père à ses abeilles. Encore ne savions-nous pas que le miel, en particulier les variétés les plus foncées, constitue une précieuse source d'antioxydants. Il figure d'ailleurs en bonne place dans la pharmacopée égyptienne antique et dans celle des médecins ayurvédiques, et servait avant la découverte des antibiotiques à enrayer les infections bactériennes et à favoriser la cicatrisation des plaies. Le miel est également un excellent tonique facial.

Avantage supplémentaire : il possède un pouvoir sucrant environ une fois et demie plus élevé que le sucre blanc, avec en prime une saveur délicate – on en utilise donc beaucoup moins (jusqu'à deux fois moins que de sucre raffiné). Sa composition limite aussi les sursauts de glycémie liée à l'ingestion de sucreries. Vous ne risquez guère de vous en lasser, car on en dénombre au bas mot trois cents variétés. Pour ma part, je préfère les miels d'acacia, de trèfle, de ronce et de lavande. Le miel d'automne conserve en outre le parfum des fleurs d'été... Il arrive qu'il se trouble, mais cela ne signifie pas qu'il s'est abîmé. Il se conserve très longtemps, grâce à ses vertus antiseptiques.

Il m'arrive d'ajouter quelques gouttes de miel à l'eau que j'emporte en promenade, ou pour pratiquer toute autre activité physique intense. En cuisine et en pâtisserie, je remplace la dose de sucre indiquée dans la recette par une demi-dose. Quant à mes amis new-yorkais, ils adorent recevoir un pot d'authentique miel provençal. Je précise à cet égard, par souci d'équité, que mes amis provençaux se montrent tout aussi ravis si je leur rapporte du sirop d'érable de mon pays adoptif. Cet autre substitut possible du sucre typique du Nouveau Monde s'est répandu à une époque où le sucre y était lourdement taxé. Il offre lui aussi moult bienfaits en termes de santé, notamment une concentration intéressante d'oligo-éléments essentiels comme le manganèse... sans oublier sa saveur particulière.

Pour l'amour d'une bonne pomme de terre

Parfois les stéréotypes reposent sur une réalité. Les Italiens mangent bien des pâtes, les Asiatiques du riz et les Français des pommes de terre. Cela fait partie de nos cultures respectives. En revanche, le stéréotype issu du régime Atkins – présentant ces tubercules comme des aliments mauvais pour la santé et porteurs de calories inutiles – relève de l'aberration. Les pommes de terre sont en réalité pleines de nutriments précieux et, si l'on veut absolument aborder le chapitre des calories, en apportent à quantité égale quatre fois moins que le riz ou les pâtes. Vive les pommes de terre ! Ai-je mentionné leurs vitamines ? Eh bien, la pomme de terre les propose presque toutes, avec un accent particulier sur les vitamines C et B. Ce légume sympathique s'accommode en outre de presque tous les voisinages culinaires. Il ne devient dangereux que plongé dans de l'huile de friture ou quand il ne représente, à l'américaine, qu'une excuse pour se bourrer de crème aigre, de fromage et autres « garnitures ».

Quand j'étais enfant, nous mangions des pommes de terre sous diverses formes, en principe avec un autre légume et notre viande ou notre poisson, en moyenne cinq fois par semaine, à midi. La variété des recettes de Mamie évitait tout risque de monotonie. Parfois, elle les cuisait à la vapeur, parfois au four, à la poêle ou encore en purée, en salade ou même en frites – il s'agissait cependant là d'une exception réservée aux déjeuners dominicaux et proposée en quantité raisonnable. Bien entendu, on choisissait les variétés utilisées en fonction de la recette à préparer. Pas question, par exemple, de faire de la purée avec des pommes de terre nouvelles :

elles ne contiennent pas assez d'amidon... mais sont délicieuses rôties avec un soupçon de romarin ou de thym. Il existait aussi des variétés rares et précieuses comme les rattes, disponibles seulement trois mois par an et si délicates qu'elles peuvent être dégustées après une simple cuisson à la vapeur sans même que l'on se donne la peine de les éplucher. D'autres conviennent à une cuisson au four ou sous la cendre, d'autres encore à la confection de frites. S'agissant de ces dernières, un mot s'impose sur les corps gras intervenant dans leur cuisson et souvent à l'origine d'une bonne partie de leurs méfaits. Si vous ne changez jamais votre huile de friture ou si vous utilisez des graisses trans, comme c'est le cas dans quantité de fast-foods, une seule frite devient nocive. Même chose pour celles préparées à la maison avec de la graisse en pain du type Végétaline® – si j'étais à la tête du pays, celles-ci seraient aussitôt bannies des rayons des supermarchés ! En revanche, manger de temps en temps de bonnes frites, au restaurant ou chez vous en utilisant une bonne huile ne nuira pas à votre santé ni à votre ligne. Pensez cependant à ne pas en prendre plus que vous ne le feriez, par exemple, de haricots verts...

GRATIN DE POMMES DE TERRE À LA NORMANDE

(pour 4 personnes)

En Normandie, patrie des pommes et du fromage, quantité de recettes comportent au moins l'un de ces ingrédients. Celle qui suit plaira tout particulièrement aux amateurs de pont-l'évêque. Je la tiens d'une amie et j'apprécie tout particulièrement ce mélange de protéines et de saveurs fruitées : un déjeuner d'automne idéal.

INGRÉDIENTS

550 g de pommes de terre Roseval épluchées et coupées en tranches minces
1 pont-l'évêque sans la croûte, coupé en tranches fines
3 pommes acides épluchées, débarrassées de leur trognon et coupées en 8 morceaux chacune
30 g de cerneaux de noix
200 g de crème fraîche
2 noix de beurre
Sel, poivre fraîchement moulu

1. Préchauffez le four à 190 °C.
2. Faites cuire les pommes de terre dans de l'eau bouillante légèrement salée pendant 8 minutes, puis égouttez-les.
3. Pendant la cuisson des pommes de terre, chauffez une poêle anti-adhésive et faites rôtir les noix à feu moyen pendant 1 ou 2 minutes. Quand elles ont refroidi, émiettez-les et mettez-les de côté.
4. Dans la poêle, faites fondre le beurre à feu moyen ; faites ensuite dorer les pommes dedans pendant 3 à 4 minutes, sans cesser de remuer.
5. Beurrez un plat à gratin rectangulaire et recouvrez-en le fond d'une couche de pommes de terre, puis d'une de pommes et d'une de fromage. Ajoutez une pincée de noix puis une nouvelle couche de pommes de terre, et ainsi de suite jusqu'à épuisement des ingrédients. Recouvrez le tout de crème fraîche, salez et poivrez. Mettez au four pendant 30 minutes.

■ ■

Une simple salade verte constitue le meilleur accompagnement pour ce plat, même s'il est tout aussi délicieux avec du poulet ou toute autre viande blanche.

PURÉE DE POMMES DE TERRE
(RECETTE DE MAMIE)
(pour 4 personnes)

Il existe quantité de dogmes en matière de purée, et certains chefs ne jurant que par un équilibre parfait des quantités de pommes de terre et de beurre n'auraient pas fait long feu dans la cuisine de ma mère ! Elle savait que ses « clients » – nous – s'attendaient à se voir servir du beurre quand elle leur annonçait du beurre, et des pommes de terre quand elle leur promettait des pommes de terre. Ayez donc la main légère sur les matières grasses. Surveillez aussi la texture de votre purée. Pour la réussir – du moins à mon sens –, il faut absolument passer les pommes de terre encore chaudes au presse-purée ou au moulin à légumes (oubliez les robots, ils donnent une triste pâte liquide évoquant plus pour moi la colle à papier peint qu'une purée). Commencez toujours par ajouter le lait, lui aussi très chaud ; le beurre vient ensuite. Pour changer, vous pouvez remplacer ce dernier par de l'huile d'olive (chauffez-la légèrement avant de la verser, là aussi en dernier). Vous pouvez éliminer le lait en faisant cuire les pommes de terre avec leur peau et en utilisant leur eau de cuisson pour humecter la purée. Au chapitre assaisonnements, écoutez vos envies : muscade, cumin ou curry, persil, estragon, aneth ou basilic... En revanche, je rejette catégoriquement cet autre dogme imposant l'adjonction d'une bonne dose d'ail. J'adore cet aromate et l'utilise très volontiers, mais je trouve qu'il masque la saveur des pommes de terre. Laissons ces tubercules s'exprimer !

INGRÉDIENTS

1 kg de pommes
de terre à purée
épluchées et
coupées en gros
morceaux
20 cl de lait
chauffé presque
jusqu'à ébullition,
mais non bouilli
(entier ou
demi-écrémé)
3 noix de beurre
Sel, poivre
fraîchement
moulu

1. Placez les pommes de terre dans une casserole et recouvrez-les d'eau froide additionnée d'une cuillerée à café de sel. Portez à ébullition et laissez cuire à feu moyen en couvrant partiellement le récipient pendant 20 minutes environ (une fourchette doit pouvoir s'enfoncer dans leur chair).
2. Égouttez les pommes de terre et passez-les au presse-purée ou au moulin à légumes. Ajoutez le lait, puis le beurre en mélangeant bien. Salez et poivrez à votre goût et servez aussitôt.

Si vous devez préparer une purée à l'avance pour un dîner, vous pouvez la transférer dans un bol en verre recouvert de papier aluminium puis poser ce dernier sur un autre récipient au fond duquel frémissent quelques centimètres d'eau. Cela devrait la garder au chaud sans la dessécher pendant une bonne demi-heure. Mamie plaçait les restes au réfrigérateur et, deux jours plus tard, les utilisait pour confectionner des croquettes qu'elle réchauffait et faisait dorer dans un peu d'huile avec quelques échalotes. Elle servait ces croquettes garnies d'une cuillerée de persil haché. Encore une garniture vite préparée.

MORUE EN SALADE DE POMMES DE TERRE

(pour 4 personnes)

INGRÉDIENTS

500 g de morue
750 g de pommes
de terre à chair
ferme épluchées
et coupées en gros
dés
4 tranches de
poitrine de porc
coupée en
morceaux de
1/2 cm
5 cuillerées à
soupe d'huile
d'olive
2 cuillerées à
soupe de vinaigre
de xérès
1 cuillerée à café
de moutarde de
Meaux
2 cuillerées à
soupe d'échalotes
émincées
Sel, poivre
fraîchement
moulu

1. Placez les pommes de terre dans une casserole et recouvrez-les d'eau froide additionnée d'une cuillerée à café de sel. Portez à ébullition et laissez cuire à feu moyen en couvrant partiellement le récipient pendant 20 minutes environ (une fourchette doit pouvoir s'enfoncer dans leur chair). Égouttez-les.
2. Faites revenir la poitrine de porc dans une poêle antiadhésive jusqu'à ce qu'elle devienne croquante. Posez-la sur du papier absorbant.
3. Préparez l'assaisonnement de la salade en mélangeant l'huile, le vinaigre, la moutarde, l'échalote, le sel et le poivre.
4. Placez la morue dans une casserole, recouvrez-la d'eau froide et portez à ébullition. Couvrez, arrêtez le feu et pochez le poisson pendant 6 minutes. Égouttez-le, émiettez-le grossièrement puis réservez-le dans une assiette chaude recouverte de papier d'aluminium.
5. Disposez dans chaque assiette quelques pommes de terre, un peu de morue et de lardons. Arrosez de sauce et servez immédiatement.

RAGOÛT DE POMMES DE TERRE ET D'OLIVES

(pour 4 personnes)

Les olives se marient à merveille avec les pommes de terre. Et comme elles se conservent sans problème, j'en garde toujours un bocal pour agrémenter mes pommes de terre.

INGRÉDIENTS

500 g de pommes de terre à chair ferme épluchées et coupées en grosses frites
1 poivron orange ou jaune épépiné et détaillé en julienne
1 poivron rouge épépiné et détaillé en julienne
2 citrons lavés et coupés en quatre
180 g d'olives vertes dénoyautées
2 gousses d'ail épluchées et émincées
2 échalotes émincées
3 cuillerées à soupe d'huile d'olive
4 cuillerées à soupe de coriandre hachée
Sel, poivre fraîchement moulu

1. Chauffez l'huile à feu vif dans une grande poêle anti-adhésive. Ajoutez les pommes de terre et faites-les dorer sur toutes leurs faces. Ajoutez les poivrons, l'ail, l'échalote et le citron ; faites revenir le tout pendant quelques minutes. Salez et poivrez à votre goût. Couvrez la poêle et laissez à feu doux jusqu'à ce que les légumes soient cuits (environ 10 minutes).
2. Ajoutez la coriandre, mélangez bien et servez.

PURÉE ULTRA-RAPIDE

(pour 4 personnes)

INGRÉDIENTS

750 g de pommes de terre à purée
4 cuillerées à café d'huile d'olive
Gros sel et poivre fraîchement moulus

1. Coupez les pommes de terre lavées mais non épluchées en dés de 2 à 3 cm. Placez-les dans une casserole de taille moyenne et recouvrez-les d'eau froide additionnée d'une cuillerée à café de sel. Portez à ébullition puis baissez le feu ; laissez frémir jusqu'à ce que les pommes de terre soient tendres (10 à 15 minutes).

2. Égouttez les pommes de terre et répartissez-les dans 4 bols ou assiettes à soupe. Écrasez-les grossièrement à la fourchette, assaisonnez de gros sel moulu et de poivre puis arrosez d'une cuillerée à café d'huile d'olive.

Allongez l'oseille

L'oseille, on le sait bien, c'est l'argent, et en avoir est une autre façon (argotique) de dire qu'on est riche. Curieusement, outre-Atlantique, c'est la laitue qui évoque la fortune... De mon côté, l'oseille m'intéresse beaucoup plus dans son sens premier, car j'adore la saveur nettement acide et en même temps très légèrement amère de ses feuilles vertes, assez proche de celle des épinards, mais plus piquante. Petite, je n'en raffolais pas, mais l'oseille poussait à foison dans le jardin familial. Alors ma mère était passée maîtresse dans l'art d'en glisser à mon insu dans ses recettes. Peu à peu, j'ai cessé de fuir l'oseille au point qu'elle est aujourd'hui l'une de mes saveurs favorites. On cueille ses feuilles de mai à octobre et on les met parfois en bocal pour le reste de l'année. On utilise principalement l'oseille pour donner une touche originale à une omelette, ou en garniture avec le poisson (en particulier le saumon et la lotte), le poulet et le veau. Je l'apprécie aussi énormément dans un potage aux haricots ou aux lentilles.

SAUMON À L'OSEILLE

(pour 4 personnes)

INGRÉDIENTS

4 morceaux de saumon de 120 g chacun cuit à l'unilatérale[1]
500 g d'oseille
1 cuillerée à soupe d'huile d'olive
1 noix de beurre
Sel, poivre fraîchement moulu

1. Nettoyez l'oseille et débarrassez les feuilles de leur nervure centrale. Essorez-les.
2. Chauffez l'huile et le beurre dans une sauteuse à feu moyen. Ajoutez l'oseille, salez et poivrez ; laissez cuire en remuant avec une cuillère en bois jusqu'à ce qu'elle soit presque réduite en purée. Baissez le feu et poursuivez la cuisson à feu doux jusqu'à évaporation complète de l'eau – comptez environ 5 minutes.
3. Servez en accompagnement des filets de saumon avec quelques pommes de terre nouvelles cuites à l'eau.

■ ■

---

1. Voir *Ces Françaises qui ne grossissent pas – Comment font-elles ?*, *op. cit.*

BLANCS DE POULET SAUCE À L'OSEILLE

(pour 4 personnes)

INGRÉDIENTS

4 blancs de poulet avec leur peau
200 g d'oseille nettoyée et essorée
3 cuillerées à soupe d'échalotes émincées
4 cuillerées à soupe d'huile d'olive
4 cuillerées à soupe de vin blanc
4 cuillerées à soupe de crème épaisse
2 noix de beurre coupé en petits morceaux
Sel, poivre fraîchement moulu

1. Préparez la farce en mélangeant la moitié de l'oseille, 2 cuillerées à soupe d'échalote et 1 cuillerée à soupe d'huile. Salez et poivrez à votre goût.
2. Ménagez un espace pour introduire la farce entre la peau et la chair du poulet. Placez la farce, rectifiez l'assaisonnement.
3. Chauffez les 3 cuillerées à soupe restantes d'huile d'olive à feu moyen dans une sauteuse. Disposez les escalopes de poulet le côté peau au-dessous et faites dorer doucement pendant 10 minutes environ. Retournez-les et poursuivez la cuisson pendant 8 à 10 minutes. Transvasez le poulet dans un plat de service chaud et recouvrez celui-ci de papier aluminium pendant la préparation de la sauce.
4. Gardez environ 1 cuillerée à soupe de jus de cuisson ; ajoutez-y le reste de l'échalote, après l'avoir fait revenir 1 ou 2 minutes. Versez le vin blanc et remuez pour déglacer. Laissez cuire environ 3 minutes, jusqu'à ce que la sauce réduise et prenne une consistance sirupeuse. Ajoutez le reste de l'oseille et remuez pendant 1 minute jusqu'à ce qu'elle se fane. Versez 25 centilitres d'eau et laissez frémir 5 minutes environ.
5. Versez la crème sur la sauce à l'oseille et rectifiez l'assaisonnement. Passez le tout au mixeur. Remettez la purée ainsi obtenue dans la sauteuse, chauffez à feu moyen et ajoutez le beurre petit à petit, jusqu'à obtenir une sauce épaisse et luisante.
6. Tranchez les blancs de poulet en diagonale et arrosez-les de sauce à l'oseille. Servez avec des petites pommes de terre ou du riz complet.

ŒUFS BROUILLÉS À L'OSEILLE

(pour 4 personnes)

INGRÉDIENTS

9 œufs
200 g d'oseille
1 cuillerée à soupe
d'huile d'olive
1 noix de beurre
2 échalotes
émincées
Sel, poivre
fraîchement
moulu

1. Nettoyez et essorez l'oseille. Hachez-la grossièrement. Chauffez une sauteuse à feu moyen avec l'huile et le beurre puis faites suer l'échalote pendant 1 ou 2 minutes. Ajoutez l'oseille et remuez pour la faire fondre.
2. Battez les œufs, salez et poivrez. Versez les œufs sur l'oseille et remuez sans cesse jusqu'à ce qu'ils soient cuits. Servez sur une tranche de brioche.

GRATIN DE CHOU-FLEUR

(pour 4 personnes)

INGRÉDIENTS

1 kg de chou-fleur
4 œufs
20 cl de lait
1/2 cuillerée à café
de cumin en
poudre
2 gousses d'ail
épluchées et
émincées
2 échalotes
émincées
1 grosse poignée
de pain rassis
émietté
12 cl de vin blanc
Sel, poivre
fraîchement
moulu

1. Préchauffez le four à 190 °C.
2. Débarrassez le chou-fleur de ses feuilles et de son trognon puis détachez les bouquets. Lavez-les à l'eau froide, puis faites-les cuire 6 minutes à la vapeur. Disposez-les dans un plat à gratin.
3. Mélangez les œufs, le lait, le cumin, l'ail et l'échalote ; versez ce mélange sur le chou-fleur. Saupoudrez de miettes de pain. Ajoutez le vin et placez le plat dans le four. Après 15 minutes, salez, poivrez et servez.

SCAROLE SAUTÉE

(pour 4 personnes)

INGRÉDIENTS

1 kg de scarole
3 cuillerées à
soupe d'huile
d'olive
1 cuillerée à soupe
d'échalote
émincée
Sel, poivre
fraîchement
moulu

1. Retirez les grosses feuilles extérieures des scaroles. Rincez bien les salades et essuyez-les. Coupez grossièrement les feuilles.
2. Chauffez l'huile à feu moyen dans une sauteuse puis faites revenir et dorer l'échalote. Ajoutez la scarole et faites-la cuire à feu moyen pendant 15 minutes en remuant de temps à autre, jusqu'à ce qu'elle devienne tendre. Salez et poivrez à votre goût : c'est prêt.

Soupes d'automne

À mesure que la variété des légumes débordant de saveurs naturelles va s'amenuisant, les potages tendent à devenir plus compliqués et plus roboratifs. D'une part, on ne rechigne plus devant un plat un peu plus nourrissant ; d'autre part, il faut ajouter plus d'ingrédients là où un seul, délicieusement parfumé, suffisait jusqu'alors. Mes potages favoris restent les plus simples, et par chance les marchés d'automne ne sont pas encore complètement démunis de succulents légumes. Il ne manque pas, par exemple, de poivrons mûrs à souhait et les amateurs de sensations fortes se réjouiront de l'apparition des petits piments. Les panais permettent de préparer une base si onctueuse qu'on la jurerait saturée de crème. Mais pour moi la soupe emblématique de cette saison fait appel aux courges musquées – les recettes les concernant conviennent tout aussi bien aux dernières courges d'été encore présentes sur certains étals qu'aux premières courges d'hiver pointant déjà leur tige.

POTAGE À LA COURGE MUSQUÉE

(pour 4 personnes)

INGRÉDIENTS

1 courge musquée moyenne épluchée et coupée en gros morceaux
250 g de pommes de terre Roseval épluchées et coupées en dés d'1 cm de côté
1 gros oignon jaune épluché et grossièrement haché
4 noix de beurre
Sel, poivre fraîchement moulu

1. Placez la courge, l'oignon et les pommes de terre dans un faitout avec 1,5 litre d'eau. Portez à ébullition, puis baissez le feu et recouvrez. Laissez frémir doucement, en remuant de temps à autre, pendant 30 minutes environ.
2. Ôtez les légumes à l'aide d'une écumoire et passez-les au presse-purée ou au mixeur. Ajoutez un peu d'eau de cuisson pour obtenir la consistance désirée ; si vous préparez cette soupe à l'avance, utilisez toute l'eau, car la soupe s'épaissira en attendant.
3. Juste avant de servir, ajoutez le beurre au potage chaud. Salez, poivrez, laissez cuire encore 2 minutes avant de servir.

- -

Vous pouvez garnir d'un peu de persil juste avant de servir, ou d'une généreuse pincée de muscade, ou encore ajouter un soupçon de crème fraîche.

POTAGE AUX LENTILLES

(pour 4 personnes)

INGRÉDIENTS

250 g de lentilles
1 boîte de 450 g
de tomates en dés
1 oignon jaune
moyen épluché et
haché
2 branches de
céleri hachées
1 gousse d'ail
épluchée et
hachée
1 cuillerée à soupe
de persil haché
2 cuillerées à
soupe d'huile
d'olive
Sel, poivre
fraîchement
moulu

1. Faites chauffer 2 litres de bouillon de légumes ; dès qu'il frémit, versez-y les lentilles.
2. Chauffez l'huile dans une sauteuse et faites dorer l'oignon, l'ail et le céleri (de 3 à 5 minutes). Ajoutez le persil et les tomates puis laissez cuire 8 à 10 minutes de plus.
3. Lorsque les lentilles ont cuit pendant 35 à 40 minutes, ajoutez le contenu de la sauteuse ; recouvrez et laissez frémir jusqu'à ce que les lentilles soient tendres (de 5 à 10 minutes de plus). Salez et poivrez à votre goût puis servez sans tarder.

■ ■

FARFALLE AUX EDAMAME

(pour 4 personnes)

J'ai découvert les haricots de soja aux États-Unis ; plus rares en Europe, ils sont cependant couramment servis en amuse-gueule dans les restaurants japonais sous forme d'edamame. Ils se vendent en général surgelés. Ils accompagnent à merveille la viande rouge et les pâtes, ainsi que me l'a appris une jeune vendeuse asiatique sur un marché. Me voyant en acheter régulièrement, elle finit par me demander ce que j'en faisais et me révéla sa recette favorite.

INGRÉDIENTS

360 g de farfalle
200 g d'edamame écossés (décongelés)
90 g de parmesan râpé
1 citron (zeste et jus)
2 cuillerées à soupe d'huile d'olive
2 cuillerées à soupe de persil haché
Sel, poivre fraîchement moulu

1. Faites cuire les farfalle à l'eau salée en suivant les indications figurant sur l'emballage. Pendant les 5 dernières minutes de cuisson, ajoutez les edamame dans le faitout. Égouttez en conservant 12 centilitres d'eau de cuisson.
2. Placez le zeste et le jus de citron avec l'eau de cuisson, l'huile et les deux tiers du parmesan dans une grande casserole à feu moyen. Mélangez bien. Ajoutez les edamame et les farfalle puis remuez bien pour les enduire uniformément de sauce. Rectifiez l'assaisonnement et servez ces pâtes aussitôt, saupoudrées de persil et du reste du parmesan.

■ ■

MACARONI AUX ÉPINARDS ET À LA PANCETTA

(pour 4 personnes)

INGRÉDIENTS

360 g de macaroni, de penne ou de rigatoni
90 g de pancetta coupée en dés (ou de lardons)
12 cl de vin blanc
500 g d'épinards lavés
120 g de parmesan râpé, ou mélange de parmesan et de pecorino râpés
1 cuillerée à soupe d'huile d'olive
Sel, poivre fraîchement moulu

1. Faites cuire les pâtes dans une grande quantité d'eau salée (en suivant les instructions sur l'emballage) en remuant de temps à autre.
2. Pendant ce temps, chauffez l'huile à feu doux dans une grande poêle. Faites revenir la pancetta pendant 10 minutes. Ajoutez le vin blanc et les épinards, salez et poivrez. Continuez la cuisson à couvert et à feu moyen pendant 5 minutes, jusqu'à ce que les épinards aient réduit.
3. Une fois les pâtes cuites, égouttez-les et versez-les dans la poêle contenant les épinards et la pancetta. Ajoutez le fromage râpé et laissez cuire 5 minutes encore à feu moyen, en remuant sans cesse pour mélanger les pâtes et le fromage. Un tour de moulin à poivre, et c'est prêt.

SALADE DE HARICOTS VERTS AU POULET

(pour 4 personnes)

Jusqu'au XIXe siècle, on consommait peu de haricots verts car ils étaient trop onéreux. Aujourd'hui, on peut profiter sans modération pendant tout l'automne de ces légumes à la saveur printanière.

INGRÉDIENTS

500 g de haricots verts
2 escalopes de poulet sans peau
300 g de champignons nettoyés et coupés en tranches fines
8 cuillerées à soupe de poivrons tricolores (p. 144)
1 brin de persil
1 brin d'estragon
1 feuille de laurier
1/2 oignon épluché
2 cuillerées à café de moutarde de Meaux
2 cuillerées à soupe de vinaigre de vin rouge
6 cuillerées à soupe d'huile d'olive
3 cuillerées à soupe de crème épaisse
2 cuillerées à soupe de basilic frais haché
1 cuillerée à soupe de jus de citron
2 poignées de noix grossièrement hachées
Sel, poivre fraîchement moulu

1. Portez 1/2 litre d'eau à ébullition et plongez dedans le persil, l'estragon, le laurier, l'oignon et le sel, puis le poulet. Laissez-le pocher pendant 12 minutes. Faites-le refroidir puis coupez-le en petits morceaux. (Cette étape de la recette peut être faite à l'avance.)

2. Préparez l'assaisonnement en mélangeant la moutarde et le vinaigre, puis ajoutez l'huile, la crème et le basilic. Battez bien le tout, salez et poivrez

3. Faites cuire les haricots verts à la vapeur pendant 8 minutes. Égouttez-les et disposez-les dans un saladier avec le poulet, la sauce et tous les ingrédients restants. Mélangez délicatement.

RAIE AUX CÂPRES

(pour 4 personnes)

La raie est un poisson merveilleux, à la chair fine mais ferme. Après avoir goûté une recette succulente voici quinze ans dans un grand restaurant français de New York, j'ai décidé de m'en procurer pour en cuisiner à la maison. Souvent, les autres clients du poissonnier me demandent comment l'on prépare ce poisson. Je réponds toujours : « Le plus simplement du monde. »

INGRÉDIENTS

4 ailes de raie
(environ 1 kg)
2 tomates
moyennes
coupées en quatre
4 cuillerées à
soupe de câpres
1 cuillerée à soupe
de gros sel
1 cuillerée à café
de grains de
poivre écrasés
1 cuillerée à soupe
de vinaigre de vin
rouge
2 cuillerées à
soupe d'huile
d'olive
4 noix de beurre
1/2 citron (jus)
4 cuillerées à
soupe de persil
haché

1. Versez 1/2 litre d'eau dans un faitout avec le sel, le poivre et le vinaigre. Portez à ébullition. Ajoutez les ailes de raie et laissez-les frémir pendant 8 minutes (si le récipient est trop petit, faites cuire la raie en deux fois). Égouttez le poisson poché et réservez-le dans une assiette chaude recouverte de papier aluminium.

2. Chauffez l'huile à feu moyen dans une petite casserole. Ajoutez le beurre en remuant, jusqu'à ce qu'il ait fondu. Ajoutez les tomates, le jus de citron et 2 cuillerées à soupe de persil haché ; laissez cuire jusqu'à ce que les tomates s'attendrissent. Versez les câpres et poursuivez la cuisson pendant 1 minute.

3. Disposez une aile de raie dans chaque assiette, recouvrez-la de sauce aux tomates et aux câpres, et garnissez-la de persil haché. Vous pouvez aussi ajouter quelques gouttes d'huile. Servez accompagné d'un gratin de chou-fleur ou de purée de pommes de terre.

MOULES AU VIN BLANC

(pour 4 personnes)

Voici un plat parfait pour un dîner entre amis. Pensez à nettoyer les moules à l'avance : la méthode la plus simple consiste à les brosser puis à les faire tremper pendant quelques heures dans de l'eau additionnée d'une cuillerée à café de sel.

INGRÉDIENTS

2 kg de moules
nettoyées
25 cl de vin blanc
sec
2 cuillerées à
soupe d'échalotes
émincées
2 cuillerées à
soupe de persil
haché
2 noix de beurre
1 branche de thym
Sel, poivre
fraîchement
moulu

1. Faites revenir les échalotes avec une noix de beurre dans un grand faitout pendant 1 ou 2 minutes. Ajoutez le persil, le thym, le vin blanc et un peu de poivre puis portez à ébullition. Versez les moules dans ce faitout, couvrez et laissez-les cuire en les remuant de temps à autre jusqu'à ce qu'elles s'ouvrent – comptez environ 5 minutes. Jetez les moules non ouvertes et transférez les autres dans un saladier sans jeter le jus de cuisson.

2. Additionnez celui-ci du reste du beurre ; remuez jusqu'à ce qu'il fonde, rectifiez l'assaisonnement, puis versez le tout sur les moules. Saupoudrez de persil et servez aussitôt avec du pain de campagne (pour la sauce !) et le reste du vin utilisé pour la cuisson des moules. Prévoyez un récipient pour les coquilles vides.

ESCALOPES DE DINDE AU PESTO

(pour 4 personnes)

Mes compatriotes n'accordent pas à la dinde l'attention qu'elle mérite... Dommage qu'elle figure au menu seulement les jours de fête, ou en tranches dans les sandwichs. Il s'agit d'une des viandes blanches les plus maigres, une excellente source de protéines : à mon sens elle remplace fort bien le veau (en beaucoup moins cher). Mon mari se montre toujours ravi quand je lui annonce de la « dinde verte », c'est-à-dire de la dinde avec une pomme de terre au four garnie de pesto et de brocolis vapeur. Choisissez de préférence de la dinde bio.

INGRÉDIENTS

Pour le pesto

250 g de basilic frais
1 poignée de pignons
2 gousses d'ail épluchées et hachées
20 à 25 cl d'huile d'olive
1 cuillerée à soupe de parmesan râpé
1 cuillerée à soupe de pecorino râpé
1 pincée de sel

Pour les escalopes

8 escalopes de dinde
1 cuillerée à soupe d'huile d'olive
1/2 noix de beurre
1/2 citron (jus)
Sel, poivre fraîchement moulu

1. Pour préparer le pesto, lavez et essorez le basilic, puis placez-le dans un mortier avec les pignons, l'ail et le sel. Pilez le tout au mortier en décrivant un mouvement circulaire jusqu'à obtenir une pâte verte. Transvasez celle-ci dans un bol et ajoutez l'huile peu à peu. Juste avant de servir, ajoutez les fromages râpés et, si nécessaire, un peu plus d'huile (vous pouvez aussi utiliser un robot-mixeur). Ce pesto peut être préparé à l'avance et congelé sous forme de cubes à utiliser au gré de vos besoins.

2. Chauffez 1 cuillerée à soupe d'huile à feu vif dans une poêle et faites cuire la dinde quelques minutes de chaque côté. Ajoutez le beurre et le jus de citron. Salez et poivrez à votre goût. Versez le pesto par-dessus et laissez cuire quelques minutes de plus. Si la sauce paraît trop sèche, ajoutez quelques cuillerées à soupe d'eau chaude. Mélangez bien et servez aussitôt.

On a souvent une conception trop restrictive du pesto. J'adore le basilic, j'en mange tout l'été et j'en congèle pour le restant de l'année... Savez-vous que l'on peut aussi en préparer avec du romarin ou des noisettes ? Sachez laisser libre cours à votre fantaisie, et puisque l'automne est la dernière saison où l'on trouve des fines herbes fraîches, voici le moment venu de vous essayer au pesto.

STEAK GRILLÉ SAUCE AU VIN

(pour 4 personnes)

Une bonne viande ne demande guère plus qu'un barbecue et un assaisonnement minimal. Je recommande rarement de tenter d'améliorer une recette déjà parfaite. Mais l'hiver, les barbecues rangés, on peut envisager des préparations plus élaborées et plus riches – plus appropriées à la mauvaise saison. Pour ma part, je raffole de cette sauce au vin. Mon ami restaurateur Jean-Georges Vongerichten, lui aussi originaire du nord-est de la France, servait ce plat quand il était apprenti à La Napoule, sur la Côte d'Azur, chez Louis Outhier, un des pionniers de la nouvelle cuisine à L'Oasis. Je l'ai un peu adaptée...

INGRÉDIENTS

2 steaks de 480 g chacun
2 gousses d'ail épluchées et écrasées
25 cl + 1 cuillerée à soupe de vin rouge (à part) tel qu'un côtes-du-Rhône
1 noix de beurre
Sel, poivre fraîchement moulu

1. Mélangez 25 centilitres de vin rouge et l'ail dans une petite casserole. Portez à ébullition à feu vif, et laissez réduire de moitié (10 minutes environ). Passez pour retirer l'ail puis salez et poivrez généreusement. Remettez à cuire à feu doux en ajoutant le beurre et la cuillerée à soupe supplémentaire de vin.
2. Faites griller les steaks sans assaisonnement. Quand ils sont prêts, laissez-les reposer quelques minutes dans un plat chaud, puis versez la sauce dessus. Buvez le reste de la bouteille de vin avec ce repas.

Pourquoi pas du lapin ?

L'habitude de manger du lapin vient sans doute du caractère prolifique bien connu de ces petits animaux ; le paysan le plus pauvre parvenait toujours en capturer un pour nourrir sa famille ! Même chose dans l'Ouest américain au temps des pionniers. Si l'on en croit les westerns, les cow-boys abattaient volontiers un lapin pour leur dîner autour d'un feu. Dans ces deux cas, il s'agissait plus de trouver quelque chose à se mettre sous la dent que de rechercher un plat particulièrement savoureux. Aujourd'hui, certains rechignent à manger du lapin pour avoir trop regardé les dessins animés : pas question de dévorer Bugs Bunny ! Les jardiniers ayant vu leurs plantations de carottes ou de radis dévorées par leurs voisins aux longues oreilles se montrent beaucoup moins sentimentaux.

Quand j'étais jeune mariée, j'ai voulu préparer du lapin pour des amis d'Edward. J'étais vraiment désireuse de préparer une recette un peu originale. Ayant déjà constaté que cette viande était peu répandue chez les bouchers américains, je m'étais spécialement rendue dans le quartier de Little Italy pour en acheter. Tandis que mon dîner mijotait tout doucement, j'ai expliqué à Edward ce que je mitonnais. Un peu ennuyé, il m'avoua redouter un peu de voir certaines invitées rechigner devant un tel menu – encore une nourriture étrange, apparemment, aux yeux des citadins américains... Qu'à cela ne tienne ! J'ai découpé mon lapin dans la cuisine, à l'abri des regards, puis l'ai artistement disposé dans un plat avant de le présenter sans rougir sous l'appellation de « poulet chasseur ». D'ordinaire, je mets un point d'honneur à dévoiler les ingrédients de mes recettes, mais parfois nécessité fait loi ! Personne ne remarqua la supercherie et tout le monde se régala. Et je reste persuadée qu'une partie des invités jureraient encore, si on le leur demandait, n'avoir jamais mangé de lapin de toute leur vie !

Tout comme la dinde, le lapin est une viande peu calorique et facile à préparer, habituellement accompagnée de moutarde, de miel ou de pruneaux.

LAPIN À LA MOUTARDE EN PAPILLOTE

(pour 4 personnes)

INGRÉDIENTS

4 morceaux de lapin (cuisses ou morceaux de râble)
4 cuillerées à soupe de moutarde de Meaux
4 cuillerées à soupe de porto
4 feuilles de laurier
4 brins de thym
4 brins de romarin
1 cuillerée à soupe d'huile d'olive
Sel, poivre fraîchement moulu

1. Préchauffez le four à 190 °C.
2. Enduisez chaque morceau de lapin de moutarde. Découpez 8 carrés de papier sulfurisé (ou d'aluminium) assez grands pour contenir chaque morceau de lapin en laissant un bord libre de 5 cm et enduisez-les d'huile d'olive. Disposez 1 feuille de laurier au centre d'un carré de papier, salez, poivrez, puis ajoutez 1 morceau de lapin, 1 cuillerée à soupe de porto, salez et poivrez de nouveau et terminez par 1 brin de romarin et 1 de thym. Répétez l'opération pour chaque morceau de lapin.
3. Posez les 4 autres carrés de papier par-dessus et formez des papillotes. Placez-les ensuite sur une plaque de cuisson et enfournez-les pendant 45 minutes.
4. Servez directement les papillotes.

■ ■

Vous pouvez remplacer le porto par du vin rouge ou blanc.

LAPIN AUX RAISINS
ET AUX CHAMPIGNONS SAUVAGES

(pour 4 personnes)

Oncle Robert, l'époux de ma tante Annie, était un grand cueilleur de champignons. Chaque automne le voyait revenir des bois avec des paniers regorgeant de diverses espèces sauvages. Tante Annie faisait le meilleur usage de cette manne : avec quelques raisins de table blancs, elle préparait à l'intention de ses nièces préférées, Claudine et moi, une recette qu'elle appelait, pour taquiner son époux, « chaud lapin ». Il nous a fallu quelques années pour comprendre le jeu de mots... Il faut dire qu'oncle Robert demeurait tout aussi fidèle à son épouse qu'à ses chers champignons

INGRÉDIENTS

1 lapin coupé en 6 morceaux
750 g de champignons nettoyés et coupés en morceaux (cèpes, pleurotes et chanterelles, par exemple)
2 gousses d'ail épluchées et émincées
3 cuillerées à soupe de persil haché
2 échalotes émincées
3 cuillerées à soupe d'huile d'olive
6 cuillerées à soupe de vin blanc
33 cl de bouillon de poule
2 cuillerées à soupe de crème fraîche

1. Chauffez 2 cuillerées à soupe d'huile dans une sauteuse et faites dorer les morceaux de lapin sur toutes leurs faces. Réservez-les pendant la préparation des champignons.
2. Dans la même sauteuse, faites revenir les champignons à feu moyen avec l'ail, dans la cuillerée à soupe d'huile restante. Ajoutez le persil, salez, poivrez et réservez.
3. Remettez le lapin dans la sauteuse avec l'échalote et le vin. Laissez frémir pendant 3 à 5 minutes. Versez le bouillon, rectifiez l'assaisonnement ; couvrez et poursuivez la cuisson pendant 20 minutes, jusqu'à ce que le lapin soit cuit.
4. Réservez le lapin dans un plat chaud. Montez le feu et versez les champignons dans le jus de cuisson. Mélangez la crème fraîche et le yaourt pour obtenir de la crème aigre. Faites cuire pendant 5 minutes, puis ajoutez la crème aigre, les raisins et le lapin. Mélangez et servez décoré de ciboulette.

1 cuillerée à soupe
de yaourt

2 poignées de
raisins blancs sans
pépins égrenés et
coupés en deux
1 poignée de
ciboulette
Sel, poivre
fraîchement
moulu

- -

Une garniture de riz, de pommes de terre ou de tagliatelles
convient parfaitement à ce plat.

RÂBLE DE LAPIN AUX NOISETTES

(pour 4 personnes)

Voici une autre recette d'automne, empruntée à la branche méridionale de ma famille. Elle est facile et rapide, et les noisettes et les épices donnent à ce plat une touche d'originalité.

INGRÉDIENTS

4 morceaux de
râble de lapin
500 g de mâche
nettoyée
2 œufs
120 g de noisettes
hachées
2 cuillerées à
soupe de
quatre-épices (en
poudre)
1 cuillerée à café
de curry
2 noix de beurre
2 cuillerées à
soupe d'huile
d'olive
1 cuillerée à café
de vinaigre de
xérès
Sel, poivre
fraîchement
moulu

1. Salez et poivrez les morceaux de lapin. Cassez les œufs dans une assiette creuse et battez-les à la fourchette. Dans une autre assiette, mélangez les noisettes, le quatre-épices et le curry. Trempez les morceaux de lapin dans l'œuf battu, puis dans le mélange d'épices.
2. Faites fondre le beurre dans une sauteuse et faites-y dorer le lapin pendant 7 à 10 minutes sur chaque face. Laissez reposer hors du feu pendant 5 minutes.
3. Pendant ce temps, mélangez l'huile, le vinaigre, le sel et le poivre dans un saladier. Placez la mâche dedans et retournez-la. Servez cette salade avec le lapin chaud.

Une poire pour la soif

Dans l'un de mes souvenirs d'enfance les plus vivaces, je suis assise sur les genoux de ma grand-mère pendant qu'elle épluche des poires et me raconte sa jeunesse. Pour être tout à fait honnête, je garde également un souvenir assez précis des restes de pâte que ma tante Berthe me permettait de lécher – elle veillait toujours à en « oublier » un peu au fond du bol – quand elle confectionnait sa version alsacienne de la tarte Tatin. Quand cette tarte aux poires ou aux pommes était enfin enfournée, un appétissant parfum de cannelle et de fruits envahissait la maison, presque aussi savoureux que la pâte que je venais de terminer. Certains Américains ont peine à croire que l'on puisse surpasser leur *apple pie*, alors même qu'ils n'en ont goûté que des versions industrielles toutes préparées. Je veux cependant nous croire encore nombreux à apprécier l'attente pendant la cuisson, à partager cette impatience qui nous saisissait, enfants, et nous poussait à dérober une part de tarte refroidissant sur le rebord de la fenêtre ! J'aime à imaginer que cela se produit encore, même s'il s'agit sans doute de plus en plus d'un mythe, compte tenu de notre mode de vie actuel et de nos rapports avec la nourriture...

Comme nous vivions dans une région riche en pommiers et en poiriers, ma famille possédait une réserve apparemment inépuisable de recettes à base de ces deux fruits. Nous avions aussi le privilège de les regarder mûrir sur les arbres. Nous surveillions de près l'apparition des premiers petits fruits verts : ils grossiraient peu à peu et prendraient les couleurs de la maturité, jusqu'au moment où ils seraient prêts à être ramassés et rangés dans des cagettes en bois, placées au frais dans la cave.

Chaque année, mon père mettait des poires entières dans des bouteilles d'eau-de-vie, offertes à divers membres de la famille, ou à ses amis les plus proches. Inutile de le dire, leur mode de fabrication ne laissait pas de fasciner nos cousins citadins... Lorsque ces bouteilles déroutantes apparaissaient à l'issue d'un déjeuner de quatre heures, afin d'apporter une touche digestive bien utile, la question revenait inévitablement sur le tapis. Comment papa avait-il fait rentrer la poire dans la bouteille ? Nous feignions de refuser de répondre, invoquant un secret impossible à révéler, puis finissions par leur expliquer notre truc. Rien de plus simple, en fait. Au début du printemps, papa et moi glissions des bouteilles autour d'embryons de fruits, sur l'arbre. Le plus souvent, la petite poire grandissait aussi bien que ses voisines, mais à l'intérieur de la bouteille, celle-ci laissant passer assez d'air et de soleil ! Après, on remplissait ladite bouteille de l'eau-de-vie fort alcoolisée distillée à partir de nos poires dans l'alambic de la région. Voilà en quelque mots la méthode privilégiée par papa pour confectionner sa poire williams, célèbre digestif alsacien qui tire son nom des poires Williams Bon-Chrétien. L'alcool conservait le fruit ainsi emprisonné presque éternellement, à condition de remplir continuellement la bouteille chaque année.

Si merveilleuses soient les poires, les pommes sont beaucoup plus consommées. À dire vrai, je pense qu'aucun fruit n'est plus universellement apprécié. Par moi, notamment. Je mange au moins une pomme par jour pendant toute leur saison et ce par pur plaisir : un jour une reinette, le lendemain une golden delicious, une granny-smith, une mutsu ou encore une boskoop... Leur concentration élevée en antioxydants, en particulier dans leur peau, est bien connue, mais je suis également convaincue que ces fruits nous aident à éviter les kilos excédentaires. Un diététicien de l'État de Washington a d'ailleurs exploité cette théorie voici quelques années, proposant un régime « trois pommes par jour ». Je ne suis pas de régime et je ne recommande pas de le faire, vous le savez. De plus, je pense que la consommation obligatoire de trois choses par jour engendre inévitablement la monotonie ; pourtant, je reconnais à ce protocole un embryon de sagesse. Les pommes contiennent en effet beaucoup de fibres pour relativement peu de calories, et je ne peux donc penser qu'on en augmente sa consommation sans obtenir un effet amincissant (à condition bien entendu de ne pas ajouter à ces fruits une alimentation déjà surabondante). La clé pour profiter des bienfaits des pommes consiste – ô surprise ! – à appliquer le principe du plaisir. En l'espèce, choisissez des pommes savoureuses à la texture agréable. Une pomme ramassée depuis peu et non loin de chez vous a beaucoup plus de chances d'avoir été cueillie mûre (et non pas verte afin de supporter un long voyage) ; elle a donc gardé sa teneur en eau, garante de son croquant. En effet, si les poires perdant un peu d'eau deviennent juste plus sucrées, les pommes prennent une consistance farineuse. Si vous avez acheté par erreur une pomme pas assez mûre, mettez-la dans un sac en papier, cela lui permettra de continuer à mûrir grâce à l'éthylène qu'elle émet naturellement. Cette méthode fonctionne aussi pour les bananes et pour les poires. Lorsque vous en avez une bien mûre, la meilleure solution consiste à la manger aussitôt. Mais si vous devez la conserver, enfermez-la dans un récipient étanche et placez-le au réfrigérateur. Je sais bien ! Mettre un fruit dans un réfrigérateur est une hérésie, mais le froid interrompt le processus de mûrissement et le récipient étanche empêchera la pomme de se dessécher. Vous pouvez appliquer la même technique aux avocats mûrs. Même s'il vaut toujours mieux éviter de réfrigérer les fruits, les pommes le supportent, et un séjour au froid peut légèrement allonger leur durée de vie. Rappelez-vous cependant de les sortir suffisamment longtemps à l'avance pour les consommer à température ambiante, celle permettant à leur parfum de se développer pleinement. Une bonne pomme constitue en tout cas un dessert des plus satisfaisants, surtout si vous la mangez coupée en tranches et avec la peau afin de bénéficier de tous ses nutriments. La poser sur une assiette et vous munir d'un couteau et d'une fourchette donne l'impression de manger un vrai dessert, simple, savoureux et rassasiant. Avez-vous remarqué, pourtant, combien de personnes croquent leur pomme sans même la savourer ? Rien d'étonnant à ce que Dieu nous ait chassés du jardin d'Éden !

COMPOTE POIRES-POMMES AU MIEL

(pour 4 personnes)

INGRÉDIENTS

500 g de pommes
300 g de poires
1 cuillerée à soupe
de miel
1 citron (jus)

1. Épluchez les pommes et les poires, ôtez-en le trognon et coupez-les en dés. Arrosez-les de jus de citron et mélangez. Versez 12 centilitres d'eau et les fruits dans une cocotte. Faites cuire à couvert à feu moyen pendant 10 minutes, en remuant de temps à autre pour éviter que la compote n'attache.
2. Écrasez les fruits grossièrement à la fourchette, tout en laissant cuire 3 à 5 minutes de plus, jusqu'à évaporation de l'excès de liquide. Retirez du feu, ajoutez le miel et mélangez délicatement. Servez tiède ou froid ; si vous conservez cette compote au réfrigérateur, sortez-la une demi-heure avant le repas.

N'hésitez pas à alterner les variétés de pommes et de poires pour renouveler la saveur de vos compotes. Vous pouvez aussi garnir celles-ci d'une boule de glace à la vanille.

SALADE DE POMMES AU GRUYÈRE ET AUX CHAMPIGNONS

(pour 6 personnes)

INGRÉDIENTS

500 g de champignons nettoyés et coupés en tranches fines
1 pomme golden delicious moyenne épluchée, débarrassée de son trognon et coupée en tranches fines
3 cuillerées à soupe de jus de citron
120 g de gruyère coupé en bâtonnets de 1/2 cm sur 3 cm
1 grosse laitue nettoyée, essorée et aux feuilles coupées en morceaux

Pour la sauce

2 cuillerées à soupe de vinaigre de vin rouge
2 cuillerées à soupe de moutarde de Meaux
8 cuillerées à soupe d'huile de noix

1. Arrosez les champignons et la pomme de jus de citron.
2. Pour la sauce, mélangez tous les ingrédients. Ajoutez le mélange de champignons et de pommes ainsi que le fromage. Mélangez délicatement à la laitue. Servez aussitôt.

2 cuillerées à
soupe de persil
fraîchement haché
1 pincée de curry
Sel et poivre
fraîchement
moulu

- -

Vous pouvez remplacer la laitue par du mesclun ou d'autres
variétés de salade, même des endives.

POMMES ÉPICÉES

(pour 4 personnes)

Une agréable garniture automnale pour la viande blanche, à préparer aussi avec des poires. Si vous accompagnez cette recette d'une cuillerée de crème fraîche ou de yaourt, elle peut constituer un savoureux dessert.

INGRÉDIENTS

2 pommes
1 orange
2 cuillerées à soupe de miel de trèfle ou d'acacia
Poivre fraîchement moulu

1. Épluchez les pommes, débarrassez-les de leur trognon et coupez-les en 8. Découpez l'orange en tranches sans la peler. Disposez les tranches d'orange au fond du panier d'un cuit-vapeur, recouvrez-les d'une couche de pommes et terminez par une couche d'orange.
2. Faites cuire à la vapeur pendant 6 à 7 minutes : les pommes doivent être tendres et imprégnées de la saveur des oranges. Jetez celles-ci et servez les pommes chaudes arrosées d'un filet de miel. Poivrez à votre goût.

POMMES AU FOUR AIXOISES

(pour 4 personnes)

Une autre variante provençale empruntée à ma cousine Andrée, créatrice de la version méridionale de la Soupe de poireaux magique, *le* Potage mimosa. *Elle a aussi arrangé à sa façon la recette classique de pommes au four que j'ai donnée dans* Ces Françaises qui ne grossissent pas.

INGRÉDIENTS

4 pommes golden delicious
1 citron non traité
4 brins de romarin
2 cuillerées à soupe d'huile d'olive
4 clous de girofle
2 cuillerées à soupe de miel de lavande

1. Préchauffez le four à 180 °C.
2. Ôtez soigneusement le trognon des pommes sans aller jusqu'au fond, de manière à ménager une cavité en leur centre (mais pas un tunnel de bout en bout). Épluchez le citron en lamelles en réservant son écorce.
3. Glissez dans chaque pomme 1 morceau de zeste de citron, 1 brin de romarin, 1/2 cuillerée à soupe d'huile, 1 clou de girofle et 1/2 cuillerée à soupe de miel.
4. Disposez les pommes dans un plat à gratin avec 20 centilitres d'eau puis placez dans le four pendant 45 minutes (ou jusqu'à ce que les pommes commencent à se fendiller). Servez chaud.

- -

POIRES AU CHOCOLAT ET AU POIVRE

(pour 4 personnes)

La poire compte parmi les merveilles de la nature : quel autre fruit se marie aussi bien avec le chocolat qu'avec un fromage de la famille des bleus ?

INGRÉDIENTS

4 poires bosc
150 g de sucre
1 orange (zeste)
120 g de chocolat
noir cassé en
petits morceaux
20 cl de crème
fraîche épaisse
1 noix de beurre
coupé en petits
morceaux
Poivre
fraîchement
moulu

1. Portez 1 litre d'eau à ébullition avec le zeste d'orange et le sucre. Épluchez les poires en les laissant entières, retirez leur trognon par le bas et plongez-les dans le sirop bouillant pendant 20 minutes à feu moyen. Posez chaque poire dans une assiette à dessert et laissez refroidir.
2. Faites chauffer la crème sans la laisser bouillir puis faites fondre le chocolat dedans en remuant sans cesse. Ajoutez le beurre petit à petit. Versez cette sauce sur les poires, poivrez à votre goût et servez immédiatement.

■ ■

Le poivre relève étonnamment bien les desserts et notamment la saveur des fruits frais. Mon premier livre comportait d'ailleurs une recette d'ananas poivré. Cet aromate convient aussi très bien aux fraises.

POIRES SUR BRIOCHE

(pour 4 personnes)

INGRÉDIENTS

2 poires mûres
1 noix de beurre
4 tranches de brioche
2 cuillerées à soupe de miel
2 cuillerées à soupe d'amandes émincées
1 cuillerée à café de crème fraîche

1. Préchauffez le gril du four.
2. Épluchez les poires et coupez-les en petits dés. Faites fondre le beurre dans une casserole, et revenir les dés de poire à feu vif pendant 2 à 3 minutes.
3. Disposez les morceaux de poire sur les tranches de brioche dans un plat à gratin. Nappez-les de miel et d'amandes. Glissez le plat sous le gril et laissez dorer pendant 2 minutes en surveillant de près. Servez ce dessert chaud avec un peu de crème fraîche.

POIRES ET FROMAGE DE CHÈVRE EN PAPILLOTE AVEC SAUCE AU YAOURT

(pour 4 personnes)

INGRÉDIENTS

4 poires
120 g de fromage de chèvre frais
60 g de fromage de la famille des bleus
1 citron (jus)
2 cuillerées à soupe d'huile d'olive
1 cuillerée à soupe de ciboulette ou d'estragon frais
Sel, poivre fraîchement moulu

Pour la sauce

1 poire
25 cl de yaourt
1 citron (jus)
Sel, poivre fraîchement moulu

1. Préchauffez le four à 180 °C.
2. Épluchez les poires, coupez-les en quatre, puis coupez chacun de ces quartiers en trois. Ajoutez la moitié du jus du citron.
3. Découpez 8 carrés de papier sulfurisé (ou aluminium) assez grands pour abriter 30 g de fromage de chèvre et l'équivalent d'une poire en tranches en laissant un bord libre de 5 cm. Huilez le centre de quatre de ces carrés et posez les tranches de poire ; étalez dessus 30 g de fromage de chèvre, émiettez le bleu par-dessus, arrosez d'un peu d'huile, saupoudrez de ciboulette, salez et poivrez.
4. Posez les 4 carrés de papier restants sur les poires au fromage et repliez les bords pour former des papillotes. Placez celles-ci sur une plaque de cuisson et mettez-les 12 à 15 minutes au four.
5. Pour la sauce, épluchez la poire, coupez-la en petits morceaux et mélangez-la avec le yaourt et le reste de jus de citron. Salez et poivrez à votre goût. Réservez.
6. Ouvrez chaque papillote et faites glisser son contenu encore chaud dans une assiette. Servez avec la salade de votre choix, et avec de la sauce au yaourt.

POIRES AU GINGEMBRE
ET MOUSSE AU CHOCOLAT

(pour 4 personnes)

INGRÉDIENTS

4 poires bosc
300 g de chocolat noir cassé en petits morceaux
1 jaune d'œuf
4 blancs d'œufs
2 citrons
85 g de sucre en poudre + 2 cuillerées à soupe (à part)
1 cuillerée à café de gingembre fraîchement râpé
15 cl de crème fraîche épaisse
5 cuillerées à soupe de rhum

1. Épluchez les poires en les laissant entières, débarrassées de leur pédoncule. Placez-les dans une casserole avec 1/2 litre d'eau, le zeste d'un citron, le jus des 2 citrons, 85 grammes de sucre en poudre et le gingembre. Couvrez la casserole et laissez cuire à feu doux pendant 15 minutes. Retirez les poires et laissez le jus de cuisson réduire à feu vif : il ne doit rester que 12 centilitres de sirop environ (comptez environ 10 minutes). Laissez refroidir.

2. Préparez une mousse au chocolat en chauffant la crème sans la laisser bouillir. Quand elle est chaude, versez le rhum et laissez cuire quelques minutes. Hors du feu, ajoutez les morceaux de chocolat et le jaune d'œuf. Mélangez bien.

3. Battez les blancs d'œufs en neige ferme en ajoutant petit à petit les 2 cuillerées à soupe de sucre. Incorporez un tiers de ces blancs au mélange à base de chocolat (il doit être tiède), puis le reste des blancs.

4. Placez cette mousse au réfrigérateur pendant 2 heures. Servez-la en accompagnement des poires au gingembre arrosées du reste de sirop.

Au chocolat

Si je devais ne retenir qu'un seul ingrédient capable de compenser à mes yeux le raccourcissement des jours, ce serait le chocolat. Pour mettre les choses au point, je ne commence pas à me gaver de chocolat dès le premier jour d'automne. Pourtant, il est vrai, cette douceur me paraît moins indispensable l'été... et le chocolat tend à fondre par temps chaud. Mais pendant l'automne et *a fortiori* en hiver, je compte énormément sur lui. Nous évoquons ici un ingrédient puissant, fort en goût, riche en nutriments... et aussi riche en calories. Fort heureusement, il n'est pas indispensable d'en abuser pour l'apprécier. Un petit carré se révèle déjà très satisfaisant.

Mon amie Ségolène m'a récemment raconté que 17 millions de Français mangeaient chaque jour du chocolat... et qu'elle en faisait partie. Elle prend un petit carré de chocolat au milieu de l'après-midi, si elle éprouve le besoin d'un remontant. Vous le remarquerez, j'ai dit un « petit » carré. Le chocolat n'étant pas un produit saisonnier, on peut en profiter avec modération tout au long de l'année. Mais comme tous les plaisirs, il est mieux apprécié si on s'en passe périodiquement. Pour garder la ligne, pensez à toujours vous demander combien vous voulez avaler de ce que vous vous apprêtez à manger.

Pour ma part, il faut l'arrivée de l'automne et la baisse des températures pour que mon esprit soit irrésistiblement attiré par la richesse brune du chocolat. Il représente en quelque sorte ma « drogue », dépourvue d'effets secondaires et toujours capable de me mettre de bonne humeur ! D'ailleurs, si l'on considère son action sur la dopamine, un neurotransmetteur, et sa richesse en flavonoïdes, puissants antioxydants excellents pour le cœur, la Sécurité sociale devrait le rembourser ! En attendant, gardez ceci présent à l'esprit : les bienfaits du chocolat proviennent du cacao qu'il contient et non des laitages et des graisses ajoutées. Pour en profiter au mieux, optez pour le chocolat le plus noir possible. Si vous en croquez un peu quand vous en éprouvez le besoin, le chocolat ne vous fera jamais grossir.

Petit rappel en matière de dosage, car on pense souvent d'un aliment bon pour la santé que plus on en mange, mieux c'est. Ainsi, lors d'une signature de *Ces Françaises qui ne grossissent pas* sur la côte ouest des États-Unis, au cours de laquelle j'avais lu un passage du chapitre consacré au pain et au chocolat, j'ai vu un monsieur s'avancer pour m'offrir un gigantesque sac rempli de toutes les sortes de chocolat qu'il avait pu se procurer ! Il y avait là de quoi satisfaire l'appétit d'un sérieux « accro » au chocolat pendant un bon mois ; or, je m'envolais le lendemain pour l'Australie. J'ai songé, l'espace d'un instant, à m'enfermer dans ma chambre d'hôtel pour me livrer à une orgie de chocolat – nous avons tous de temps à autre des pensées un peu folles... mais j'ai très vite recouvré mon bon sens. J'ai remercié mon admirateur et montré au public combien il m'avait gâtée, ajoutant que je savais qu'il ne m'en voudrait pas de partager mon cadeau avec toutes les personnes venues pour cette signature. Un tonnerre d'applaudissements a suivi cette déclaration. Je n'oublierai jamais le succulent trésor étalé sur une table à côté de mes livres, tandis que les fidèles, certainement plus attirés par le chocolat que par ma personne, faisaient la queue pour s'en approcher. Certains morceaux étaient plus gros que les autres, certains étaient fourrés de ganache, d'autres pralinés, et je me demandais ce qui motivait le choix de mes lecteurs... Nul autre aliment ne fait ainsi ressortir à la fois notre individualité et le plaisir du partage.

J'ai toujours su que les meilleurs moments chocolatés n'étaient pas ceux pris en cachette, mais ceux dont on profite dans un cadre amical ou familial, en particulier à la fin d'un repas. Les grandes occasions, par exemple les anniversaires et autres dates festives, appellent le chocolat – à mon avis, il suffit de réunir au moins deux amateurs...

Même en automne et en hiver, quantité de produits à base de chocolat s'apprécient mieux tout seuls, mais je m'accorde parfois le plaisir de les déguster en dessert, si le repas n'est pas trop lourd. J'apprécie les desserts au chocolat mêlant chaud et froid, telles les profiteroles au chocolat. Le contraste entre la sauce au chocolat chaud et la glace à la vanille à peine séparées par une pâte à choux fondante constitue pour moi un mélange divin. Il m'arrive encore plus fréquemment de marier avec bonheur un chocolat bien noir et des fruits : fraises, framboises, cerises, mais aussi poires, oranges, pruneaux, abricots secs, dattes, ou encore des noix, notamment de pécan, ou des pistaches, ou encore mes grands favoris, les marrons. L'ardéchois au chocolat et marrons de ma mère reste un souvenir vivant aussi bien sur le plan gustatif que sur le plan visuel... et même spirituel !

Quand je reçois, je prépare d'ordinaire deux desserts dont obligatoirement un au chocolat. Au début de mon mariage, nous dînions souvent à six dans notre appartement de Greenwich Village. Un soir, j'avais invité plusieurs amis de lycée et d'université d'Edward : je les connaissais à peine et, comme toujours, leur ai proposé en fin de repas un dessert au chocolat, en l'occurrence un gâteau au chocolat sans pâte accompagné de crème fouettée. J'ai servi un petit morceau de gâteau à chacun des convives et n'ai pas repassé le plat, car nous venions de déguster un repas plutôt copieux et élaboré. Lorsque le dernier couple a pris congé, plus tard dans la soirée, j'ai remarqué un des amis d'Edward, John, regardant du coin de l'œil – dévorant des yeux serait plus exact ! – la moitié de gâteau au chocolat restant sur la table de cuisine. Comme nous partions pour l'Europe le lendemain soir, je lui ai suggéré de l'emporter pour le week-end. Le lendemain matin, John nous appela pour nous remercier pour le dîner, et tout particulièrement pour l'incroyable gâteau au chocolat, dévoré sur le chemin du retour – ils habitaient en banlieue, à une heure de route. Il ne croyait pas avoir jamais mangé quoi que ce soit d'aussi bon. Que répondre à une telle avalanche de compliments ? Pourtant, je me sentais un peu coupable de l'avoir ainsi soumis à la tentation...

GÂTEAU AU CHOCOLAT SANS FARINE

(pour 8 personnes)

Je trouve ce gâteau encore meilleur le lendemain. Il constitue un dessert idéal et consistant pour les jours plus frais. Inutile de le placer au réfrigérateur car il se conserve au frais recouvert d'une feuille de papier sulfurisé. Mais si vous le réfrigérez, pensez à le sortir 2 heures à l'avance.

INGRÉDIENTS

250 g de chocolat noir
4 gros œufs
250 g de sucre
4 cuillerées à soupe de Grand Marnier ou de liqueur d'orange
6 cuillerées à soupe de Maïzena
8 noix de beurre à température ambiante + une noix pour beurrer le plat

1. Préchauffez le four à 180 °C. Beurrez un moule à charlotte de 1 litre ou un moule rond (22 centimètres).
2. Cassez le chocolat en morceaux et faites-le fondre dans une casserole au bain-marie. Retirez et laissez refroidir. Pendant ce temps, fouettez le beurre pour le faire mousser.
3. Versez le chocolat fondu attiédi sur ce beurre, et battez le tout pendant 2 minutes. Vous devez obtenir une texture épaisse. Réservez.
4. Dans un autre bol, battez vivement les œufs en ajoutant le sucre petit à petit, jusqu'à obtenir un mélange épais d'un jaune très pâle (6 à 8 minutes), d'une consistance semblable à celle de l'appareil beurre-chocolat.
5. Incorporez ce dernier aux œufs au sucre puis ajoutez le Grand Marnier. Remuez encore pendant 1 minute. Ajoutez délicatement la Maïzena.
6. Versez la pâte ainsi obtenue dans le moule beurré, en veillant à obtenir une surface plane (pour y parvenir, tapotez le fond du moule sur le plan de travail). Recouvrez de papier sulfurisé beurré. Posez le moule dans un plat à gratin rempli d'eau presque bouillante, jusqu'à 1 cm du sommet du moule. Placez le tout au four pendant 45 à 50 minutes. Laissez le gâteau refroidir avant de le retourner sur un plat. Attention : attendez encore 30 minutes avant d'ôter le moule.
7. Servez accompagné de crème fouettée non sucrée.

Nous sommes adultes et, à ce titre, responsables en dernier ressort de nos accès de gourmandise et de nos dérapages alimentaires. À nous d'apprendre à nous contrôler, afin de pouvoir gérer un sac plein de merveilleux chocolats ou un demi-gâteau au chocolat sans farine. Comme toujours, la clé pour s'en tenir à une portion raisonnable consiste à profiter vraiment de ce que vous mangez. Se jeter gloutonnement sur un mets satisfera plus votre esprit et vos émotions que votre estomac. Vous saurez que vous mangez réellement par plaisir quand vous constaterez, à votre grande surprise, en avoir pris moins que prévu... Parfois aussi quand vous direz tout simplement non.

Voici quelques années, je fus conviée par un célèbre magazine consacré à la gastronomie à un déjeuner sur le thème des fêtes de fin d'année. Avec le café – et je bois du café après le petit déjeuner seulement dans le cadre de repas spéciaux –, sont arrivées des truffes au chocolat. Elles paraissaient absolument divines et j'ai décidé d'en déguster une avec mon café. La conversation était animée. En moins de temps qu'il n'en faut pour le dire, le plat de truffes repassait et certains convives entamaient leur troisième chocolat. Une seule petite bouchée de ma première truffe m'avait suffi pour constater qu'elles n'étaient pas très bonnes. J'ai donc discrètement abandonné le reste dans ma soucoupe. Un observateur mal informé aurait pu en déduire que je faisais preuve d'un self-control inouï ; en réalité, je n'ai éprouvé aucune difficulté à renoncer à une friandise qui m'apportait peu, voire pas du tout de plaisir. Les fêtes approchant, je savais que j'aurais l'occasion de déguster des chocolats vraiment irrésistibles et cela ne me gênait pas de patienter quelques jours.

Nous relâchons tous un tantinet notre attention pendant cette période de l'année, car tant de bonnes choses nous sont proposées... nous ne savons plus où donner de la tête. En outre, la saison des Bikini paraît bien loin, cela en encourage plus d'une à se laisser aller, quitte à se dissimuler sous des vêtements moins ajustés. Malheureusement, une telle attitude les conduit immanquablement à devoir perdre du poids le printemps venu. Il arrive, certes, de prendre quelques kilos pendant la saison froide, mais ce n'est pas une raison pour considérer une prise de poids automnale et hivernale comme une fatalité. Si vous surveillez votre équilibre, mangez par plaisir, restez à l'écoute des saveurs et privilégiez la notion de choix, vous pourrez profiter pleinement de cette saison de bombance sans craindre de grossir. Un dernier détail : les vêtements ne devraient jamais représenter un moyen de vous cacher, mais plutôt viser à vous mettre en valeur.

Bien des femmes considèrent l'automne comme la meilleure période de l'année pour s'habiller, on peut se vêtir comme on le souhaite sans être obligée d'accumuler les épaisseurs pour se prémunir contre le froid, ni risquer de transpirer comme à la saison chaude. En théorie, le printemps offre les mêmes avantages ; mais dans bien des régions, on passe directement aux vêtements d'été. Ainsi, le manteau de demi-saison, si courant jusqu'aux années 1960 et encore porté par quelques élégantes, est devenu un anachronisme aux yeux de la plupart des femmes. Nos contemporains semblent d'ailleurs prendre plaisir à sortir aussi peu vêtus que possible. Quand je vois les élèves des écoles et des universités de Nouvelle-Angleterre arborer des shorts dès que la température monte un tantinet, j'y vois une sorte d'invocation païenne à la chaleur... Cela me trouble plus que l'obstination mise par les adolescentes à s'habiller d'un bout de l'année à l'autre en tenue quasi estivale. Couvrez, ne serait-ce que d'un châle, ces nombrils que je ne saurais voir !

Même pour celles qui s'habillent plus raisonnablement, les écharpes sont vraiment indispensables en automne. Avec une simple veste matelassée en Nylon ou en microfibre, vous aurez un look d'extérieur sans fausse note, et toujours abordable. Pensez aussi à choisir des vestes ne s'arrêtant pas sur la partie de votre corps sur laquelle vous souhaitez le moins attirer l'attention... Je ne suis guère fan de football américain, mais j'adore les écharpes aux couleurs des équipes universitaires, elles donnent juste la touche de chaleur nécessaire pendant l'automne. J'aime aussi, en cette saison, porter mes châles comme de longs colliers pouvant se transformer en étole le soir. Tout comme en été, je possède un « uniforme » de base composé de robes droites ajustées sans fioritures et de quelques jupes et chandails de bonne qualité aux teintes neutres. Une veste ou tout autre vêtement à la mode vous rendra « tendance », sans vous faire perdre votre élégance intemporelle.

Écharpe-collier

Prenez une écharpe rectangulaire assez longue, dont les deux pans atteignent votre ceinture si vous la passez autour de votre cou.

1. Pliez l'écharpe en deux ou en quatre suivant sa largeur.
2. Passez-la derrière votre nuque et nouez-en un pan de manière former une boucle à la hauteur de vos premières côtes.
3. Glissez l'autre pan à travers cette boucle, puis resserrez le tout en ajustant les deux pans de manière symétrique et en plaçant le nœud à la hauteur souhaitée.

Étole nouée sur le côté

Il s'agit d'un type de drapé très en vogue ces temps-ci. Une écharpe courte convient mieux avec un chandail ; choisissez-en une plus longue avec une veste ou un manteau.

1. Pliez votre écharpe rectangulaire en deux dans le sens de la longueur, puis rapprochez ses deux extrémités comme pour faire un nœud coulant.
2. Glissez l'écharpe pliée autour de votre cou, ramenez la boucle devant votre buste et glissez l'autre extrémité à travers elle.

3. Tirez et resserrez de manière à obtenir un drapé confortable et bien placé.

Nœud sur l'épaule

Voici un drapé simple mais d'une élégance à toute épreuve. Il exige une écharpe aux teintes exubérantes, à porter avec une robe unie.

1. Pliez votre foulard carré en diagonale de manière à former un triangle.
2. Posez-le sur une de vos épaules et tirez ses deux pans de part et d'autre de votre corps, l'un devant vous et l'autre derrière. Nouez leurs extrémités juste au-dessus de la hanche opposée à l'épaule soutenant le foulard.

Une solution automnale simple consiste à prendre pour exemple les couleurs de la nature : les tweeds dans les teintes de bruyère ou de terre, le rouille foncé et les lainages mordorés sont toujours élégants. Il s'agit en outre de couleurs qui paraissent trop tristes ou trop violentes au printemps et en été. Même si elles sont aussi flatteuses que faciles à porter, ne bannissez pas pour autant les couleurs vives. Au contraire, une teinte soutenue relèvera magnifiquement la sobriété du reste de votre tenue, et si vous choisissez la couleur de la saison (je parle ici de mode), vous n'aurez nul besoin d'effort supplémentaire pour vous inscrire dans la tendance du moment.

*

Pour simplifier les menus proposés ci-après, certaines quantités sont indiquées avec pour unité le bol (12 cl).

LUNDI

Petit déjeuner
8 cuillerées à soupe de
  porridge de grand-mère
  Louise aux pommes râpées [1]
5 cuillerées à soupe de lait
1/2 cuillerée à café de sucre
  brun
1 tranche de pain au levain
  grillée et beurrée
Café ou thé

Déjeuner
Salade de pommes au gruyère
  et aux champignons
  (p. 198)
1 petit pain aux céréales
1 carré de chocolat
Boisson non calorique

Dîner
Raie aux câpres (p. 182)
Gratin de chou-fleur (p. 174)
1 bol de légumes verts ou de
  salade
1 yaourt
1 poire
1 verre de vin blanc ou rouge

MARDI

Petit déjeuner
1 cuillerée à café de noix de
  soja
1 omelette (2 œufs)
1 tranche de pain complet
  grillée et beurrée
1/2 pamplemousse
Café ou thé

Déjeuner
25 cl de soupe de légumes de
  base [1]
1 tranche de pain de campagne
1 yaourt
1 pomme
Boisson non calorique

Dîner
Macaroni à la pancetta
  (p. 180)
1 bol d'épinards
Carpaccio de mangue à la
  cannelle (p. 262)
1 verre de vin rouge

---

1. Voir *Ces Françaises qui ne grossissent pas – Comment font-elles ?*, *op. cit.*

MERCREDI

Petit déjeuner
1 yaourt
1 kiwi
1 petite brioche ou 1/2 bagel avec du beurre et de la confiture
Café ou thé

Déjeuner
Salade de poulet aux haricots verts (p. 181)
6 amandes
1 grappe de raisin noir
Boisson non calorique

Dîner
Salade de morue aux pommes de terre (p. 167)
1 bol d'épinards
Champignons sautés (p. 80)
Crème caramel
1 verre de vin blanc ou rouge

VENDREDI

Petit déjeuner
30 g de fromage
1 tranche de jambon cru
1 œuf à la coque
1 tranche de pain multi-céréale grillée et beurrée
3 abricots secs
Café ou thé

JEUDI

Petit déjeuner
2 pruneaux
1 verre de jus de pample-mousse fraîchement pressé ou 1/2 pamplemousse
1 yaourt
1 œuf au plat
1 tranche de pain complet grillée et beurrée
Café ou thé

Déjeuner
25 cl de potage vert (p. 119)
1 tranche de pain aux olives ou de pain complet
30 g de fromage
1/2 papaye
Boisson non calorique

Dîner
Côtes de porc aux pommes [1]
1 bol de riz complet
Salade composée
Mousse au chocolat [1]
1 verre de vin blanc ou rouge

SAMEDI

Petit déjeuner
1 tranche de jambon cuit
1 verre de jus d'orange fraî-chement pressé ou 1 orange
8 cuillerées à soupe de flo-cons d'avoine aux raisins secs et aux noix
12 cl de lait
Café ou thé

---

1. Voir *Ces Françaises qui ne grossissent pas – Comment font-elles ?*, op. cit.

Déjeuner
Soupe de courge musquée
    (p. 177)
1 assiette de légumes verts
1/2 banane
Boisson non calorique

Dîner
Escalopes de dinde au pesto
    (p. 184)
1 bol de purée de pommes
    de terre
Salade verte
Compote poires pommes au
    miel (p. 197)
1 verre de vin rouge

Déjeuner
Moules aux vin blanc (p. 183)
1 tranche de pain de campagne
Salade de mâche avec 30 g de
    noix et 1 poire
Boisson non calorique

Dîner
Steak grillé sauce au vin
    (p. 186)
1 pomme de terre au four
    avec un peu de beurre
Salade verte
1 tranche de gâteau au cho-
    colat
1 verre de vin rouge

DIMANCHE

Petit déjeuner
1 yaourt
Poires sur brioche (p. 203)
Café ou thé

Déjeuner
Plateau de fruits de mer
1 tranche de pain de seigle
avec du beurre salé
1 assiette de légumes verts
Pommes au four aixoises (p. 201)
1 verre de champagne ou de vin pétillant

Dîner
25 cl de potage au céleri-rave (p. 243)
1 bol de carottes sautées
1 bol de fenouil cru
30 g de fromage à pâte dure
1/2 pamplemousse
Boisson non calorique

5

EN HIVER, PLAISIRS HIVERNAUX

En général, nous n'avons d'autre solution que de supporter tant bien que mal l'hiver, tous les oiseaux n'ont pas la chance de s'envoler vers les pays chauds... Le pourrais-je que je ne le ferais d'ailleurs pas. J'apprécie trop mes promenades matinales dans les rues glacées. Je n'aimerais pas vivre dans une région dépourvue de saisons. Quand le passage du temps ne laisse pas de trace tangible, je me sens littéralement perdue.

À mesure que les jours raccourcissent, les autres mammifères se recouvrent d'un poil plus dense et changent de pelage. Ne nous leurrons pas, nous autres humains ne sommes pas épargnés par l'influence de l'hiver. Sous les climats septentrionaux comme celui de Paris ou celui de New York, il arrive toujours un moment où l'on se demande si le froid et l'obligation de rester enfermé chez soi finiront un jour. Cela m'arrive notamment quand les rues de mon quartier sont bordées de blocs de neige vieux de deux mois et que mon réfrigérateur ne contient plus que quelques tubercules racornis. D'accord, j'exagère sans doute un peu, mais vous voyez ce que je veux dire... Et cela ne me console guère de savoir que c'est pire ailleurs, que la ville de Buffalo, dans le centre des États-Unis, récolte chaque hiver quelque 2,50 mètres de neige ou qu'en Suède, pays si agréable l'été quand le soleil se lève dès 3 heures du matin, les journées se résument en cette saison à quelques heures de grisaille. Seule consolation véritable : nous savons ce qui nous attend quand le renouveau printanier accomplira son miracle annuel. Je ne cherche pas seulement à voir à tout prix le bon côté des choses, mais j'apprécie réellement ces semaines durant lesquelles j'attends fébrilement l'apparition des premières fleurs, des premières touches de verdure et les autres prémices du passage à une nouvelle étape du cycle des saisons.

Si Noël se fête en décembre, ce n'est pas tant parce que nous sommes sûrs que la Nativité s'est réellement produite à la date dite, mais plutôt par suite d'un effort de christianisation de l'antique rite païen qui visait à apporter un peu de lumière au cœur des mois les plus sombres. Mais une fois échangés les cadeaux qui ne nous plaisaient pas et le dernier bouchon de champagne du nouvel an oublié, nous nous engageons dans une sorte de tunnel infini. Le manque de lumière et d'aliments frais ne font pas grossir. Mais les quelques kilos déprimants qui se sont installés pendant la période des fêtes nous rendent plus vulnérables aux excédents pondéraux. Que faire pour éviter cet écueil ? Eh bien, il existe une foule de solutions. Rien ne nous oblige à nous rouler en boule sous notre couette avec un bouquin dès que la lumière faiblit – même si, je l'avoue, j'adore lire de temps à autre bien au chaud dans mon lit.

En hiver, nous sommes nombreux à nous lever quand il fait encore sombre pour ne rentrer du travail qu'à la nuit tombée. C'est sans doute pourquoi la nature a offert à certains animaux la possibilité de passer cette période assoupis. Hélas ! nous n'avons pas cette chance. Pourtant, nous ne sommes pas si dépourvus, lorsque la bise est venue... La fonction de l'hiver consiste à faire table rase du passé en vue de reprendre un nouveau départ. D'ailleurs, on exprimait naguère l'âge d'une personne en nombre de printemps, ce qui sous-entendait le nombre d'hivers auxquels elle avait survécu. La technologie moderne nous protège aujourd'hui des pires rigueurs. À nous de nous débrouiller pour le reste. La clé du succès consiste, à mon sens, à se montrer aussi active et énergique que possible.

Il nous faut cependant admettre que, à l'instar des ours ou des oiseaux, les humains obéissent à des facteurs photopériodiques, et sont affectés par la durée des journées. Voilà pourquoi nous souffrons à des degrés divers de ce que l'on nomme désormais la « dépression saisonnière ». Le manque de lumière nous accable. Certains, et ils sont nombreux, se consolent en mangeant plus et pas forcément les mets les plus indiqués. Que faire pour lutter contre ce penchant ? Une des solutions les plus simples consiste à s'obliger à sortir en milieu de journée. Si vous travaillez dans un bureau, vous ne voyez probablement pour toute lumière que celle de la variété fluorescente, ni flatteuse ni bonne pour la santé. Faites une pause à l'heure du déjeuner et sortez profiter du peu de soleil que le ciel vous offre. Pour ma part, je chausse invariablement, même en cette saison, mes lunettes de soleil, afin d'éviter de plisser les yeux et prévenir ainsi l'apparition des pattes d'oie. Cette simple exposition à la lumière du jour peut suffire à réguler nos cycles de sommeil, dont la désorganisation constitue l'un des principaux troubles hivernaux. Cela donne aussi l'occasion de produire de la vitamine D, indispensable pour que le corps fixe le calcium absorbé. Une supplémentation peut se révéler nécessaire, parlez-en à votre médecin. Pensez aussi aux aliments riches en vitamine D, par exemple le thon, le jaune d'œuf et le lait.

Même par les jours les plus gris, une petite promenade à l'heure du déjeuner fait du bien. Le simple fait de bouger un peu plus aide aussi à compenser le déficit de lumière. En effet, outre ses bienfaits métaboliques et cardiovasculaires, l'exercice physique a un effet stimulant sur les neurotransmetteurs contrôlant l'humeur. D'où, sans doute – au moins en partie – le succès des sports d'hiver.

Bien des membres de mon entourage sont férus de ski. Je ne partage pas leur enthousiasme ; à vrai dire, le mot « ski » n'évoque pas pour moi d'exaltantes descentes dans la poudreuse, mais plutôt la morsure du froid et les gerçures aux lèvres, des arbres toujours placés au mauvais endroit et des os brisés – les miens. Chacun ses goûts, et loin de moi l'idée de décourager les plus sportifs de se livrer à ce type d'activité, même si j'aurais tendance à leur conseiller le ski de fond, tout de même moins violent, ou bien le patin à glace. À Paris, j'ai remarqué que les adeptes des rollers n'abandonnaient pas leurs promenades en groupe, même au plus fort de l'hiver. Peu importe l'activité choisie, pourvu que vous la pratiquiez par plaisir. Je le sais, certains se réfugient dans les salles de gym à la mauvaise saison. Pour ma part je n'ai nul besoin d'une paire de skis ni de machines sophistiquées pour trouver des moyens d'accélérer mon rythme cardiaque et de faire travailler mes muscles, tout en résistant à la tentation de me pelotonner sous mes draps.Je pratique surtout la marche à pied et le yoga pour lutter contre le ralentissement général qu'entraîne l'hiver, faire bouger mes membres, mais aussi réveiller la conscience de mon corps dans mon esprit, sentir la connexion qui les unit. C'est le zen à la française ! Quelques simples étirements avant le petit déjeuner font merveille. À New York, je descends à pied de notre appartement, soit quatorze étages. Voilà qui stimule l'organisme ! Et quand je n'ai pas pu bouger autant que je l'aurais souhaité au cours de la journée, je m'astreins à remonter chez moi par l'escalier. L'hiver, dédaigner les ascenseurs est l'une des méthodes les plus efficaces pour accélérer le rythme cardiaque et ensoleiller son humeur. En plus, on ne s'expose pas au risque d'hypothermie qu'encourent notamment les joggeurs pratiquant leur sport favori aux températures polaires du petit matin. Cela me fait toujours sourire de voir la vapeur s'échapper de leur bouche et de leur nez, mais je me retiens de leur signaler qu'ils n'ont pas besoin de s'astreindre à un tel supplice pour se maintenir en forme. J'espère vraiment qu'ils courent par plaisir – et je suppose qu'ils apprécient également le ski !

J'adore marcher dans la neige, en particulier dans les rues de New York, sauf quand l'alliance de froid et de vent dissuade même les plus téméraires. Lorsqu'un manteau immaculé enveloppe la ville, sous un ciel d'un bleu intense, un calme incroyable s'installe et la circulation s'interrompt, hormis celle de quelques camions-poubelles reconvertis en chasse-neige. Edward et moi adorons sortir nous balader après une tempête de neige. S'enfoncer ainsi dans la neige fraîche me paraît presque aussi agréable et amusant que de marcher au bord de l'eau sur une plage. On retrouve aussitôt son âme d'enfant... Tandis que nous profitons des larges avenues désertes, croisant d'autres marcheurs intrépides, nous imaginons à quoi la ville pouvait ressembler voici quelques siècles. Tout est si paisible et si propre ; pour un temps, la métropole se transforme en village pittoresque, des enfants font de la luge et des voisins s'entraident pour déneiger les trottoirs. Certains d'entre eux dégagent aussi leur voiture, qui sera immanquablement recouverte d'une nouvelle couche de neige dès le passage du prochain chasse-neige. Tout le monde semble de bonne humeur, même ceux qui s'échinent à pelleter. Les magasins rouvrent peu à peu, et tout le monde profite de ce cadeau de la nature qui nous délivre momentanément de notre routine habituelle.

Les journées pluvieuses se révèlent en revanche bien moins agréables. Ne comptez pas sur moi pour m'y exposer par plaisir ni par souci d'exercice, même si je reconnais que l'humidité est excellente pour le teint. Les jours de froid sec, pensez donc à bien hydrater votre peau et vos cheveux. Je garde toujours à portée de main les ingrédients nécessaires à la préparation de masques « maison » que Mamie utilisait l'hiver. Adepte des traitements naturels, elle passait notamment une fois par semaine au lever une tranche de citron ou de pamplemousse fraîche-ment coupée sur son visage. C'était son truc pour clarifier la couche supérieure de son épiderme. Quand j'étais ado-lescente et que quelques boutons disgracieux annon-çaient l'arrivée de mes règles, elle mettait un peu de jus de persil sur un morceau de coton et appliquait ce trai-tement sur les zones touchées. Pour ma cousine, dont la peau grasse avait tendance à devenir terne, ma mère passait au mixeur quelques raisins avec des amandes. On appliquait la pâte ainsi obtenue sur le visage et on la laissait poser quelques minutes avant de la rincer à l'eau froide (vous pouvez aussi passer les amandes au moulin à épices). Sa préférence allait cependant aux mixtures à base d'œufs, en particulier à celle-ci, qu'elle recomman-dait pour tous les types de peaux avant une soirée : mélangez un jaune d'œuf avec quelques gouttes d'huile d'olive, étalez le tout sur votre visage et laissez-le pendant quinze minutes. Il lui arrivait aussi de mélanger un jaune d'œuf avec quelques feuilles de laitue et un demi-yaourt ; ce masque resserre les pores tout en hydratant la peau. Ce traitement apaisant permet de faire d'un après-midi à la maison une véritable séance de soins, à l'égal de ceux prodigués dans un spa. Parlant de ces centres, j'aimerais souligner que les massages, aujourd'hui bien plus acces-sibles que par le passé, constituent un excellent moyen de se faire du bien. Préparez-vous une carafe d'eau citronnée, sortez votre matelas de yoga, faites quelques mouvements puis offrez-vous le luxe d'un masque. Je fais du yoga toute l'année, et ce depuis plusieurs décennies, mais l'hiver je redouble d'assiduité à la maison et prends volontiers des cours pour apprendre des postures nou-velles. En yoga comme dans tous les domaines de la vie, on a toujours quelque chose à apprendre.

Mon intérieur m'offre d'autres occasions de m'agiter, tout simplement en faisant le ménage. Nul n'aime réel-lement cette activité, mais il s'agit réellement d'un excel-lent moyen d'augmenter son rythme cardiaque et sa circulation sanguine. Profitez donc de cette saison pour accomplir de petites tâches ou ranger vos placards, même si vous avez une femme de ménage.

Voici, pour terminer, un petit exercice anti-stress hivernal aussi bénéfique, du moins pour moi, sur le plan physique que sur le plan mental. Je le pratique à la maison ou au bureau. Si vous avez déjà cueilli des fruits directement sur un arbre – pommes, cerises, poires, pêches ou que sais-je encore –, imaginez que vous vous tenez sous un arbre fruitier ; vous levez le bras aussi haut que possible pour cueillir un fruit. Vous vous dressez sur la pointe des pieds. Vous le tenez ? Excellent. À présent, déposez-le dans le panier posé à vos pieds. Détendez-vous et respirez profondément. Tendez à présent l'autre bras pour atteindre un autre fruit, puis penchez-vous pour le placer lui aussi dans le panier. Répétez l'exercice en alternant les bras, et ramassez une vingtaine de fruits. Si vous disposez de plus de temps ou éprouvez le besoin de vous activer davantage ou de vous détendre encore un peu, passez à un autre arbre fruitier et répétez l'exercice. Non seulement bouger ainsi déclenche la sécrétion de neurotransmetteurs générateurs de bien-être, mais en plus cela détend les muscles contractés et convoie jusqu'à votre cerveau un sang enrichi en oxygène. Celui-ci favorise une baisse du taux de cortisol, l'hormone associée au stress et – cela ne vous étonnera sans doute pas – au stockage des graisses corporelles. Le seul fait d'imaginer que je me trouve dehors, au pied d'un arbre fruitier, constitue pour moi une plage de vacances cérébrales. Bien moins cher qu'un aller-retour à Miami ! Il me semble presque en prime goûter aux fruits ainsi récoltés...

Prêt à réchauffer

Si vous vous imaginez en train de marcher dans une orangeraie, vous vous voyez sans doute dans une robe d'été ; dans la réalité, la météo commande largement nos choix vestimentaires. L'hiver, comment se prémunir contre le froid tout en conservant une certaine élégance ? Évitons autant que possible de nous transformer en ours enfouis sous d'épais chandails et manteaux. Choisissez évidemment des vêtements chauds, mais flatteurs pour votre silhouette. Pour le reste, les règles s'appliquant durant les autres saisons restent valables l'hiver : achetez des vêtements qui vous vont, ni trop grands ni trop serrés, et constituez-vous une garde-robe de base de qualité. Les couleurs les plus appropriées – à mon sens – sont le bleu marine, le noir, le beige et le gris, à relever à votre convenance d'une touche de couleur plus vive.

Fort heureusement, l'uniforme de rigueur dans certaines professions comme la banque ou les cabinets d'avocats tend partout ailleurs à disparaître. Une veste bien coupée accompagnée d'un chemisier et d'un pantalon donne une allure à la fois professionnelle et féminine. Ajoutez une touche de parfum, à mes yeux un élément indispensable de l'habillement hivernal. En cette saison, je préfère des fragrances épicées ou boisées, ou encore des compositions florales plus complexes à ne porter que par temps froid.

Comme toujours les écharpes, châles et foulards font partie de mon style personnel ; en cette saison, elles constituent de surcroît un atout chaleur. Bien entendu, chacune peut porter ses écharpes de toutes les manières en toute saison. Mais l'hiver, que j'assortisse l'écharpe à une robe, à un chemisier ou à un manteau, j'aime protéger mon cou du froid. Cela passe tout d'abord par le choix de matières chaudes comme la soie et surtout la laine d'agneau et le cachemire. On trouve désormais des châles de cachemire à des tarifs tout à fait abordables. Drapez-les par-dessus un manteau.

Tour de cou

Ce style, particulièrement élégant sur les femmes dotées d'un long cou, réchauffe un manteau, un chandail, une chemise ou une robe.

1. Prenez une écharpe rectangulaire et pliez-la en deux ou en quatre dans le sens de la longueur.
2. Passez-la autour de votre cou en laissant les extrémités pendre vers l'arrière, puis enroulez-la autour de votre cou, croisez-la devant puis ramenez les pans en arrière.
3. Nouez l'écharpe à l'arrière et glissez les pointes sous ce tour de cou pour les dissimuler.

Nœud de cravate Ascot

1. Pliez un foulard carré en diagonale afin d'obtenir un triangle.
2. La pointe du triangle se trouvant devant, sur votre poitrine, passez les deux pans derrière votre cou, croisez-les puis nouez-les devant, sous votre menton (avec un nœud simple).

Châle sans nœud

Ce drapé convient particulièrement avec un manteau pour apporter une couche isolante supplémentaire et en particulier couvrir votre gorge. Évitez-le cependant les jours venteux.

1. Pliez en deux, dans le sens de la longueur, un grand foulard carré ou rectangulaire.
2. Glissez-le autour de votre cou en tirant sur un pan de façon qu'il dépasse l'autre d'au moins 20 centimètres. Jetez alors le pan le plus long par-dessus l'épaule opposée, en veillant à ce que l'écharpe se drape joliment, en couvrant le sommet de votre torse et votre cou. Arrangez-le à votre convenance. Vous pouvez aussi fixer cette écharpe sur le devant

à l'aide d'une broche ou d'une petite épingle à chapeau.

Bonne dégustation

Voilà, votre sang circule plus vite et vous portez une tenue adaptée à la température. Il vous reste à déterminer ce que vous aller manger. L'hiver, j'ai encore plus besoin de chocolat qu'en automne. Si, quand les feuilles mortes s'amoncellent, je pense que cet or noir devrait être remboursé par la Sécurité sociale, aux premiers grands froids je voterais volontiers la mise en place d'une réserve nationale de chocolat destinée à parer au « spleen de l'hiver » de la population dans son ensemble, tant je crois à son pouvoir ! Cela ne m'empêche pas de continuer à faire preuve de modération à son égard. Même en hiver, ou justement en hiver, il faut adopter un programme nutritif en rapport avec les besoins du moment et compatible avec le choix limité d'ingrédients à notre disposition. Le quotidien ne peut être une succession de plaisirs, mais il doit régulièrement nous apporter de petites joies. Commençons par celles qui m'importent le plus.

Les recettes hivernales comptent bon nombre de plats d'exception destinés à célébrer les fêtes dérivées des rites païens célébrant le solstice d'hiver. Il s'agit en général de mets élaborés, autour desquels famille et êtres chers se réunissent. Si la crainte associée à ces rituels, visant à amadouer les dieux pour qu'ils ramènent la lumière sur la terre, a disparu, les festins qui les accompagnaient subsistent. En bons vivants que nous sommes, nous saisissons toutes les occasions de faire ripaille. Le repas de Noël français traditionnel repose sur quatre piliers : les marrons, les huîtres, la dinde et la bûche de Noël.

Chauds, les marrons !

À compter de la mi-décembre, un panier tressé recouvert d'un torchon trônait dans notre cuisine. Il contenait des marrons... et nous savions que divers régals s'annonçaient. Après avoir fendu leur coque à l'aide d'un couteau acéré, Mamie les mettait à griller dans une poêle spéciale. Toute la famille convergeait vers la pièce à mesure que leurs effluves caractéristiques se répandaient. Pour moi, l'odeur des marrons grillés reste à jamais indissociable de la période de Noël. Pour mettre un comble à notre félicité, Mamie préparait souvent un gâteau pendant la cuisson des marrons. Une fois les marrons à point, la grande difficulté consistait à les éplucher sans (trop) se brûler les doigts avant qu'ils ne refroidissent. Ce danger attisait encore notre appétit. Parfois un enfant criait « Aïe ! » et un adulte venait l'aider ; cela m'arrivait souvent, car je mangeais mes marrons plus vite que je ne les épluchais, me battant contre les fines membranes collées dans les replis de leur chair.

Plus tard, étudiante à Paris, j'ai découvert la version locale de la petite madeleine de mon enfance : les marrons cuits sur des braseros installés dans les artères passantes ou à la sortie des cinémas, vendus brûlants dans un cornet de papier journal. Ils n'étaient pas aussi savoureux que ceux de Mamie, je les appréciais néanmoins. Aujourd'hui encore, à Paris ou à Manhattan, j'ai bien du mal à ne pas céder aux sirènes des vendeurs ambulants. Les marrons comptent d'ailleurs parmi les rares produits naturels vendus dans la rue.

Bien sûr, ces fruits d'hiver se prêtent aussi à des préparations plus sophistiquées, notamment lors des repas de fêtes. Parfois, ils agrémentaient une soupe onctueuse, par exemple un velouté au céleri parsemé de petits morceaux de bacon grillé et de marrons rôtis – ma recette préférée – ou une onctueuse crème de marrons. Il arrivait aussi à Mamie de les cuire plus lentement et de les servir en accompagnement d'un plat de gibier à poil ou à plume, ou avec une volaille.

En Provence, pendant la période festive, on propose avec le café des marrons glacés. Je raffole de cette alternative luxueuse aux petits fours et aux chocolats. C'est mon oncle Charles qui m'initia à cette friandise ; il la préparait comme nul autre. Comme toujours en cuisine, il importe en premier lieu de sélectionner les meilleurs ingrédients possibles, en l'occurrence de superbes marrons en provenance de Turin (où l'on en trouve d'énormes, à la texture particulièrement fondante), de Naples, de Collobrières dans le Var, ou même de l'Ardèche, où se situait son restaurant. Les spécimens retenus étaient cuits à l'eau bouillante jusqu'à ce qu'ils deviennent tendres, puis trempés délicatement dans du sirop de sucre, afin de les recouvrir d'une légère patine sans leur faire perdre leur moelleux. Ils étaient ensuite enveloppés un à un de papier doré. Rares sont les amateurs assez téméraires pour confectionner leurs propres marrons glacés, car il faut bien des tentatives avant d'approcher la perfection.

Ma propre quête s'est achevée à Paris, chez Stohrer, confiseur réputé du 2e arrondissement. Nous sommes nombreux à le penser, ce fabricant surpasse tous les autres. Peut-être entreverrez-vous le firmament en mordant dans l'un de ses marrons, comme Dom Pérignon prétendait que cela lui était arrivé avec sa première gorgée de champagne. J'ai pour ma part cette chance ! Mon autre fournisseur, tout aussi irrésistible, est le talentueux chocolatier Pierre Marcolini, établi à deux pas de notre pied-à-terre parisien et qui vient d'ouvrir une boutique à New York – la tentation est rude ! Rien ne dit mieux « Je t'aime » qu'un de ses ballotins de quatre marrons glacés. En plus, ce conditionnement rend hommage aux qualités de modération attribuées à son récipiendaire. Ils conservent leur pleine saveur pendant quelques semaines, mais on ne devrait jamais en manger plus d'un à la fois. Du moins en théorie.

MARRONS AU MIEL

(pour 4 personnes)

INGRÉDIENTS

500 g de marrons
2 cuillerées à
soupe de miel
d'acacia
Sel et poivre
fraîchement
moulu

1. Épluchez les marrons et faites-les cuire environ 20 minutes à l'eau bouillante, jusqu'à ce qu'ils deviennent tendres. Égouttez-les et essuyez-les.
2. Chauffez le miel à feu moyen dans une grande casserole, puis ajoutez les marrons en remuant afin de bien les enduire de miel. Mélangez jusqu'à ce que les marrons caramélisent légèrement. Salez et poivrez à votre goût.

- -

Servez ce plat avec une dinde, une pintade – ou un gibier d'hiver (faisan ou chevreuil par exemple).

VELOUTÉ DE MARRONS

(pour 4 personnes)

INGRÉDIENTS

500 g de marrons
épluchés (frais ou
en conserve)
8 cuillerées à
soupe de crème
fraîche épaisse
2 cuillerées à
soupe de persil
haché
50 à 75 cl de
bouillon de bœuf
ou de légumes
1 noix de beurre
Sel et poivre
fraîchement
moulu

1. Placez les marrons dans une casserole avec 50 centilitres de bouillon. Chauffez et laissez-les frémir à découvert pendant 40 à 50 minutes. Rajoutez un peu de bouillon si nécessaire pour recouvrir les marrons.
2. Lorsqu'ils sont tendres, égouttez-les en réservant le bouillon de cuisson. Passez les marrons au robot-mixeur pour obtenir une purée, et remettez-la dans le bouillon. Mélangez, ajoutez la crème et rectifiez l'assaisonnement. Juste avant de servir, ajoutez le beurre et saupoudrez de persil.

Les huîtres

Ai-je déjà dit combien j'aime les huîtres ? J'en mange dès que l'occasion s'en présente. En plus, elles sont excellentes pour la santé, pauvres en calories et riches en nutriments. Quand j'étais enfant, on ne transgressait jamais la règle voulant qu'on mange des huîtres seulement pendant les mois « en r », autrement dit de septembre à avril ; cela correspondait à la fois à la période pendant laquelle elles étaient récoltées et à celle durant laquelle la température permettait de les acheminer sans danger. Aujourd'hui, les méthodes d'élevage et de transport permettent d'en consommer toute l'année. Cela dit, l'été correspondant à leur période de reproduction, les huîtres sont souvent « laiteuses » en cette saison et cela les rend moins appétissantes. De toute façon, pour moi elles restent toujours un mets d'hiver (et d'automne et de printemps). Tout en rédigeant ces lignes, il me semble sentir la saveur des fines de claire et des belons de Bretagne, et voir les écaillers les ouvrir par douzaines sur les marchés parisiens à l'approche des fêtes, où les étals temporaires proposent d'en déguster quelques-unes avec un verre de vin blanc sec. J'aime les huîtres aussi bien crues que cuites ou incorporées dans une farce.

Au cours de la dernière décennie, les bars à huîtres ont envahi les restaurants new-yorkais. Les Américains ont appris à mieux apprécier ces coquillages. Un excellent choix car, en dépit de leur saveur succulente, les huîtres ne font pas grossir – si on n'en engloutit pas trois douzaines.

Tout comme les vins, les huîtres offrent des parfums divers liés aux variétés et aux « terroirs », si tant est que l'on puisse qualifier ainsi un morceau d'océan. À force de filtrer des litres d'eau de mer et d'en retenir les éléments nutritifs, elles prennent les caractéristiques de ce milieu naturel ; deux huîtres de la même variété, cultivées en deux lieux différents, n'auront donc pas le même goût.

Fort heureusement pour moi, mon pays d'adoption offre de délicieuses huîtres aussi bien en provenance de la côte est que de la côte ouest, mes préférées étant les minuscules huîtres de Kumamoto dans le Pacifique Nord. J'aurais sans doute dû naître un siècle plus tôt : New York était alors la capitale huîtrière du monde et le restaurant parisien Prunier proposait un menu entièrement composé d'huîtres !

La France est le premier producteur européen de ces mollusques, avec cent vingt mille tonnes annuelles et deux cents variétés, pour la plupart consommées dans l'Hexagone. Est-ce à leur exceptionnelle teneur en zinc protecteur de la prostate que les Français doivent leur réputation de meilleurs amants du monde ? En tout cas, l'éventail des choix proposés permet, au restaurant, d'organiser une petite dégustation impromptue, il suffit à chacun des convives d'en commander une sorte différente. Vous pourrez ainsi comparer les saveurs et les catégories de base : d'une part les « plates », comme les belons au goût puissant et iodé ou les marennes, plus fines, et d'autre part, les « creuses » comme les portugaises ou les boudeuses – cette dernière catégorie se subdivise en « fines », petites et délicates, et en « spéciales », plus grasses.

Pour les vrais connaisseurs, les restaurants spécialisés proposent même des crus désignés par le nom de leur producteur, mes préférées étant les Gilardeau, que j'ai la chance de pouvoir trouver non loin de chez moi à Paris, au restaurant-brasserie l'Alcazar, dans le 6e arrondissement – ma cantine durant mes séjours hivernaux dans la Ville Lumière. Sachez-le, toutes les huîtres sont riches en protéines, en sels minéraux et en vitamines. Alors, si vous n'avez pas encore pris l'habitude de leur ménager une place dans vos menus d'hiver, préparez-vous à une découverte extrêmement consolante en cette période où les ingrédients frais se révèlent assez rares.

« Tandis que je dégustais les huîtres, avec leur fort parfum d'océan et leur léger goût métallique vite emporté par le vin blanc frais, qui ne laisse derrière lui qu'une saveur marine et une texture succulente ; tandis que je buvais le liquide froid de chaque coquille, l'arrosant de vin, le sentiment de vide qui m'emplissait commença à se dissiper et j'ai retrouvé la joie et l'envie de faire des projets. » Ainsi Ernest Hemingway parle-t-il des huîtres dans *Paris est une fête*, le livre relatant ses souvenirs parisiens des années 1920. Ainsi les déguste-t-on depuis des siècles... En ce qui me concerne, avec les huîtres crues, point n'est besoin du vinaigre à l'échalote si souvent servi pour les assaisonner. Chaudes, elles se suffisent à mon sens tout aussi bien à elles-mêmes. Même les grains de caviar dont on les parsème parfois ne leur apportent pas grand-chose. Quelques gouttes de citron (en particulier si une partie de leur jus délicat s'est perdu en cours de route) et, si vous partagez mes goûts, un soupçon de poivre fraîchement moulu suffisent à en faire un mets parfait. Ajoutez des tranches minces de pain de seigle avec du beurre salé, et voilà un véritable festin. Quant à déterminer de quel vin Hemingway les arrosait... le champagne est festif et toujours approprié, tout comme le sauvignon blanc, mais j'opte le plus souvent pour un vin peu onéreux et qui les accompagne à merveille, le muscadet des pays de Loire.

À ceux n'ayant encore jamais osé confronter leur palais à une huître, je recommande de commencer par une préparation chaude. Ces mollusques se marient divinement avec les poireaux (déjà recommandés dans la section consacrée à ce légume), suivis de près par les épinards. Dans tous les cas, il s'agit de recettes faciles ; n'hésitez donc pas à vous lancer. Si ouvrir ces coquillages vous intimide plus que de les manger, demandez à votre poissonnier ou à votre écailler de s'en charger. Il vous apportera les huîtres sur un lit de glace : à vous de les accommoder à votre idée.

COCKTAIL D'HUÎTRES

(pour 4 personnes)

INGRÉDIENTS

1 douzaine
d'huîtres
1 pomme granny
smith épluchée et
coupée en dés
8 cuillerées à
soupe de jus de
pomme
1 citron (jus)

1. Ouvrez les huîtres et transvasez le liquide qu'elles contiennent dans un bol (vous l'utiliserez une autre fois, par exemple pour préparer un potage. Si vous faites ouvrir les huîtres par un poissonnier ou écailler, demandez-lui de vous le donner séparément). Répartissez les huîtres dans 4 verres à Martini ou dans des coupes (3 dans chacune).
2. Mélangez le jus de pomme, le jus de citron et quelques dés de pomme. Versez le tout sur les 4 portions d'huîtres. Servez aussitôt.

■ ■

Pour ouvrir les huîtres en toute sécurité, munissez-vous d'un couteau spécial et d'un gant protecteur (en vente dans les magasins d'articles de cuisine).

POTAGE AUX HUÎTRES

(pour 4 personnes)

Les chefs d'aujourd'hui inventent chaque jour des compositions de plus en plus étonnantes. Comme toujours, certaines se révèlent plus réussies que d'autres... La soupe au lait d'huîtres de la Maison de Bricourt, en Normandie, vaut nettement le détour. Je m'en suis inspirée pour la recette qui suit.

INGRÉDIENTS

2 douzaines d'huîtres avec leur eau
2 noix de beurre
1 l de lait (entier ou demi-écrémé)
1 cuillerée à café de paprika
Sel, poivre fraîchement moulu

1. Ouvrez les huîtres, retirez-les de leur coquille et mettez-les à pocher à feu doux dans un mélange de liquide récupéré dans les coquilles et de beurre, jusqu'à ce qu'elles gonflent et que leurs bords commencent à se recourber – comptez 3 à 5 minutes.
2. Ajoutez le lait et le paprika, salez et poivrez. Portez à ébullition, puis laissez cuire à feu doux pendant 10 à 12 minutes en remuant de temps à autre. Servez aussitôt, accompagné de pain grillé beurré.

HUÎTRES AU BEURRE D'AIL

(pour 4 personnes)

INGRÉDIENTS

2 douzaines
d'huîtres
6 noix de beurre à
température
ambiante
4 cuillerées à
soupe de persil
haché
2 gousses d'ail
épluchées
Sel et poivre
fraîchement
moulu
Gros sel pour la
plaque de cuisson

1. Préchauffez le gril du four.
2. Transvasez le beurre dans un bol. Pressez les gousses d'ail par-dessus (à l'aide d'un presse-ail) et mélangez bien. Ajoutez le persil, salez et poivrez puis placez au réfrigérateur.
3. Ouvrez les huîtres et disposez-les dans leur coquille sur une plaque de cuisson recouverte de gros sel. Ajoutez environ une demi-cuillerée à café de beurre persillé dans chaque coquille et mettez-les à cuire pendant 1 à 2 minutes. Servez immédiatement avec du pain de seigle.

HUÎTRES AUX ZESTES DE CITRON

(pour 4 personnes)

INGRÉDIENTS

2 douzaines d'huîtres avec leur eau
6 noix de beurre coupé en petits morceaux
2 échalotes épluchées mais entières
1 citron (zeste)
Gros sel pour la plaque de cuisson
Poivre fraîchement moulu

1. Préchauffez le gril du four.
2. Ouvrez les huîtres, retirez-les de leur coquille et réservez-les en récupérant leur eau.
3. Filtrez l'eau des huîtres (vous devez en obtenir 15 à 25 centilitres) pour éliminer d'éventuels éclats de coquille. Portez-la à ébullition avec les échalotes et laissez cuire jusqu'à que cette mixture réduise de moitié. Retirez les échalotes et ajoutez le beurre. Gardez cette sauce au chaud au bain-marie ou au-dessus d'une casserole d'eau frémissante.
4. Remettez les huîtres dans leurs coquilles et posez-les sur une plaque de cuisson recouverte de gros sel (pour les maintenir en place). Saupoudrez-les de zeste de citron, arrosez d'un peu de sauce et poivrez à votre goût. Faites dorer au gril pendant 1 à 2 minutes. Servez aussitôt avec de la baguette pour saucer.

- -

Foie de veau

Dès qu'on parle de foie de veau, on évoque des souvenirs d'enfance, des encouragements maternels : « C'est bon pour la santé » ou, pour les cinéphiles, le personnage d'Hannibal Lecter dégustant le foie d'une de ses victimes accompagné de fèves et d'un bon chianti – cela ne constitue d'ailleurs pas un mauvais mariage culinaire.

Le foie gras de canard ou d'oie, froid ou sauté, éveille des réactions bien différentes. La popularité internationale que ces mets connaissent depuis quelques années pâtit d'un certain retour de bâton lié aux protestations des associations d'amis des animaux fustigeant la cruauté des méthodes de gavage des oies.

Ce cas mis à part, le foie est en général plutôt un à-côté de la production de viande, les plus consommés étant les foies de veau et de volaille. Un petit restaurant italien appelé Marco Polo, situé à proximité de notre appartement parisien, me permet de me régaler régulièrement de foie de veau à la vénitienne.

Quand j'étais enfant, on ne mangeait de foie gras qu'au moment des fêtes, entre Noël et le jour de l'an, ou bien pour une occasion très spéciale dans le courant de l'année. En revanche, Mamie veillait consciencieusement à nous faire manger du foie de veau une fois par semaine. Ce plat facile à préparer et plein de nutriments se révèle, il faut bien l'avouer, déroutant au premier abord, même pour les enfants initiés dès leur plus jeune âge. Notre manque d'enthousiasme incitait ma mère à recourir à des ruses de Sioux, et notamment à le servir avec des haricots verts et des endives, légumes que nous adorions. Notre nounou, Yvette, avait baptisé ce plat « mystère vert de veau », afin de nous faire croire qu'il s'agissait de viande ordinaire.

Le foie est un mets excellent. Pas vraiment maigre, mais riche en protéines, il représente une excellente source de fer pour les personnes tendant à en manquer

– c'est le cas de bon nombre de jeunes femmes. Dans la mesure où il s'agit de l'organe chargé de l'élimination des toxines du sang, prenez garde à ce que vous achetez. Si possible, choisissez un foie provenant d'un veau bio ou « élevé sous la mère ».

FOIE DE VEAU AUX LÉGUMES VERTS

(pour 4 personnes)

INGRÉDIENTS

4 tranches de foie
de veau de 100 à
125 g chacune
500 g de haricots
verts
250 g d'endives
bien nettoyées
5 cuillerées à
soupe d'huile
d'olive
2 cuillerées à
soupe de farine
1 échalote
émincée
1 cuillerée à soupe
de vinaigre de
xérès
1 cuillerée à café
de moutarde de
Meaux
Sel, poivre
fraîchement
moulu

1. Portez une grande casserole d'eau salée à ébullition et plongez-y les haricots verts pendant 5 à 7 minutes, jusqu'à ce qu'ils soient tendres mais encore croquants. Égouttez et réservez-les.
2. Coupez les endives en tronçons de 2 à 3 centimètres et réservez-les.
3. Battez ensemble l'échalote, 3 cuillerées à soupe d'huile, le vinaigre et la moutarde. Salez et poivrez puis ajoutez les haricots verts et mélangez.
4. Salez et poivrez les tranches de foie de veau et farinez-les légèrement. Chauffez les 2 cuillerées à soupe restantes d'huile d'olive dans une poêle et faites cuire le foie à feu moyen 3 à 4 minutes de chaque côté, jusqu'à ce qu'il soit bien doré.
5. Versez les endives dans la salade de haricots verts ; remuez bien. Servez le foie de veau accompagné de salade. (Pour nous inciter à manger du foie de veau lorsque nous étions enfants, Mamie le coupait en dés et le mélangeait à la salade.)

Potages

Force est d'admettre qu'en hiver, on a un peu de mal à dénicher des légumes frais. Pour moi, la saison froide ne se conçoit pas, de ce fait, sans un stock de concentré de tomate *made in Italy*. Les potages représentent en toute saison un moyen sans égal d'absorber une bonne dose d'ingrédients frais aussi bien qu'en conserve. Au début de l'hiver, on trouve brièvement du céleri-rave, grosse boule blanche cousine du céleri-branche, et je ne manque jamais d'en introduire dans mes recettes. Il faut l'avouer, ce légume n'est réellement savoureux qu'en saison.

POTAGE AU CÉLERI-RAVE

(pour 6 personnes)

Dans les potages comme dans les soupes, les femmes de ma famille adoraient mélanger un peu – ou même beaucoup ! – de céleri-rave aux pommes de terre. Comme de juste, elles résistaient rarement à l'envie d'ajouter un peu de poireau. Durant mes séjours en Provence, j'agrémente cette recette d'un filet d'huile d'olive, elle n'en est que meilleure.

INGRÉDIENTS

500 g de céleri-rave épluché et coupé en dés
300 g de pommes de terre épluchées et coupées en dés
6 tranches de baguette de la veille grillées
2 oignons épluchés et hachés
2 échalotes épluchées et hachées
2 cuillerées à soupe d'huile d'olive
1 l de bouillon de légumes
1 feuille de laurier
1 blanc de poireau coupé en tranches
25 cl de lait (entier ou demi-écrémé)
Sel, poivre fraîchement moulu

1. Chauffez l'huile dans un grand faitout et versez dedans les dés de céleri-rave et de pommes de terre, les poireaux, les oignons et les échalotes. Laissez cuire 10 minutes à feu moyen en remuant de temps à autre. Ajoutez le bouillon de légumes et le laurier ; salez, poivrez et portez à ébullition.
2. Baissez le feu, couvrez et laissez frémir à feu doux jusqu'à ce que les légumes soient tendres (de 15 à 20 minutes). Ajoutez le lait, mélangez bien et laissez cuire 5 minutes de plus. Servez et placez une tranche de baguette grillée sur chaque assiette.

- -

La recette traditionnelle se prépare avec des croûtons frits à l'huile, mais je trouve le pain de la veille plus léger et tout aussi délicieux.

POTAGE AUX LÉGUMES VARIÉS

(pour 4 personnes)

INGRÉDIENTS

250 g de pommes
de terre épluchées
et coupées en gros
dés
250 g d'épinards
lavés et hachés
4 blancs de
poireaux coupés
en tranches
2 courgettes
coupées en dés
2 carottes
coupées en
tranches
2 cuillerées à
soupe d'huile
d'olive
1 oignon épluché
et haché
1 l de bouillon de
poule
2 cuillerées à
soupe de basilic
ciselé pour la
décoration
(facultatif)
Sel, poivre
fraîchement
moulu

1. Chauffez une cuillerée à soupe d'huile dans un grand faitout et faites suer l'oignon dedans. Ajoutez les poireaux puis salez et poivrez à votre goût. Ajoutez les carottes, les pommes de terre, les courgettes, le bouillon de poule et les épinards. Portez à ébullition, couvrez, puis laissez frémir pendant 20 minutes, jusqu'à ce que tous les légumes soient tendres.
2. Passez le tout au mixeur ou dans un robot-mixeur. Servez avec un filet d'huile et, le cas échéant, du basilic.

∎ ∎

L'été, ce potage peut être servi froid. Pensez à le retirer du réfrigérateur 20 minutes avant de passer à table. Ajoutez quelques gouttes de jus de citron, et remplacez le basilic par de la menthe ou de la coriandre fraîche.

COQUILLES SAINT-JACQUES AUX AGRUMES

(pour 4 personnes)

Les coquilles Saint-Jacques intimident souvent les novices. Elles sont pourtant incroyablement simples à cuisiner. En fait, les recettes les plus simples sont les meilleures. Pour ma part, je me contente, tant que l'on trouve encore des fines herbes, de les saisir à la poêle avec beaucoup de sauge. L'hiver, quand la nature est endormie, je préfère cette recette.

INGRÉDIENTS

16 coquilles Saint-Jacques
2 cuillerées à soupe d'huile d'olive
2 noix de beurre coupé en petits morceaux
1/2 pamplemousse (zeste et jus)
1/2 orange (zeste et jus)
1/2 citron (zeste et jus)
1 cuillerée à soupe de miel
1 grain de cardamome
Sel et poivre fraîchement moulu
Fleur de sel

1. Rincez et essuyez les coquilles Saint-Jacques, puis faites-les pocher à l'eau bouillante pendant 1 minute. Mélangez les zestes et les jus d'agrumes, le miel et la cardamome.
2. Chauffez une sauteuse à feu moyen, versez l'huile dedans. Saisissez les coquilles salées et poivrées pendant 2 minutes de chaque côté. Réservez-les dans une assiette chaude recouverte de papier d'aluminium.
3. Dans une casserole, faites réduire le mélange à base de jus de fruits à feu vif pendant 2 minutes, sans cesser de remuer. Baissez le feu et ajoutez le beurre petit à petit en mélangeant bien.
4. Disposez les coquilles Saint-Jacques dans un plat de service, arrosez-les de sauce et saupoudrez le tout de fleur de sel.

POUSSINS FARCIS

(pour 4 personnes)

INGRÉDIENTS

Pour la farce

200 g de riz complet cru
2 poignées de noix hachées, noisettes entières et pignons mélangés
2 cuillerées à soupe de raisins secs dorés
12 cl de bouillon de poule
1 cuillerée à soupe de persil haché
1 cuillerée à café de fines herbes séchées (cerfeuil et sarriette ou romarin et thym)
Sel, poivre fraîchement moulu

2 poussins
3 cuillerées à soupe de bouillon de poule
2 noix de beurre
Sel, poivre fraîchement moulu

1. Pour préparer la farce, portez 1/2 litre d'eau à ébullition, ajoutez le riz et laissez-le cuire 15 minutes. Égouttez-le et mélangez-le bien avec les autres ingrédients de la farce. Salez, poivrez et laissez reposer une nuit au réfrigérateur.
2. Préchauffez le four à 245 °C. Rincez les poussins puis séchez-les à l'intérieur et à l'extérieur à l'aide de papier absorbant. Salez-les et poivrez-les. Farcissez-les sans trop les remplir avec le mélange à base de riz et refermez-les. Versez le reste de farce dans un petit plat à gratin.
3. Placez les poussins dans un plat allant au four ; badigeonnez-les de beurre fondu puis salez-les et poivrez-les de nouveau. Faites cuire au four pendant 10 minutes, puis arrosez de bouillon de poule. Poursuivez la cuisson en arrosant toutes les 10 minutes. Au bout de 20 minutes, baissez la température du four à 180 °C, et glissez le plat de farce dans le four. Laissez les poussins rôtir pendant encore 20 minutes environ. Servez aussitôt avec le reste de farce en garniture.

- -

Je trouve que c'est une excellente recette de Saint-Valentin. Pendant que les poussins cuisent, vous aurez le temps de préparer un petit dessert. Voilà : il ne vous reste plus qu'à allumer le bougies.

LOTTE À L'AIL

(pour 4 personnes)

INGRÉDIENTS

500 g de lotte
4 cuillerées à soupe d'huile d'olive
4 cuillerées à café d'ail finement haché
4 cuillerées à soupe de basilic ciselé
2 cuillerées à soupe de concentré de tomates
25 cl de vin blanc
Sel et poivre fraîchement moulu

1. Faites revenir l'ail à feu moyen dans l'huile, dans une sauteuse, sans le laisser roussir. Ajoutez le concentré de tomate et le vin blanc ; mélangez bien.
2 Disposez la lotte dans cette sauce et laissez cuire à feu moyen 10 minutes de chaque côté. Salez et poivrez à votre goût. Saupoudrez de basilic et servez aussitôt.

SAUMON À L'ORANGE EN PAPILLOTE

(pour 4 personnes)

INGRÉDIENTS

Pour la marinade

4 cuillerées à soupe de jus d'orange
2 cuillerées à soupe de sauce de soja
1 cuillerée à soupe de jus de citron
1 cuillerée à soupe de vermouth sec
1 cuillerée à soupe de gingembre émincé
1 pincée de sucre
Sel et poivre fraîchement moulu

4 filets de saumon sans la peau (120 g chacun environ)
Huile d'olive
Sel, poivre fraîchement moulu

1. Préchauffez le four à 180 °C.
2. Dans une petite casserole, mélangez tous les ingrédients de la marinade ; salez et poivrez à votre goût. Laissez le mélange frémir à feu moyen jusqu'à ce qu'il réduise de moitié. Retirez du feu et réservez. Découpez 8 carrés de papier sulfurisé (ou aluminium) assez grands pour contenir un filet de saumon en laissant un bord libre de 5 centimètres. Huilez légèrement 4 de ces carrés.
3. Posez un filet de saumon au centre de chaque carré de papier huilé, arrosez-le de marinade, salez et poivrez.
4. Recouvrez avec les carrés de papier restants de manière à former des papillotes. Posez celles-ci sur une plaque de cuisson et mettez-les 12 à 15 minutes au four.
5. Servez accompagné de riz complet.

POULET TATIN

(pour 6 personnes)

INGRÉDIENTS

1 poulet d'1,5 kg à
1,750 kg
500 g de riz
basmati
2 grosses
aubergines non
épluchées et
coupées en
tranches fines
dans le sens de la
longueur
1 l de bouillon de
poule
60 g de pignons
8 cuillerées à
soupe d'huile
d'olive
2 cuillerées à
soupe d'échalotes
hachées
3 graines de
cardamome
2 bâtonnets de
cannelle
2 cuillerées à
soupe de raisins
secs dorés
1 l de yaourt
1 cuillerée à café
de curcuma
Sel et poivre
fraîchement
moulu

1. Chauffez 2 cuillerées à soupe d'huile dans une sauteuse et faites dorer le poulet à feu moyen à vif sur toutes ses faces. Baissez le feu puis ajoutez les échalotes, la cannelle, la cardamome et le bouillon de poule. Salez et poivrez. Portez à ébullition à feu vif, couvrez ; réduisez de nouveau le feu et laissez frémir 30 à 35 minutes de plus.

2. Retirez le poulet et réservez le jus de cuisson. Dès que le poulet a suffisamment refroidi pour pouvoir être manipulé, débarrassez-le de sa peau et de ses os puis découpez-le en morceaux.

3. Versez 4 cuillerées à soupe d'huile dans une grande poêle et faites revenir les aubergines 5 minutes de chaque côté. Faites-les égoutter sur du papier absorbant.

4. Mélangez le curcuma avec 12 centilitres de jus de cuisson. Faites chauffer le reste de l'huile dans la sauteuse à feu de moyen à vif, versez le riz dedans et laissez-le cuire jusqu'à ce qu'il devienne transparent – comptez environ 10 minutes. Mettez la moitié du riz de côté. Aplatissez le reste au fond de la sauteuse et recouvrez-le de la moitié des aubergines et de tous les morceaux de poulet. Placez par-dessus une autre couche d'aubergines, puis le reste du riz. Arrosez de sauce au curcuma, puis versez 1,25 litre du bouillon réservé. Couvrez, portez à ébullition, baissez le feu et laissez mijoter à feu moyen pendant 30 à 35 minutes (ou jusqu'à ce que le liquide soit entièrement absorbé). Laissez reposer 10 minutes.

5. Pour servir, retournez la sauteuse sur un plat comme pour démouler une tarte tatin. Ajoutez les pignons, les raisins secs et un bol de yaourt en guise d'accompagnement.

MAGRETS DE CANARD GLACÉS AU MIEL

(pour 4 personnes)

Les magrets de canard sont plus faciles à préparer qu'un canard entier. Si le canard est certes moins maigre que la dinde, il contient bien moins de graisses saturées que la viande rouge et se révèle fort digeste. N'abusez toutefois pas de sa chair moelleuse, un peu trop riche.

INGRÉDIENTS

4 magrets de canard (environ 750 g)
4 cuillerées à soupe de vinaigre de xérès
2 cuillerées à soupe de miel
2 cuillerées à soupe de bouillon de poule
Sel, poivre fraîchement moulu

1. Entaillez la peau des magrets afin qu'ils libèrent la graisse durant la cuisson.
2. Saisissez les magrets à feu de moyen à vif, environ 3 minutes de chaque côté en commençant par le côté peau. Réservez.
3. Retirez la graisse de cuisson et baissez le feu. Versez le vinaigre pour déglacer la poêle, puis ajoutez le miel et le bouillon de poule. Mélangez.
4. Découpez les magrets en fines lamelles, puis remettez-les dans la poêle et terminez la cuisson dans la sauce jusqu'à ce qu'ils soient rôtis à votre goût. Rectifiez l'assaisonnement. Transférez dans un plat de service et arrosez de sauce.

- -

Vous pouvez aussi préparer cette recette avec du porc ou du poulet.

MAGRETS DE CANARD SAUCE AIGRE-DOUCE

(pour 4 personnes)

INGRÉDIENTS

4 magrets de canard (environ 750 g)
12 cl de jus d'orange
12 cl de jus de pamplemousse
12 cl de vinaigre de xérès
1 pincée de poivre
25 cl de fond de veau
2 cuillerées à soupe de miel
1 poire
1 pomme
1 citron (jus)
1 pincée de cannelle
Sel

1. Pour préparer la sauce, versez les jus d'orange et de pamplemousse dans une petite casserole et faites-les cuire à feu vif jusqu'à ce qu'ils réduisent de moitié. Ajoutez le miel, le vinaigre et le poivre puis remuez jusqu'à complète dissolution ; ajoutez le fond de veau. Laissez cuire à découvert à feu doux pendant 15 minutes. Salez, poivrez et réservez.
2. Épluchez la poire et la pomme, ôtez leur trognon et coupez-les en tranches minces. Disposez celles-ci dans une casserole avec le jus de citron, la cannelle et 12 centilitres d'eau. Faites cuire à feu moyen pendant 15 minutes. Réservez sur une assiette chaude.
3. Débarrassez les magrets de leur peau et salez-les légèrement. Chauffez une poêle anti-adhésive à feu moyen et faites cuire les magrets 2 minutes de chaque côté. Couvrez et poursuivez la cuisson pendant 8 minutes.
4. Coupez les magrets en tranches et disposez-les en éventail dans les assiettes, avec un peu de compote de poires et de pommes puis nappez de sauce.

- -

COCOTTE DE LÉGUMES CROQUANTS

(pour 4 personnes)

J'ai découvert ce plat à Saint-Rémy-de-Provence, le village qui inspira à Van Gogh sa Nuit étoilée. Un jour de l'automne dernier, la température a chuté d'une quinzaine de degrés en l'espace d'une journée. Les habitants du village ne cessaient de répéter : « Il n'a pas fait si froid à cette époque depuis des années. » Pour ma part, après deux jours de froid intense, je rêvais d'un plat capable de me réchauffer. En descendant le boulevard Victor-Hugo, non loin du site où Van Gogh peignit Les Paveurs en 1889, je lus sur l'ardoise du Café des Arts « Cocotte de légumes croquants ». Voilà qui ne pouvait que m'allécher ! Ce plat se révéla succulent, et idéal pour un repas d'hiver roboratif.

INGRÉDIENTS

1,5 kg de légumes
verts mélangés
(carottes,
poireaux, haricots
verts, fenouil,
céleri, brocolis,
courge et
betterave)
épluchés, rincés et
coupés en
morceaux de taille
moyenne.
1 poire pelée et
coupée en deux
1 pomme pelée et
coupée en deux
4 cuillerées à
soupe d'huile
d'olive
2 échalotes
moyennes
épluchées et
coupées en deux
1 citron (jus)
Sel, poivre
fraîchement
moulu

1. Sur feu doux à moyen, dans une cocotte, faites revenir l'échalote dans l'huile pendant 2 minutes. Ajoutez tous les légumes, les fruits, le jus de citron et 12 centilitres d'eau. Mélangez, salez, poivrez et couvrez. Laissez cuire 50 minutes en remuant de temps à autre. Certains légumes seront encore *al dente*, et les autres seront à point.
2. Servez brûlant dans une soupière ou dans de petites cocottes individuelles chauffées au préalable.

ÉCHALOTES CONFITES EN PAPILLOTE

(pour 4 personnes)

L'échalote appartient à la même famille que l'oignon, l'ail et le poireau, mais un véritable abîme de nuances la sépare de ses cousins. Ce produit est « bien de chez nous », puisqu'il est principalement cultivé à l'intérieur des frontières de l'Hexagone : Bretagne, Pays de Loire, Sud et Sud-Ouest surtout. Il en existe bien entendu plusieurs variétés, depuis les grises à peau épaisse, les plus puissantes, jusqu'aux petites rouges en passant par les échalotes moyennes dont la carnation rosée cache une saveur plus douce et, les plus rares de toutes, les petites rondes. Nos voisins allemands ont depuis peu adopté l'échalote avec un enthousiasme réjouissant, et ce bulbe aromatique commence à s'imposer dans d'autres pays. Quoi de plus normal puisque, outre son parfum, il apporte vitamine C, fer, calcium, sélénium et composés sulfurés antibactériens. Dans ma famille, on disait d'ailleurs que l'échalote donnait du tonus aux plats. Et nous en usions sans modération : crue et émincée dans les salades, grillée avec les viandes et les légumes ou encore avec du fromage frais aux fines herbes ; l'échalote cuite apporte la touche finale à des sauces classiques et relève fort agréablement une omelette ou un plat de riz. On peut aussi la faire cuire avec du beurre, une pincée de sucre et un trait de vin rouge pour accompagner un poisson ou une viande blanche. Enfin, les échalotes confites sont un pur délice...

INGRÉDIENTS

500 g d'échalotes non épluchées (les variétés longues sont les plus adaptées à cette recette). 2 noix de beurre à température ambiante

1. Préchauffez le four à 120 °C.
2. Frottez de beurre les échalotes non épluchées puis étalez-les sur une grande feuille de papier aluminium. Recouvrez-les d'une seconde feuille et repliez les bords pour former une papillote géante.
3. Faites cuire au four pendant au moins une heure. Quand les échalotes sont bien tendres, coupez-les en deux. Servez en guise de légume avec, par exemple, un rôti de porc. La chair fondante des échalotes se déguste à la cuillère.

Ma grand-mère alsacienne préparait ces échalotes à l'avance et les conservait au réfrigérateur. Une fois par semaine au moins, elle en servait avec du pain de campagne à la place du fromage. Pensez à les sortir 20 minutes avant le repas et saupoudrez la tartine de quelques grains de gros sel.

FENOUIL BRAISÉ AU GINGEMBRE

(pour 4 personnes)

J'adore le fenouil et je regrette de le voir si mal représenté sur les menus de restaurants et dans les livres de recettes. Pourtant, ce légume savoureux, de surcroît riche en eau et en fibres, apporte une note de fantaisie aux repas. Il contient en outre du potassium, des vitamines C et E et du bêta-carotène antioxydants. Il peut se déguster cru coupé en tranches fines, ou cuit avec un peu d'huile d'olive et un soupçon d'échalote ou d'ail. Choisissez des bulbes charnus dotés de pousses bien vertes.

INGRÉDIENTS

4 bulbes de fenouil
20 cl de vin blanc
4 cuillerées à soupe d'huile d'olive
2 cuillerées à soupe de gingembre émincé
1 pincée de cumin
1 citron (jus)
Sel, poivre fraîchement moulu

1. Coupez les bulbes de fenouil en deux dans le sens de la longueur, puis coupez chaque moitié en quatre.
2. Chauffez l'huile à feu moyen dans une casserole et faites revenir le gingembre pendant 10 secondes. Ajoutez le cumin et le vin blanc puis portez à ébullition. Ajoutez les morceaux de fenouil, arrosez-les de jus de citron ; salez, poivrez et laissez frémir 20 minutes à feu moyen, jusqu'à ce que le fenouil soit tendre et les parfums bien mélangés.
3. Servez avec du poisson ou une viande blanche.

CAROTTES BRAISÉES AU GINGEMBRE

(pour 4 personnes)

INGRÉDIENTS

4 belles carottes
(environ 500 g)
2 oignons moyens
épluchés et
hachés
2 cuillerées à café
de gingembre
émincé
2 cuillerées à
soupe d'huile
d'olive
2 noix de beurre
2 cuillerées à
soupe de
coriandre ciselée
1 orange (zeste et
jus)
1 citron (zeste et
jus)
Sel et poivre
fraîchement
moulu

1. Lavez les carottes et coupez-les en tranches fines. Mélangez-les avec les jus et zestes d'orange et de citron, le gingembre, l'oignon et l'huile. Salez et poivrez.
2. Faites fondre le beurre dans une sauteuse, puis versez dedans tous les ingrédients, hormis la coriandre. Cuisez à feu moyen pendant 20 minutes. Saupoudrez de coriandre juste avant de servir.

Une dose de fruits d'hiver

En hiver « les arbres les plus sages sommeillent dans le froid », comme l'a écrit William Carlos Williams. Pour moi, une telle solution n'est pas envisageable, même si notre édredon nous semble parfois bien tentant... Cependant, les amateurs de fruits restent sur leur faim l'hiver venu. Le choix est réduit. J'apprécie les pommes, les poires et les bananes... qui semblent devenir de plus en plus vertes au fil des semaines. Il m'est arrivé de devoir patienter jusqu'à deux semaines avant que certaines d'entre elles consentent à mûrir dans leur sac en papier. Sous nos climats septentrionaux, on est contraint de se débrouiller avec des fruits en conserve, comme on le faisait naguère, ou à opter pour des variétés exotiques. Pour ma part, je ne pourrais supporter une saison entière sans fruits frais. Privée de leurs sucres naturels qui apaisent mon goût pour les friandises, je succomberais sans nul doute aux sirènes des pâtisseries. Il est bien difficile de ne pas grossir sans fruits. Cela ne signifie pas que j'abandonne pour autant le principe de saisonnalité. Je ne consomme certains fruits qu'en hiver, même si la globalisation de l'agriculture les rend disponibles toute l'année. Je veux simplement dire par là que je me régale de fruits point trop périssables et venus d'endroits où ils ont été ramassés en saison. De ce fait, la base de ma dose quotidienne hivernale provient des agrumes. Choisissez des variétés provenant de régions où elles arrivent naturellement à maturité. J'en consomme au petit déjeuner, en dessert, ou pour me donner un coup de fouet dans l'après-midi. Ces fruits se marient en outre fort bien avec un autre remontant sans égal, le chocolat noir. Je commande désormais mes oranges et mes pamplemousses directement auprès des producteurs de Floride. Cela ne me coûte pas plus cher que d'en acheter de plus médiocres au supermarché et leur saveur est paradisiaque – comparable uniquement à celles des sublimes oranges sanguines que j'ai goûtées au Maroc.

CAFÉ ARDÉCHOIS

(pour 4 personnes)

Après son mariage, mon oncle Charles, chef cuisinier de son état, s'était établi en Ardèche, au pays des marrons. Je lui dois cette recette hivernale qui ravira les amateurs de café.

INGRÉDIENTS

4 tasses de café
2 marrons glacés coupés en deux
2 cuillerées à soupe de marrons glacés en morceaux
4 boules de glace au café
4 cuillerées à soupe de mascarpone
1 cuillerée à café de sucre en poudre

1. Battez le mascarpone avec le sucre et répartissez ce mélange dans 4 coupes à dessert en verre. Saupoudrez de marrons glacés en morceaux. Ajoutez une boule de glace surmontée d'un demi-marron glacé. Placez au réfrigérateur.
2. Au moment de servir, versez une tasse de café brûlant sur chaque coupe.

- -

Une variante de cette recette consiste à utiliser des biscuits *amaretto* (en vente dans les épiceries italiennes ou les épiceries fines) en lieu et place des marrons glacés.

MOUSSE À LA BANANE

(pour 4 personnes)

INGRÉDIENTS

3 bananes très
mûres épluchées
3 blancs d'œufs
3 oranges (jus)
2 citrons (jus)
2 cuillerées à
soupe de miel
25 cl de yaourt
1 cuillerée à café
d'extrait de vanille

1. Écrasez les bananes avec les jus de citron et d'orange, puis versez le miel et l'extrait de vanille. Mélangez bien. Ajoutez le yaourt.
2. Dans un autre récipient, battez les blancs d'œufs en neige ferme, puis incorporez-les délicatement à l'appareil. Réfrigérez pendant au moins 1 heure avant de servir.

MOUSSE AU CAFÉ

(pour 6 personnes)

INGRÉDIENTS

4 cuillerées à
soupe de café fort
glacé
4 blancs d'œufs
200 g de sucre en
poudre
25 cl de crème
épaisse
1 pincée de sel

1. Battez les blancs d'œufs avec un peu de sel en neige très ferme. Réservez. Fouettez vivement la crème et le sucre, puis versez lentement le café glacé. Incorporez délicatement cette crème fouettée aux œufs battus en neige.
2. Transvasez cette mousse à la cuillère dans 6 bols ou coupes, puis placez-les au réfrigérateur pendant au moins 1 heure.

- -

Je sers volontiers cette mousse le soir en guise de café, accompagnée de mini-madeleines.

SOUFFLÉ CHAUD AU CHOCOLAT

(pour 6 personnes)

INGRÉDIENTS

8 cuillerées à soupe de cacao non sucré en poudre
4 œufs à température ambiante, jaunes et blancs séparés
85 g de sucre en poudre + une cuillerée pour garnir le moule à soufflé
12 cl de lait (entier ou demi-écrémé)
2 noix de beurre à température ambiante + 1 noix pour beurrer le moule à soufflé
1 pincée de sel

1. Préchauffez le four à 180 °C. Beurrez l'intérieur d'un moule à soufflé (1 litre) et saupoudrez-le de sucre. Secouez pour ôter l'excédent de sucre. Placez ce moule au réfrigérateur.
2. Versez le lait, la poudre de cacao et le sucre dans une casserole à fond épais et faites chauffer à feu moyen sans cesser de remuer. Lorsque le mélange bout, baissez le feu et laissez cuire, en remuant toujours, jusqu'à ce qu'il épaississe (10 minutes environ). Transvasez dans un bol et laissez refroidir.
3. Incorporez les jaunes d'œufs puis le beurre à ce chocolat tiède.
4. Dans un autre récipient, battez les blancs d'œufs. Lorsqu'ils commencent à prendre, ajoutez une pincée de sel et battez-les en neige très ferme. Mélangez-en la moitié à la crème à base de chocolat. Battez bien. Incorporez l'autre moitié délicatement, à l'aide d'une spatule. Versez le tout dans le moule à soufflé. Aplanissez le dessus.
5. Placez la grille du four un peu en deçà du milieu et faites cuire, jusqu'à ce que le gâteau soit doré et gonflé – comptez environ 18 minutes pour que le cœur reste fondant. Servez aussitôt avec de la crème fouettée.

CARPACCIO DE MANGUE À LA CANNELLE

(pour 4 personnes)

INGRÉDIENTS

2 mangues mûres
2 cuillerées à
soupe de sucre en
poudre
1 citron (jus)
1/2 cuillerée à café
de cannelle
Feuilles de
menthe fraîche

1. Placez le sucre dans une petite casserole avec le jus de citron, une feuille de menthe et 2 cuillerées à soupe d'eau. Portez à ébullition puis retirez du feu. Mélangez jusqu'à ce que le sucre soit entièrement dissous. Ôtez la feuille de menthe et ajoutez la cannelle. Laissez refroidir.

2. Coupez les mangues en deux à l'aide d'un couteau aiguisé et retirez le noyau. Épluchez-les et coupez-les en tranches fines. Disposez celles-ci dans 4 assiettes et arrosez-les de sirop de sucre. Couvrez et placez 15 minutes au réfrigérateur. Décorez de feuilles de menthe juste avant de servir.

Un dernier mot sur l'art de survivre à ces mois sans fruits : pensez aux grenades. Vous ne le regretterez pas. La consommation de ses grains remonte aux temps les plus anciens, comme l'indique le mythe de Perséphone, pour qui ils constituèrent un bien triste contrat prénuptial : six grains de grenades pour six mois de l'année aux Enfers. Entre son histoire et les mésaventures d'Ève avec les pommes, on peut s'étonner que les femmes n'aient pas entièrement renoncé à ces fruits ! Toute référence mythologique mise à part, une poignée de graines juteuses et sucrées de grenade apporte une animation bienvenue dans une salade d'hiver. Ajoutons, au chapitre de la santé cardiovasculaire, cette récente découverte : les grenades contiennent encore plus de polyphénols que le vin rouge. Pour ma part, je m'intéresse principalement à leur saveur. Quand je les extrais de leur enveloppe immangeable, leurs grains me rappellent que l'hiver, tout comme les séjours de Perséphone aux Enfers, n'a qu'un temps et, finalement, n'est pas insurmontable.

Fleurs hivernales

Il est un autre cadeau des climats plus doux sans lequel je trouverais l'hiver bien pénible : leurs fleurs. Dans les régions où la température descend en deçà de zéro, le moment vient de rentrer les plantes en pot, dans la grande tradition de la cour de Versailles, du Luxembourg et de leurs merveilleuses orangeries. Notre collection, bien loin d'égaler celle du Roi-Soleil, comporte néanmoins un jasmin de près d'un mètre cinquante de haut (nous le rentrons chaque hiver). Il semble apprécier l'atmosphère de notre salon et nous remercie de notre sollicitude en fleurissant à plusieurs reprises durant la saison froide, embaumant nos pénates de son arôme divin.

La période des fêtes affiche ses propres traditions végétales, visant à apporter un peu de couleur et de vie dans les intérieurs. On ne peut le nier, un poinsettia égaye une pièce, mais j'avoue ne pas les adorer. Nous raffolons en revanche des sapins de Noël et des couronnes de houx. J'apprécie le défi que ces arbres à feuilles persistantes – à ce propos, signalons que le grenadier appartient lui aussi à cette catégorie – lancent à l'implacable rythme des saisons auquel nous sommes tous soumis. Et je trouve le parfum des conifères incomparablement apaisant.

À cette époque et pendant tout le reste de l'hiver, nous veillons à toujours avoir des fleurs en pot ou des fleurs coupées à la maison. Certes, elles représentent un luxe un peu onéreux, mais en les choisissant bien et en les soignant de manière à prolonger au maximum leur durée de vie (en coupant leurs tiges et en changeant leur eau), on limite le coût de ces décorations.

La période allant de janvier à mars est aussi la saison des orchidées. La variété et la beauté de ces plantes en pot extraordinaires sont une offrande de couleurs et de vitalité qui réchauffe le cœur au moment de rentrer chez soi à l'issue d'une journée de travail. Les orchidées, plantes quelque peu onéreuses, incarnent l'extravagance des classes aisées, mais l'amélioration de la distribution et de la production a fait baisser les prix et leur durée de floraison extrêmement longue améliore encore leur rapport qualité-prix. Si vous achetez une orchidée avec seulement quelques fleurs ouvertes et quantité de boutons, elle continuera à vous enchanter pendant six semaines à trois mois. Et une fois la floraison achevée, ses feuilles sont assez belles pour rester comme une agréable touche de verdure, pour peu que vous sectionniez sa tige florale morte. Nous arrivons généralement à passer l'hiver en ne remplaçant nos orchidées qu'une seule fois, sans jamais manquer de fleurs à la maison.

Lorsque l'attente du printemps nous démange trop, nous nous tournons vers des bulbes à forcer en pot à l'intérieur : jacinthes, tulipes, jonquilles ou narcisses. Les regarder pousser jour après jour, voir apparaître leurs boutons puis leurs fleurs s'épanouir m'emplit de plaisir et de contentement, tout en anticipant à mes yeux le renouveau de la nature juste au moment où il semble que l'hiver n'en finira jamais.

*

Pour simplifier les menus proposés ci-après, certaines quantités sont indiquées avec pour unité le bol (12 cl).

LUNDI

Petit déjeuner
2 pruneaux
2 œufs brouillés
1 tranche de pain complet
  grillée et beurrée
Café ou thé

Déjeuner
25 cl de potage aux légumes
1 yaourt
1 pamplemousse
Boisson non calorique

Dîner
Lapin à la moutarde en
  papillote (p. 189)
Ragoût de pommes de terre
  aux olives (p. 168)
Salade verte
1 mandarine
1 verre de vin blanc ou rouge

MERCREDI

Petit déjeuner
1 tranche de jambon cuit
8 cuillerées à soupe de
  muesli
12 cl de lait
1 tranche de pain multicéréale grillée et beurrée
Café ou thé

Déjeuner
Salade aux crevettes ou au
  thon
1/2 bagel ou 1 petit pain
1/2 cuillerée à café de miel
2 clémentines – 2 kiwis
Boisson non calorique

MARDI

Petit déjeuner
30 g de fromage
1 bol de compote de fruits
1 tranche de pain au levain
  grillée et beurrée
Café ou thé

Déjeuner
Escalope de poulet à l'estragon
1 bol de légumes verts
1 bol de cottage cheese
4 abricots secs
Boisson non calorique

Dîner
Spaghetti carbonara
1 bol de champignons
1 bol de carottes
Salade verte
Pommes épicées (p. 200)
1 verre de vin rouge

JEUDI

Petit déjeuner
1/2 pamplemousse
1 bol de yaourt avec 3
  cuillerées de céréales au son
1 tranche de pain multicéréale
  grillé et beurré
Café ou thé

Déjeuner
25 cl de potage aux lentilles
  (p. 178)
1 assiette de salade
1 carré de chocolat
Boisson non calorique

Dîner
Saumon à l'orange en papillote
   (p. 248)
1 bol d'épinards
90 g de pommes de terre
Poires au chocolat et au poivre
   (p. 202)
1 verre de vin rouge

VENDREDI

Petit déjeuner
1 verre de jus d'orange ou
   1 orange
1 œuf à la coque
1 tranche de pain complet
   grillée et beurrée
Café ou thé

Déjeuner
Sandwich à la dinde
1 assiette de salade verte
1 poire
Boisson non calorique

Dîner
Coquilles Saint-Jacques aux
   agrumes (p. 245)
1 bol de riz complet
1 banane flambée
1 verre de champagne ou de
   vin pétillant

Dîner
Magrets de canard glacés au
   miel (p. 250)
Fenouil sauté
1 yaourt
1 pomme
1 verre de vin rouge

SAMEDI

Petit déjeuner
1 tranche de jambon cru
8 cuillerées à soupe de
   porridge de grand-mère
   Louise aux pommes
   râpées[1]
25 cl de lait
1/2 muffin anglais grillé et
   beurré
Café ou thé

Déjeuner
Salade d'endives au jambon
1 tranche de pain de campagne
1 papaye
Boisson non calorique

Dîner
Poussins farcis (p. 246)
1 bol de légumes verts
Mousse au café (p. 260)
1 verre de vin rouge

---

1. Voir *Ces Françaises qui ne grossissent pas – Comment font-elles ?*, *op. cit.*

DIMANCHE

Petit déjeuner
30 g de fromage
2 pancakes avec 2 cuillerées à soupe de sirop d'érable
1 yaourt
Café ou thé

Déjeuner
6 huîtres
Lotte à l'ail (p. 247)
1 bol de légumes verts crus
1 grosse pomme de terre
Mousse à la banane (p. 259)
1 verre de champagne ou de vin pétillant

Dîner
25 cl de potage aux légumes variés (p. 244)
1 tranche de pain
1 yaourt
1/2 pamplemousse
Boisson non calorique

6

LE VIN EST UN ALIMENT

Pendant vingt-cinq ans, j'ai travaillé dans le secteur viticole, et pourtant il m'arrive encore de rougir d'en savoir si peu. Dans le fond, ce n'est pas grave. Je me rappelle cette phrase de Socrate : « Tout ce que je sais, c'est que je ne sais rien. » Alors, oubliez vous aussi vos inquiétudes. Il reste toujours quelque chose à apprendre, et l'occasion nous est fréquemment donnée de le faire. En réalité, il suffit de passer quelques heures avec quelques bouteilles pour apprendre à apprécier le vin.

Bien sûr, vous n'aurez pas un palais aussi fin que celui des professionnels ou des œnologues, incapables de trouver assez de mots pour décrire un vin. N'oubliez pas toutefois : tandis qu'ils cherchent surtout à transmettre leur expérience à autrui, vous cherchez seulement à vivre la vôtre ! Écoutez vos sens et vous accumulerez de merveilleux souvenirs. Un palais attentif ne cesse d'assimiler des sensations nouvelles.

Voilà pourquoi je considère le vin comme un aliment – et je ne parle pas ici de sa teneur en nutriments ou en calories, même si un verre de vin n'en contient pas plus qu'un morceau de pain ou un fruit. Comme toujours, il s'agit de rechercher un plaisir gustatif ; à cet égard, nul autre ingrédient n'offre un tel éventail de saveurs et d'intensités. Voilà la véritable magie du vin, on ne l'apprécie pas seulement en lui-même, mais parce qu'il complète et exalte les saveurs des mets qu'il accompagne.

Le vin n'est pas un produit saisonnier évoquant, à l'instar des autres aliments, une période spécifique de l'année. Avec lui, toute expérience est unique et imprévisible, même si l'on vous a décrit son bouquet en détail. En effet, cet aliment « vivant » continue d'évoluer au fil des mois dans le secret de sa bouteille. Il n'existe pas non plus de « bonne » saison pour savourer tel ou tel vin, même si l'on considère en général certains rouges comme trop corsés pour l'été et si le beaujolais nouveau ne présente de réel intérêt que lors de son apparition sur les menus. Moi qui bois du vin presque tous les jours, je puis vous l'assurer, la plupart des vins peuvent être bus à tout moment, surtout le champagne.

Le vin entretient avec les saisons des relations étonnamment semblables aux nôtres, mêmes si l'on tient compte des exigences liées aux appellations contrôlées, deux cuvées successives ne donnent jamais le même vin. Le vin « grandit » au fil des saisons comme les autres aliments, d'abord au rythme du mûrissement des grappes de raisin, lequel subit les aléas de la météo. C'est pourquoi les viticulteurs et les amateurs de vins ont pris l'habitude de noter l'année de fabrication d'un vin et de les distinguer les unes des autres. Encore une fois, point n'est besoin d'un tel zèle statistique pour apprécier un bon verre. On peut prendre un grand plaisir à déguster des vins non issus de grandes cuvées, même si ces dernières procurent un plaisir gustatif extraordinaire... et fort onéreux. Disons seulement que chaque occasion, même si l'on boit toujours le même vin, permet de se forger ses propres impressions et souvenirs. En étant plus attentifs à ce que nous buvons, nous vivrons des expériences plus complètes et nous construirons peu à peu un cadre gustatif qui rendra notre vie plus gratifiante.

Le souvenir de certaines bouteilles vous accompagnera tout au long de votre vie. Si un bon vin n'est pas nécessairement âgé, une bouteille ancienne d'exception peut ressembler à une bulle temporelle ayant su capturer les saveurs et les arômes de son époque et de son lieu de naissance. Il en va ainsi du Veuve Clicquot 1955, cuvée revêtant pour moi une véritable aura mystique. Au cours des vingt années que j'ai passées au sein de cette maison, j'ai eu l'occasion d'y goûter par deux fois, à titre strictement professionnel, et je me souviens parfaitement des circonstances de ces deux expériences bouleversantes. Ma « première fois » eut lieu à Reims, lors d'une dégustation extrêmement formelle dans les caves Veuve Clicquot, sous l'égide de notre incomparable maître de chai Jacques Peters et en compagnie d'une kyrielle d'experts. Cette première gorgée de 1955 fut pour moi une révélation, la véritable découverte du raffinement classique qui a fait du champagne le roi des vins et le vin des rois. À ma grande surprise, je me suis retrouvée transportée plusieurs décennies en arrière, l'un de ces dimanches matin où je me réveillais avec le parfum des brioches de ma mère cuisant dans le four. Puis je me suis surprise à imaginer quels mets accompagneraient ce vin dans l'idéal, alors même que, ce jour-là, on nous proposait de fines tranches de baguette et des crackers. Ma deuxième rencontre avec la cuvée 1955 eut lieu lors d'un déjeuner organisé pour une poignée d'invités de marque au manoir Veuve Clicquot. Le 1955 figurait parmi les vins au menu, et il m'a fait vivre une seconde épiphanie. Il m'a paru à la fois merveilleusement reconnaissable et en même temps porteur d'une sensation très différente de celle éprouvée la première fois.

Jamais deux sans trois, dit l'adage ! À l'automne 1999, Jacques me demanda incidemment où je comptais fêter le dernier jour du xxᵉ siècle. Je répondis que je serais à Paris, mais bien tranquillement chez moi car nous avions décidé de longue date d'éviter la folie du millénaire. « Parfait, répliqua-t-il. Dans ce cas, je vous ferai envoyer un magnum de 1955. Il ne nous en reste plus beaucoup et je ne vois personne capable de l'apprécier plus que vous. » Voilà ce que j'appelle un ami ! Quand j'ai annoncé la nouvelle à Edward, il a réagi comme si je lui annonçais que Noël tombait en octobre. Nous avons immédiatement décidé que nous étions dans l'obligation morale d'inviter quelques amis proches à partager notre dîner du 31 décembre 1999... et ce magnum de champagne exceptionnel.

Alors que minuit approchait, vous avons emporté la fin de la bouteille et nos flûtes à champagne sur le romantique pont des Arts qui disparaissait sous la foule de personnes, de tous âges et nationalités, rassemblées pour regarder la tour Eiffel s'illuminer. Pourtant, la dégustation des dernières gouttes de ce nectar doré se fit dans l'intimité, entre nous, le Clicquot 1955 et le nouveau millénaire. Et la dernière gorgée se révéla encore plus mémorable que la première.

À votre santé

La consommation de vin dans le monde atteint aujourd'hui des niveaux record. Il s'agit sans conteste de l'aspect du mode de vie français que les étrangers se montrent les plus enclins à adopter. Nous avons tous entendu parler des effets bienfaisants et vivifiants d'une consommation modérée de vin. En fait, il s'agit d'un des médicaments les plus anciens de l'humanité : Hippocrate en prescrivait déjà au Ve siècle avant Jésus-Christ. Bien avant que quiconque ne sache qu'il faisait baisser le mauvais cholestérol et augmenter le bon, avant même que l'on ne sache que le cholestérol ou tout autre élément moins évidemment identifiable que la bile affectait notre équilibre, on reconnaissait au vin des propriétés curatives. Ainsi, on l'utilisait pour nettoyer les blessures, des siècles avant de soupçonner même l'existence des bactéries ou des virus. Saviez-vous, à ce propos, que les tanins du vin contribuent à protéger du virus de l'herpès et peuvent accélérer la cicatrisation des boutons de fièvre ? En outre, il est depuis toujours recommandé de boire du vin pour faciliter la digestion.

À présent, on nous rebat les oreilles du fameux « paradoxe français », qui expliquerait pourquoi, alors que les Français mangent des mets très gras comme le foie gras ou les croissants pur beurre, ils affichent un taux de maladies cardiovasculaires particulièrement bas et une longévité supérieure à celle de la plupart des autres peuples des régions industrialisées. On élucide ce fameux paradoxe en arguant que les méfaits des mauvaises graisses seraient compensés par les anticoagulants et les antioxydants du vin. Tous les spécialistes s'accordent aujourd'hui pour l'affirmer, ce breuvage préserve la santé du système circulatoire et, de ce fait, la jeunesse de l'organisme. Pourtant, jusqu'aux années 1970, les experts ont refusé de lui reconnaître la moindre vertu. Cette réticence venait en partie du fait que l'on ne comprenait pas en quoi le vin pouvait se révéler bénéfique. Il fallait aussi compter avec la peur de l'alcoolisme héritée du début du XXe siècle et des ravages de l'absinthe. Dans quantité de cultures, on voyait le vin avant tout comme un breuvage alcoolisé apportant certes du plaisir, mais finissant inéluctablement par détruire ceux qui s'y adonnaient, lesquels troublaient de surcroît l'ordre public.

La recherche scientifique le démontre : les femmes qui préfèrent le vin – en quantité modérée bien entendu – à la bière et aux alcools forts mènent dans l'ensemble une vie plus saine avec une alimentation plus équilibrée. Plus étonnant encore, elles se révèlent aussi en meilleure santé que celles ne buvant pas de vin du tout. Ces femmes vivent en outre plus longtemps, affichent un niveau d'éducation supérieur à la moyenne et un meilleur équilibre psychologique. Cela paraît logique, puisque le vin est agréable et peut aider à se détendre et à recouvrer sa bonne humeur. En outre, il se consomme le plus souvent en groupe ; or, des relations sociales saines contribuent, tout comme une alimentation appropriée et un peu de vin, au bien-être général.

Ses nombreux nutriments, parmi lesquels figurent de précieux oligo-éléments, exercent une action tonifiante dans divers domaines. D'aucuns avancent même qu'il existerait une relation nette, quoique peut-être pas de cause à effet, entre l'absorption de vin et des revenus élevés ! Dans les pays anglo-saxons, on dit souvent que manger une pomme par jour protège contre les maladies ; en Russie, on dit : « Si tu bois un verre de vin après ta soupe, tu voleras un rouble à ton médecin. »

Votre ordonnance, mode d'emploi

À l'inverse de médicaments plus récents, le vin n'est pas accompagné d'une petite notice pliée en huit indiquant ses ingrédients actifs, le dosage recommandé et d'éventuelles interactions avec d'autres produits ou effets secondaires. En fait, l'ordonnance est fort simple. J'apprécie le proverbe russe, car il replace le vin dans le contexte de la table auquel il appartient. Le vin est conçu pour être toujours, absolument toujours bu au cours d'un repas, avec de la nourriture. Mes amis français de passage à New York s'étonnent d'ailleurs de voir dans les bars des groupes de femmes avaler deux ou trois verres de chardonnay sur un estomac vide. Certes, le vin n'assomme pas autant qu'un alcool fort, mais il monte tout de même à la tête, non sans avoir au préalable semé la zizanie dans l'estomac, avec une bonne décharge d'acide à la clé.

Pour ma part, je ne bois jamais en dehors des repas. Si vous devez prendre un verre avant le dîner, grignotez quelque chose en même temps. Cela ne mettra pas votre équilibre alimentaire en péril, si vous choisissez les bons aliments et en mangez juste un peu. Optez plutôt pour des protéines et des graisses. Elles ralentissent plus efficacement le processus d'absorption, non seulement de l'alcool mais aussi des autres nutriments, cela vous évitera à la fois de trop manger et d'être « pompette ». Pour cette raison, je recommande vivement de proposer à l'apéritif quelques morceaux de fromage, un peu de saucisson et quelques olives – inutile d'en manger plus de quatre ou cinq. Même quelques noix suffisent à protéger l'estomac. Et, tout comme quand vous essayez de perdre du poids, pensez à prévenir tout risque de déshydratation en avalant un verre d'eau une demi-heure avant toute sortie. Rappelons-le, l'alcool possède de nettes propriétés déshydratantes et diurétiques.

Débutant(e)s

Comme la plupart des Françaises de ma génération, j'ai commencé mon apprentissage du vin à un âge fort tendre. J'avais six ans quand un ami de la famille m'a appris comment tenir une flûte de champagne – par le pied ou par la tige. Le dimanche, on accordait aux petits une larme de vin dans leur verre d'eau pour accompagner les « grands ». J'ai aussi découvert les bourgognes assez tôt car, à l'époque, les merveilleux grands crus et premiers crus de cette région ne coûtaient pas très cher. Aujourd'hui, hélas ! ce type de plaisir se révèle nettement plus douloureux pour le portefeuille. J'ai appris à trouver sur une carte les petits villages dont les noms relevaient de la légende, et que j'allais visiter par la suite. Mon père m'a en effet transmis son amour de la géographie – par un fait étrange, cette passion ne l'a jamais poussé à délaisser ses livres et ses cartes pour parcourir le monde, hormis pour une excursion d'une journée en Angleterre devenue une véritable légende au sein de la famille.

Lors des grands repas marquant un mariage ou un anniversaire, ou même lors des longs déjeuners dominicaux, je traînais près de la table (voire en dessous), mon dessert dégusté, écoutant les conversations qui viraient souvent aux débats œnologiques. J'ai appris à cette époque des termes comme « soyeux », « velouté » et « voluptueux », et bien d'autres choses sur les divers types de verres. M. Lion, ce grand ami de mes parents qui m'avait initiée à l'art de tenir une flûte de champagne, avait ajouté ceci : l'utilisation de tout autre récipient romprait la magie du breuvage, comme dans les contes de fées. Je me rappelle un cousin polytechnicien exposant en termes plutôt techniques comment le cerveau reconstruisait exactement le bouquet d'un vin, ou de tout autre aliment d'ailleurs, en prenant en compte son aspect, sa texture, le contexte de la dégustation, le moment de la journée et même l'humeur. En effet, notre mémoire et quantité d'autres facteurs psychologiques influent sur la manière dont nous jugeons un vin. Voilà pourquoi le même vin n'a jamais deux fois exactement le même goût. Et malgré toutes les discussions et comparaisons, nous ne pourrons jamais savoir précisément quel goût un vin dégusté a pour une autre personne. Toutefois, j'ai souvent constaté que plus on est en agréable compagnie, plus un vin paraît bon. Évitons donc de boire en solo et écoutons le poète Paul Claudel : « Le vin est le professeur du goût, le libérateur de l'esprit et l'illuminateur de l'intelligence. »

Le B.A.BA de la dégustation

On n'apprend pas à apprécier un vin dans les livres, toutes les leçons utiles se nichent dans les verres. On éduque ses papilles en goûtant et on apprend non seulement ce que l'on aime, mais aussi pourquoi on l'aime. Une fois ces bases établies, vous saurez quand boire un vin et avec quoi. Vous apprendrez aussi au passage comment l'acheter et le conserver, les différentes catégories dans lesquelles on le classe, quels verres et accessoires utiliser et, bien entendu, l'art de goûter un vin. Pensez aussi au plaisir qu'un verre procure. Débouchez une bouteille, versez le vin dans quelques verres, et poursuivez votre éducation. Il est quand même quelques détails utiles à connaître avant d'empoigner votre tire-bouchon.

L'achat

Avant d'aborder l'étape souvent déroutante du choix du vin, considérons d'abord les divers types de points de vente.

Où aller ?

Achetez votre vin chez un détaillant réputé ayant un bon débit. On réalise parfois de bonnes affaires dans des boutiques plus grandes qui achètent les vins en quantités plus importantes, avec des rabais considérables, ou font l'acquisition du stock d'un producteur ayant mis la clé sous la porte ou en quête d'argent frais pour renouveler son matériel de production. Ces distributeurs conviennent toutefois mieux aux acheteurs chevronnés, sachant ce qu'ils veulent et se contentant de variétés relativement banales. Pour des choix plus pointus, des conseils plus personnalisés ou des bouteilles plus rares, adressez-vous à un caviste spécialisé. Là aussi, vous pourrez trouver à l'occasion d'excellents rapports qualité-prix. Un bon vendeur saura vous aiguiller vers les bonnes années, lesquelles varient énormément en fonction de la géographie – une mauvaise année pour le côtes-du-rhône peut se révéler une bonne année pour les vins chiliens –, et des millésimes (le bordeaux de l'année deviendra peut-être le millésime du siècle tandis que le suivant se révélera beaucoup plus ordinaire). Un acheteur professionnel saura aussi vous faire découvrir de bons vins issus de cépages moins réputés, ou bien l'unique star d'une année par ailleurs sans éclat dans telle ou telle région.

Si un prix étonnamment bas ou l'enthousiasme immodéré du vendeur vous intrigue, pratiquez ce test simple : achetez-en une bouteille. Si vous l'aimez, vous reviendrez en acheter une autre, voire une caisse. Vous voilà devenu un connaisseur, et un collectionneur. Les enseignes réputées ne vous induiront que très rarement en erreur, car elles souhaitent fidéliser leur clientèle. Cela dit, le goût est bien entendu subjectif. Quand votre vendeur cernera bien vos goûts, il vous conseillera mieux. Vous le constaterez d'ailleurs, ceux qui travaillent dans ce genre d'échoppe apprécient le vin et adorent en parler. Je connais d'ailleurs quelques messieurs de mes amis qui passent tous les samedis chez leur caviste juste pour faire un tour d'horizon et discuter un moment.

Les vins achetés directement aux propriétaires, soit en se rendant sur place, soit en les commandant sur Internet, fournissent un excellent sujet de conversation dans les dîners : « Quand nous étions dans le Bordelais, nous avons fait étape au château Machin et nous y avons goûté un vin si merveilleux que nous n'avons pu faire autrement que d'en rapporter une caisse. » Pour beaucoup, l'appréciation du vin passe aussi par ce genre de conversation. Il arrive que de tels récits soient assez amusants, mais veillez à ne pas abuser de la patience de vos interlocuteurs. Et passez sans trop tarder à des sujets de conversation moins centrés sur vous. Cela ne devrait pas être trop difficile, le vin ayant pour propriété de délier les langues.

À quel prix ?

Quantité de personnes ne peuvent se défaire de l'idée qu'un prix élevé est obligatoirement synonyme de qualité. Il faut distinguer les bouteilles vraiment exceptionnelles de celles surévaluées par une mode quelconque. Le développement de la production viticole aux quatre coins du monde, l'amélioration des conditions de distribution et les techniques de production modernes (qui donnent des résultats étonnants), se traduisent par un marché extrêmement étendu, où la concurrence est rude pour les producteurs. De ce fait, vous trouverez sans problème une bouteille exceptionnelle pour le prix de ce livre. Méfiez-vous des vins trop bon marché ; même si certains peuvent se révéler tout à fait buvables, vous prenez un risque certain. À l'autre extrémité de l'échelle tarifaire, il m'arrive couramment d'acheter et de boire des vins extrêmement onéreux, dans le cadre de mon travail. À la question « Valent-ils vraiment un tel prix ? », je répondrai que c'est le plus souvent le cas. Au fil de mes années dans ce domaine d'activité, j'ai acquis un palais expérimenté capable de déceler des saveurs très subtiles. Mais je sais aussi que le prix résulte en partie de l'effet de l'offre et de la demande entrant en jeu dès que nombre de consommateurs désirent un produit identique, tout comme la rémunération des intermédiaires qui achètent ces vins et les conservent jusqu'à leur pleine maturité. Et si l'expertise des meilleurs maîtres de chai et l'appartenance aux plus grands terroirs impliquent nécessairement un prix plus élevé, il arrive un moment où divers facteurs exogènes contribuent à gonfler les prix.

Dans le courant de ma carrière, j'ai été présidente d'un domaine viticole californien de premier choix et du conseil d'administration d'un autre. Tous produisaient des vins d'exception, j'ose le dire, et pratiquaient des tarifs tout à fait raisonnables, quoique plutôt élevés. Et puisque j'ai étudié leurs comptes, je peux vous l'affirmer, une grande part du coût de la bouteille provient de la seule valeur des terrains viticoles. Un arpent de terre dans une telle région viticole conduit à considérer les prix de l'immobilier dans les grandes capitales comme tout à fait raisonnables... Je l'ai découvert moi-même quand nous avons décidé d'étendre nos plantations, car cela nous a obligés à contracter un emprunt. Devinez qui l'a financé, bouteille par bouteille ?

Encore la Californie offre-t-elle des terrains vierges. En revanche, s'agissant de mes deux vins favoris, le champagne et le bourgogne rouge, la situation est plus critique. En effet, tous deux dépendent largement des récoltes de pinot noir, un cépage souvent cultivé dans des enclos minuscules. Et comme il y a peu de chances pour que le consensus actuel relatif à la supériorité de ces vins change dans un avenir proche, les raisins amoureusement choyés sur ces petits terrains risquent fort de rester longtemps encore les fruits les plus chers du monde.

Qu'acheter ?

Le choix des vins représente un véritable casse-tête pour le néophyte. La variété de l'offre, pourtant en elle-même une bonne chose, complique le choix. Une seule méthode, goûtez des vins divers pour déterminer vos goûts. Ne vous affolez pas, vous n'êtes pas en train de placer les dividendes d'une multinationale !

Commençons par le B.A.BA : les vins sont soit blancs, soit rosés, soit rouges. Certains sont pétillants, d'autres non, et ils se répartissent entre vins secs, plus doux et liquoreux. Tous sont fabriqués à base de raisins. Et là les choses se compliquent...

Il existe en effet une multitude de raisins se prêtant à la vinification. Ils n'ont pas le même goût suivant la partie du vignoble dans laquelle ils poussent – ne parlons même pas des pieds plantés dans un autre pays ou continent. De plus, même si un grand vin dépend essentiellement de la qualité du vignoble, les techniques employées au cours de la vinification apportent de grandes différences aux produits finis. Certaines d'entre elles relèvent de prescriptions officielles – toujours cette histoire d'appellation contrôlée. Un vin dont l'étiquette annonce une provenance de telle région ne pourra pas contenir moins de x % de cabernet sauvignon et pas plus de y % de merlot, par exemple. Pour nous dérouter plus encore, certains vins composés de plusieurs cépages portent le nom de leur lieu de production (bordeaux, par exemple), tandis que d'autres portent le nom du type de raisin les composant majoritairement (merlot, par exemple).

En Europe et en Afrique du Nord, on désigne le plus souvent un vin par le nom du terroir dont il est issu : bordeaux, bourgogne, beaujolais, champagne, chianti, rioja, etc., avec pour certains d'entre eux une désignation plus précise (côtes de Bourg, pouilly fuissé, sancerre, médoc, nuits-saint-georges, entre deux mers...), voire, dans le Bordelais, le château dont ils proviennent (château-lafite, margaux). À cela s'ajoute, toujours en France, une classification liée à la qualité du produit fini : grand cru, premier cru classé, cru bourgeois, AOC et, en bas de l'échelle, VDQS.

Le reste du monde se préoccupe en revanche principalement du cépage dominant d'un vin : syrah, cabernet, merlot, chardonnay, pinot noir, gris ou blanc, etc. On y privilégie d'ailleurs des monocépages par opposition aux savants mélanges conçus par les maîtres de chai hexagonaux, notamment pour conférer à une appellation son caractère unique. La mondialisation aidant, les Européens ont cependant découvert et appris à apprécier les vins venus d'ailleurs, de Californie, du Chili, d'Australie, d'Afrique du Sud ou d'Israël pour ne citer que les plus connus, et à les choisir eux aussi en fonction des cépages. Voilà pourquoi ce chapitre mêle appellations de terroir et appellations de cépages.

Cela dit, comme la plupart des amateurs, je m'intéresse beaucoup plus à la saveur du breuvage dans mon verre qu'aux détails de sa production ; j'adopte un processus inversé en écoutant mes papilles et je ne saurais trop recommander cette tactique aux novices. Le plus simple consiste sans doute à commencer par des vins produits à partir d'une seule variété de raisin, cela vous permettra de déterminer vos préférés, donc de choisir à bon escient. Penchons-nous tout d'abord sur les raisins dominant le marché viticole.

Pour les raisins blancs, le chardonnay et le sauvignon blanc arrivent en tête. Ne négligez pas pour autant les pinots grigio italiens, les rieslings alsaciens ou le pinot gris de l'Oregon.

Pour les rouges, le cabernet sauvignon, le merlot, le pinot noir et le syrah se taillent la part du lion. Mais cette liste de tête exclut quatre variétés présentes dans certains de mes vins favoris : le zinfandel de Californie, le grenache du sud de la vallée du Rhône, le nebbiolo piémontais et le sangiovese toscan.

Quand vous saurez distinguer un cabernet d'un pinot noir et un chardonnay d'un sauvignon blanc, vous pourrez vous lancer dans l'exploration des vins dont la dénomination provient non plus des variétés qui les composent mais de leur région d'origine – par exemple ce petit mélange qui m'est familier et que l'on nomme champagne. Comme je l'ai déjà dit, la composition de ce vin repose sur le pinot noir, un raisin noir. Cela étonne souvent, puisque le champagne est un vin blanc : on se demande s'il s'agit d'un autre paradoxe à la française. En fait, le champagne mêle en général des jus de raisins noirs et blancs, principalement du pinot noir et du chardonnay. Apprenez toutefois ceci, le jus de raisin est transparent, c'est sa peau qui lui donne sa couleur, et encore seulement si on la laisse en contact avec le jus – ce n'est pas le cas pour le champagne.

Si vous voulez-vous lancer dans une exploration un peu sérieuse des vins, il peut se révéler utile de tenir un journal : vous y noterez vos impressions sur les diverses variétés goûtées. Quantité d'amateurs aiment aussi à décoller les étiquettes des bouteilles pour les coller dans un petit carnet. Un seul ennui, quand on se penche sur ses aventures viticoles passées, on se demande comment le temps a pu s'écouler aussi rapidement.

Un vin comptant parmi les plus réputés de tous (et certainement les plus onéreux) provient d'une variété de raisins que je n'ai pas encore citée, le sémillon. Je veux parler du plus célèbre des vins liquoreux, le château d'Yquem. Certains restaurants en proposent au verre, cela permet d'y goûter sans (trop) se ruiner. Je gage en tout cas que si vous avez un jour la chance de tremper les lèvres dans cet élixir divin, vous vous préoccuperez sûrement moins des raisins qui le composent que de l'effet produit sur vos papilles.

La conservation

Le vin est fait pour être bu, non pour être stocké. Et dans la plupart des pays, il est en général consommé quelques heures ou quelques jours après son achat. Les restaurants doivent prévoir un peu plus à l'avance ; voilà pourquoi ils facturent parfois les bouteilles deux fois plus cher que vous ne l'auriez payée au détail – la différence ne va pas uniquement dans la poche de restaurateur. Vous réglez aussi les frais de conservation de cette bouteille dans de bonnes conditions, afin d'éviter que le vin ne se madérise, c'est-à-dire s'abîme sous l'effet de la chaleur, et le fait qu'elle vous soit servie à la température adéquate. Quantité de restaurants évitent d'ailleurs de posséder une cave trop importante, renouvelant leur stock toutes les semaines ou tous les mois auprès d'un distributeur.

Le consommateur moyen achète souvent du vin lorsqu'il prévoit d'en boire ou d'en apporter pour un dîner. Une bouteille est un cadeau souvent plus apprécié que des fleurs obligeant l'hôtesse à se précipiter en quête d'un vase. Si vous découvrez un vin qui vous plaît, vous aurez parfois envie d'en acheter plusieurs bouteilles. Dans la plupart des cas, cela ne pose pas encore de problème de stockage. En effet, la plupart des vins vendus dans le commerce sont de l'année ou de l'année précédente et conçus pour être consommés immédiatement, non pour être allongés et mis à vieillir. Un stockage à court terme dans de bonnes conditions demande seulement un espace ni trop chaud ni trop froid, entre 12 et 25°. Tant que vous n'avez pas trop chaud, votre vin se conserve correctement.

Si vous envisagez de garder un vin pendant plusieurs mois, voire plusieurs années (si par exemple vous souhaitez boire le même vin lors de votre prochain anniversaire de mariage), entreposez-le à l'abri de la lumière, l'une de ses pires ennemies, et des fluctuations thermiques violentes. Les températures indiquées ci-dessus conviennent encore, pourvu que le vin ne soit pas amené à se réchauffer ou à se refroidir brutalement en quelques heures. Dans le doute, mieux vaut garder un vin trop au frais que trop au chaud. En effet, un froid constant, même proche de zéro, ne pose pas problème, tandis qu'une vague de chaleur peut être fatale.

Rangez vos bouteilles dans un cagibi ou dans un meuble, à l'horizontale afin que leurs bouchons restent bien humidifiés et ne se rétractent pas sinon le vin s'oxyderait prématurément. Vous pouvez fort bien vous passer de casiers à bouteilles, même s'ils se révèlent pratiques, surtout pour retirer une bouteille sans trop agiter les autres. Si vous avez en permanence chez vous vingt-cinq bouteilles ou plus, il faut envisager l'achat d'un réfrigérateur ou d'une cave à vin. Les plus petits modèles se posent sur un meuble. Les vrais collectionneurs savent probablement déjà qu'il leur est indispensable d'investir dans une cave de format approprié à leurs besoins. Il en existe d'aussi vastes qu'une armoire, assez onéreuses à l'achat, mais il faut rapporter ce coût à votre investissement : deux cent cinquante bouteilles représentent une certaine somme. Certaines caves possèdent plusieurs zones permettant de conserver chaque type de vin à la température idéale. Nous en avons une, grâce à laquelle nous disposons en permanence de blancs prêts à être dégustés, et de rouges vieillissant doucement dans leur propre compartiment plus tempéré.

Le service

À mes yeux, les rituels entourant les cérémonies de dégustation de vin ne font qu'accentuer une telle expérience, tout comme la présence de jolies serviettes et le changement d'assiette à chaque plat, à table, le font pour la nourriture. Posséder de jolis verres n'est pas un luxe, mais une nécessité. Vous pouvez en revanche vous contenter d'une seule taille, moyenne. Veillez à ne jamais remplir les verres à plus de la moitié ou des deux tiers de leur capacité. Ces verres, dits de sommelier, conviennent aussi bien aux blancs qu'aux rouges et même aux vins pétillants. Ils se rétrécissent vers le haut, afin de mieux emprisonner les arômes et ont un pied relativement court améliorant leur stabilité. Le verre ordinaire convient, même si le cristal améliore encore la perception et l'appréciation de la couleur d'un vin et si son contact délicat avec vos lèvres procure un plaisir accru.

Les fabricants et les magazines consacrés au vin présentent des verres conçus pour chaque type de vin spécifique. Il ne s'agit pas seulement d'arguments commerciaux. Ainsi, un modèle plus large, en forme de ballon, favorise la capture des bouquets les plus puissants, tandis que d'autres formes permettent de faire couler le vin dans votre bouche de manière optimale. Les bourgognes rouges aux arômes complexes s'y oxygéneront idéalement. Une flûte à champagne en forme de tulipe conserve quant à elle les bulles plus longtemps et concentre le bouquet pétillant de ce vin. Remisez donc sans plus tarder les coupes à champagne, dont une légende apocryphe prétend qu'elles furent modelées sur les seins de Marie-Antoinette. Pour ma part, je n'apprécie guère les verres lourds doté d'un pied long, difficiles à manier. La mode actuelle privilégie les modèles dépourvus de pied, de tailles variées, plus grands pour les rouges que pour les blancs ; je les trouve fort pratiques, modernes et sans ostentation. Nous les apprécions, notamment à la campagne.

Une précision : vos verres doivent bien sûr être propres, mais lavés avec le minimum de détergent ; rincez-les très soigneusement et laissez-les sécher à l'air libre. Évitez de les essuyer avec un torchon imprégné d'odeur d'assouplissant... Que d'expériences gustatives ont été gâchées par des odeurs déjà présentes dans le verre !

Un tire-bouchon constitue l'autre accessoire essentiel pour boire du vin, même si cette règle risque de ne pas perdurer bien longtemps. Car le liège, matière traditionnelle des bouchons, se fait rare et présente souvent des défauts ! Parfois, une bouteille sur vingt se révèle défectueuse. Dans les cas les plus graves, le vin s'imprègne de la saveur du bouchon jusqu'à devenir imbuvable. Les bouchons en matériaux synthétiques ont donc le vent en poupe. En outre, compte tenu de la part des vins consommés dans l'année suivant leur mise en bouteille, on propose de plus en plus couramment des bouteilles munies d'un bouchon à vis, en particulier pour les vins blancs de qualité inférieure à moyenne. Cette tendance ne me dérange pas.

Le bouchon de liège et le tire-bouchon font cependant partie du rituel de dégustation du vin depuis des siècles. Certains collectionnent même ces derniers, notamment d'antiques modèles en argent ayant transpercé quantité de vénérables cols de bouteilles au fil des décennies. La technologie moderne a amélioré les tire-bouchons, et facilité leur utilisation. Je recommande vivement d'investir dans un modèle de bonne qualité, que vous garderez toute votre vie, même s'il ne devient jamais un objet de collection ou un héritage. Vérifiez simplement qu'il ne comporte pas de parties coupantes susceptibles de déchiqueter les bouchons. La marque la plus en vogue actuellement, Screwpull, a quantité de concurrents tout aussi valables. Certains vrais puristes ne jurent pour leur part que par les « limonadiers » utilisés par les garçons de café, dont l'usage nécessite cependant un certain savoir-faire. Encore une fois, ce sont là des détails, le point important consistant à libérer le vin de son bouchon.

Décanter ou ne pas décanter le vin

Avant de déboucher une bouteille, il faut absolument vérifier qu'elle est à la bonne température de service, laquelle ne correspond pas nécessairement à celle de stockage. Si vous adoptez la Solution des 50 % et réfrigérez la moitié de vos bouteilles (voir page 301), vous ne pouvez pas simplement les poser sur la table comme des bouteilles géantes de Coca-Cola – boisson à laquelle, j'espère, vous avez renoncé. Les règles sont relativement simples : le champagne et les vins blancs se servent entre 7 et 13 °C. Attention, un vin rouge trop frais perd tous ses arômes. On considère généralement qu'il faut servir les rouges à température ambiante. Sortez la bouteille – le cas échéant la demi-bouteille – du réfrigérateur une demi-heure avant de passer à table. Cette règle ancestrale, antérieure à l'apparition du chauffage central, se base sur une température intérieure de l'ordre de 18 °C, idéale pour les vins. Si vous maintenez chez vous une température de 20 ou 25°, entreposez les vins dans une pièce ou un placard plus frais, à une température de 15 à 18°.

Le transfert du vin dans une carafe, cet autre rituel, divise les amateurs. Il n'existe en réalité que deux raisons justifiant cette opération, la présence de sédiments et le souci d'aérer un vin. Cela ne m'empêche d'aller couramment à l'encontre de cette orthodoxie. Je décante principalement des vins jeunes, et je sers les plus vieux dans leur bouteille. S'agissant du contenant, une carafe est un bel objet scintillant qui décore joliment une table ; mais vous pouvez tout aussi bien transvaser le vin dans une vieille bouteille ou même dans un simple broc en verre.

Il vous est peut-être arrivé d'observer un sommelier décantant précautionneusement un vin, tout en illuminant le col de la bouteille à l'aide d'une bougie – une pratique devenue rare. Une petite lampe de poche conviendrait tout aussi bien, mais l'effet serait moins magique. Le but de la manœuvre ? Laisser les sédiments au fond de la bouteille et ne pas les verser dans la carafe, ou le verre, pour finir dans votre bouche. Les dépôts de sédiments ne se produisent pas seulement au fond des rivières, ils apparaissent tout naturellement dans les grands vins rouges à mesure qu'ils prennent de l'âge et que leurs tanins (éléments chimiques naturels leur conférant leur astringence) s'adoucissent. Nullement nocifs, ces dépôts peuvent cependant gâcher votre plaisir.

Une seconde raison conduit à décanter : « réveiller » un vin endormi en l'aérant. Le vin, produit vivant, respire durant son séjour dans sa bouteille et dans votre verre. Il change sans cesse, en particulier une fois versé. Un léger apport en oxygène peut inciter un vin complexe à s'ouvrir et à libérer ses saveurs. La décantation permet d'adoucir un vin un brin immature – là encore à cause des tanins, indispensables à sa tenue mais le rendant parfois un peu rude).

Attention ! décanter un très vieux vin présente un certain danger. Il risque en effet de mourir dans la carafe en s'oxydant trop rapidement, avant que vous ne puissiez en profiter pleinement. Nous préférons donc mettre nos bouteilles les plus âgées debout une journée à l'avance, afin de laisser les sédiments se déposer au fond. Après l'avoir débouchée, nous veillons à ne pas l'agiter, afin de ne pas transvaser les sédiments. Procédez exactement comme si vous décantiez le vin directement dans votre verre. Rares sont les personnes possédant quantité de vieilles bouteilles, à décanter ou non. La question se pose plus souvent à propos de vins rouges un peu jeunes et rustiques, qui semblent pouvoir s'améliorer en s'aérant. Quand Edward et moi connaissions moins bien les vins, il nous arrivait de jouer à suivre la saveur d'un vin depuis sa naissance, au débouchage de la bouteille, jusqu'à sa maturité puis sa mort, au moment où le contact avec l'air lui a fait perdre ses caractéristiques les plus plaisantes. Nous avons ainsi découvert ceci : un vin devient presque un nouveau vin à chaque étape de sa courte vie.

Le goût

Nous abordons enfin l'aspect le plus important à mon sens et le moment où tout notre savoir sera enfin mis en pratique. Car au fond, tout ce que nous pouvons apprendre sur les raisins et sur la vinification reste accessoire par rapport à la dégustation du produit fini. En effet, c'est seulement en goûtant les vins que vous découvrirez vos préférences. Il ne doit cependant pas s'agir d'un plaisir statique. Vous devez évoluer en permanence. Je connais par exemple une femme qui commande invariablement du sancerre, quoi qu'elle mange. Je trouve cela navrant. Savoir ce que l'on aime est une chose ; refuser toute nouvelle expérience en est une autre, bien différente.

Comme pour toutes les expériences axées sur l'esthétique, vous informer sur ce que vous recherchez et y réfléchir vous aidera à préciser vos opinions. Cela vous permettra non seulement de dire « J'aime ceci » mais « J'aime ceci parce que... » Ce lien de cause à effet fait toute la différence entre les goûts d'un enfant et ceux d'un adulte. Pour vous aider à adopter un système simple pour apprécier les vins, je vous propose de vous pencher en premier lieu sur quatre de ses caractéristiques classiques : la couleur, l'arôme, le goût et la longueur en bouche. Chacun vous révélera quelque chose et constituera un plaisir subsidiaire du ravissement global de vos papilles. Rien de tel pour apprendre à coordonner l'usage de vos cinq sens qu'une dégustation de vins. Les sens figurant les portes du plaisir, considérez cet apprentissage comme un exercice de remise en forme de toutes vos capacités sensorielles. Si vous parvenez à le faire bien avec le vin, vous pourrez le faire avec n'importe quoi d'autre et profiter des bienfaits liés aux sensations, au lieu de vous contenter des plaisirs plus grossiers apportés par la seule quantité. D'ailleurs, les véritables amateurs de vin ne grossissent pas.

Avant de goûter un vin, observez sa couleur, ce que l'on nomme sa robe. Versez-en une petite quantité dans un verre transparent. Quelle que soit la couleur, le vin doit être clair, voire brillant, en aucun cas trouble ou parsemé de particules en suspension. La clarté est un indice de qualité du vin mais aussi du type de raisin dont il provient et de son âge. Un exemple : on distingue assez facilement un pinot noir d'un cabernet sauvignon à sa teinte plus claire. La peau de cette variété de raisin renferme moins de pigments que ceux composant d'autres vins rouges, présentant parfois une couleur presque violette dans leur jeunesse. Si vous inclinez légèrement votre verre et le regardez sur un fond blanc, vous aurez une idée assez juste de sa vraie couleur. Contemplez d'abord le centre, puis allez vers l'extérieur et l'endroit où le vin touche la paroi du verre.

La brillance, en particulier celle d'un vin blanc, indique une certaine acidité, sans laquelle il sera mollasson – oui, même le vin peut le devenir. Chez un blanc, l'absence de couleur est signe d'immaturité. Un jaune pâle avec des reflets verts signale un vin très jeune à jeune, avec une bonne dose d'acidité. À mesure qu'il avance en âge, apparaîtront des teintes paille et dorées. Des reflets cuivrés révèlent un vin mûr, tandis qu'une teinte ambrée peut faire craindre une oxydation et un vin ayant dépassé sa maturité optimale.

Les jeunes rouges se caractérisent par leur tonalité violacée ; un rouge cerise indique un vin assez adulte pour être bu, mais pouvant encore se conserver. Un rouge aux reflets orangés est sur le point d'atteindre sa pleine maturité et est bon à boire, tandis qu'une teinte brun rougeâtre peut révéler un vin déjà sur le déclin. Prenez donc pour devise *Carpe vinum*. Un vin brun est un très vieux vin : il peut se révéler encore délicieux, mais il s'agit là d'un pari risqué. Nous avons ainsi bu un très vieux bordeaux qui avait perdu les deux tiers de sa couleur, hormis ses tonalités brunes. Il offrait pourtant encore des arômes fruités, ces souvenirs d'enfance qui, chez les bons vins, se mélangent pour composer un bouquet complexe. Il nous a apporté un immense plaisir, auquel venait s'ajouter l'impression de boire un morceau d'Histoire.

Une fois maîtrisés ces codes de couleur, vous constaterez combien on peut en apprendre simplement en regardant un vin.

Un autre élément visuel vous orientera, cette fois sur la teneur en alcool d'un vin. Nous appelons cela regarder ses « jambes ». Faites tourner le vin dans votre verre en tenant celui-ci par le pied entre le pouce et l'index, et en décrivant de petits cercles. Le vin recouvre certaines parties de la paroi intérieure du verre et redescend comme des larmes. La rapidité d'écoulement et l'épaisseur de ces « jambes » révèlent son degré de viscosité, lequel augmente avec la teneur alcoolique. Un amarone fortement alcoolisé présentera ainsi des jambes beaucoup plus fortes qu'un merlot, par exemple.

Faire tourner le vin est aussi le prélude à l'intervention de votre nez et à la découverte de l'arôme : celui-ci révèle plus que tout la saveur d'un vin. Le boire vous permettra simplement de confirmer votre impression. Se rendre à une dégustation de vins si on souffre d'un rhume ne présente donc strictement aucun intérêt. Faites tourner votre verre pour aérer le vin et libérer son arôme. Respirez-le sans plus attendre, soit en une longue et lente inspiration, soit en plusieurs petites inspirations – inaudibles, s'il vous plaît ! Il ne s'agit pas de chercher à aspirer le contenu de son verre par les narines, mais seulement de mettre ses arômes en contact avec votre organe olfactif. La première impression est particulièrement révélatrice si on « goûte » un vin avec ses narines, tout comme quand on y plonge pour la première fois ses lèvres. Avec un peu de pratique, vous serez capable de déceler ainsi plusieurs caractéristiques du vin, son âge, la complexité de sa structure, ses arômes, sa qualité générale... Plus important encore : si humer un vin vous procure du plaisir, vous apprécierez probablement de le boire.

La véritable dégustation du vin requiert elle aussi quelques petites techniques. Le secret consiste à en prendre une gorgée, à la faire rouler dans sa bouche et sur la langue de manière à stimuler autant de récepteurs gustatifs – de papilles – que possible. Si vous le faites correctement, vous obtiendrez quelque chose évoquant une image en trois dimensions. Les goûteurs sérieux font deux autres choses. Tandis que le vin se trouve dans leur bouche, ils aspirent un peu d'air entre leurs lèvres entrouvertes, afin de l'aérer un peu plus encore. Ensuite, ils le mastiquent littéralement pour déceler des arômes subtils ou discrets qui leur auraient encore échappé.

Enfin, vous découvrirez de nouveaux parfums en avalant cette première gorgée, puis en soufflant juste après. Cela vous permettra de déterminer la longueur en bouche du vin, autrement dit la durée de la sensation qu'il procure. Plus cette saveur finale est complexe, plus elle persiste. Les vins courts en bouche, comme les blancs simples, peuvent eux aussi procurer du plaisir, mais les vrais aficionados ne s'enthousiasment réellement que pour des vins complexes et très longs en bouche. Vous avez goûté votre vin, vous voici prêt à le boire. Il ne me reste donc plus qu'à vous dire : « À votre santé ! »

Décrire une expérience est un moyen d'intensifier celle-ci, même si l'on ne saurait vraiment exprimer par des mots l'effet d'un grand vin sur ses propres sens, pas plus que celui d'un coucher de soleil. Il est en revanche possible de détailler les divers éléments ayant contribué aux sensations. À ce stade intervient un vocabulaire assez prétentieux ; je préfère l'éviter. Il suffit de se comprendre et éventuellement de communiquer son enthousiasme à ses proches. Mon idée n'est pas de vous inciter à faire des phrases, mais de vous aider à vivre plus intensément l'expérience, de manière plus consciente et active. On peut en effet passer à côté des meilleures choses de l'existence si l'on n'y prête pas attention, et il est plus facile de retenir un souvenir dont les divers aspects nous ont marqués. Si vous connaissez le nom des arbres qui le composent, vous ne vous rappellerez pas seulement une jolie vue mais aussi un paysage spécifique. Un grand vin ne va pas vous assommer de sa grandeur, vous devrez l'explorer, le découvrir, le débusquer au fond de sa cachette.

À Rome, il faut vivre comme les Romains

Bien avant l'essor de l'agrotourisme, Edward et moi aimions visiter les vignobles les plus célèbres de la planète. Nous effectuions des pèlerinages, mais allions goûter les vins locaux et la cuisine locale. Ce n'est pas un hasard si leur mariage est parfait. En effet, les habitants d'une région peaufinent ces combinaisons de mets et de boissons depuis des siècles.

Les dégustations sur le terrain permettent d'en apprendre plus à la fois sur le vin et les aliments, et sur l'histoire et le contexte culturel ayant présidé à la naissance de la gastronomie locale. Je vous recommande d'ailleurs vivement, dès que possible, de boire des vins originaires de l'endroit où vous vous trouvez. En Bourgogne, buvez du bourgogne et à Sonoma, du sonoma. Cela fait partie du plaisir éprouvé à s'imprégner du mode de vie d'une région. Vous vous calquerez ainsi sur le rythme des saisons, même si le vin n'est pas à proprement parler un produit saisonnier. L'été en Provence n'est pas le moment idéal pour déguster un grand bordeaux. En revanche, nous avons l'embarras du choix parmi la douzaine de bons vignobles entourant notre village, sans compter les centaines d'autres parsemant la région. Bien entendu, nous avons nos préférences, et, chose étrange, nos vins de prédilections sont toujours l'œuvre des viticulteurs les plus sympathiques.

En Provence, j'apprécie le rosé servi glacé dès que le soleil brille et que la mer est à portée de vue. Il ne me vient en revanche presque jamais à l'esprit d'en commander à New York ou à Paris, à moins de vouloir évoquer un petit air de vacances. Dans tout le Midi, le rosé à l'apéritif rime avec la belle saison. En toute logique, ce type de vin est principalement produit dans cette région et dans le sud de la vallée du Rhône. Comme de juste, il accompagne à la perfection les olives et autres entrées apéritives que les gens du pays grignotent traditionnellement avant les repas.

Comme pour toutes les règles, le principe consistant à boire des vins locaux souffre des exceptions. Il est des occasions à ne pas laisser échapper. Ainsi, une fois dans un restaurant d'Alsace, doté d'une carte des vins locaux absolument impressionnante – bien que presque tous blancs, ils accompagnent remarquablement la cuisine de la région (nous avons d'ailleurs commencé par un riesling sec) –, nous avons remarqué la présence de quelques bouteilles exceptionnelles de bordeaux et de bourgogne, des crus et des millésimes remarquables particulièrement bon marché. Cela remonte à quelques années, pourtant, je peux vous révéler notre choix : un grand échezeaux 1976. Nous avons appris ce jour-là que, la plupart des visiteurs choisissant des vins locaux, les vins venant d'ailleurs se vendaient souvent moins bien. Cela leur permet de rester plus longtemps sur la carte, parfois des années durant, sans augmentation de prix. Cela s'était produit pour notre vin, parfaite maturité pour un prix idéalement démodé.

Quand le personnel d'un bon restaurant voit que vous avez remarqué un excellent rapport qualité-prix sur la carte des vins, il vous considère d'un œil différent. Une certaine complicité de connaisseurs s'établit immédiatement. Nous l'avons souvent remarqué, un bon choix de vins, même s'il s'agit d'une affaire, assure un traitement VIP (*very important person*, personne très importante) et se termine souvent par un échange d'anecdotes et l'arrivée d'un mystérieux verre de vin à goûter avec le fromage ou le dessert. Comme quoi les grands restaurateurs ne cherchent pas uniquement à « faire de l'argent ».

L'industrie du vin est indissociable de l'hospitalité. Nous avons ainsi rencontré quantité de personnes généreuses et certaines ont même accompli pour nous de véritables prouesses. Je n'oublierai jamais notre première visite dans le domaine toscan de Capezzana. Cette merveilleuse propriété viticole, à proximité de Florence, comporte une villa qui appartint jadis aux Médicis. Un vestige vivant du grand monde d'antan, où tradition, famille, rituels et rythme des saisons se mêlent sans effort au tissu de la vie. La présence d'œuvres d'art sublimes fait d'un séjour entre ces murs une expérience unique. Dans ce domaine splendide niché dans les collines, avec une magnifique perspective sur le Duomo de Florence, nous avons été accueillis par une des filles de la maison, œnologue de formation qui enseignait également l'art de la pizza dans l'école de cuisine créée par sa famille. Elle voulait nous faire visiter les caves de la propriété, mais son frère, qui dirige le vignoble, a tenu à nous montrer d'abord l'endroit où tout commençait. À peine avions-nous déposé nos bagages, que nous nous retrouvions face à une plaine majestueuse entourée d'oliviers, avec, à droite, des cochons dans leur enclos, des poulets grattant la terre çà et là, aussi indifférents à l'histoire des lieux qu'à la beauté de la chapelle où la fille aînée des propriétaires, également directrice du marketing du domaine, s'était mariée.

Avant le dîner, nous avons pris un verre sur la terrasse en compagnie du comte et de la comtesse, un couple octogénaire dont l'énergie et la joie de vivre pourraient en remontrer à quantité de jeunes loups de ma connaissance. Enfin arriva le moment tant attendu de traverser la cour pour gagner la salle à manger, où le chef avait disposé un appétissant assortiment d'*antipasti* et de pâtes, que suivit une viande, le tout arrosé de vin de la propriété. Ce repas, ce vin et ce cadre ont suscité en moi un ensemble de sensations qu'aucune bouteille de capezzana ne pourra jamais me faire revivre. Mon bien-être résultait d'une impression profonde : chaque chose occupait exactement la place qui lui était destinée. Le domaine comprenait une ferme, et la plupart des ingrédients du dîner en venaient. Tous les membres de la famille travaillaient pour le domaine, certains dans le cadre de l'exploitation agricole, d'autres dans celui de la cuisine, d'autres à la saurisserie, d'autres encore veillaient à la gestion globale de l'entreprise familiale. Et tous semblaient s'épanouir pleinement dans ce contexte. De tels paradis sont rarissimes, mais il est encore plus rare de rencontrer des gens aussi heureux de vivre et de profiter des fruits de leur labeur. Le comte était un merveilleux conteur et son épouse veillait à assurer le succès de notre séjour dans ses moindres détails. Le lendemain matin, nous étant réveillés dans une chambre décorée de céramiques de Della Robia, nous avons trouvé au petit déjeuner un merveilleux gâteau au citron tout juste sorti du four. Je me suis alors rappelé que, pendant le dîner, nous avions discuté des vertus de la tarte au citron ; notre échange avait laissé deviner à notre hôtesse ma passion pour ce fruit.

Après une matinée passée à profiter du soleil sur la terrasse en admirant la vue sur Florence, un dernier plaisir nous attendait : un déjeuner de petits pois et de fèves tout droit venus de la ferme et mélangés avec du jambon cru dans un succulent plat de pâtes, puis, comme pour porter un point culminant à notre plaisir, des biscuits maison accompagnée d'un peu de *vino santo*, le « vin saint » fabriqué depuis les temps médiévaux. On presse traditionnellement le raisin pendant la semaine sainte – il a séché depuis le mois d'octobre sur un lit de paille. Le nectar divin ainsi produit en petite quantité vieillit ensuite pendant une dizaine d'années avant d'être offert aux invités d'honneur.

Tous les vignobles ne sont pas établis dans un ancien domaine des Médicis autour d'un *palazzo*. Ainsi du célèbre vignoble de Cloudy Bay, en Nouvelle-Zélande. Là-bas, ni aristocrates ni faïences précieuses, mais plein de moutons ! Le domaine, qui tire son nom d'un rivage voisin, se situe en pleine campagne près de Marlborough, dans une région viticole parsemée de maisons confortables et sans prétention, habitées par des gens chaleureux et accueillants. Même si cette zone offre quantité de vins de qualité, Cloudy Bay reste mon point de référence. Nous adorons la saveur de ce cru, ni herbeuse ni végétale à l'excès, comme certains sauvignons blancs, et possédant au contraire des arômes de fruits exotiques, notamment de litchis. En même temps, le vin présente une étonnante impression de propreté. Sa simplicité se marie merveilleusement avec des mets sans fioritures, comme un poisson grillé ou sauté avec quelques asperges fraîches. Avec une bouteille de Cloudy Bay, on boit aussi la pureté et la saveur des ingrédients des repas simples mais élégants dégustés dans cette région, ainsi que l'amitié que ses habitants nous ont témoignée.

La plupart de mes expériences en matière de vins ne se sont déroulées ni dans des villas toscanes ni à l'autre bout du monde mais simplement chez moi ou au restaurant. Il s'agit plus pour moi de découvrir de nouveaux plaisirs dans une ambiance conviviale, que de boire en quantité. Un exemple : nous fêtions récemment « entre filles » l'anniversaire d'une amie. Après un verre de champagne en apéritif est venu le moment de choisir les vins pour accompagner notre repas. Deux d'entre nous souhaitaient boire du blanc, les deux autres du rouge. J'ai vite compris qu'il me faudrait leur prêter main-forte ; j'avais sélectionné le restaurant et je connaissais mieux qu'elles la carte des vins de l'établissement. Connaissant les goûts des deux amies qui avaient commandé des crabes mous (pêchés entre deux mers), j'ai conseillé à l'une d'elles un blanc de la Loire et à l'autre un santenay, bourgogne rouge à la fois léger et relativement peu onéreux. Une troisième amie, qui raffole des vins italiens, a choisi un chianti Classico Riserva de Monsanto parfaitement adapté à l'agneau qu'elle s'apprêtait à manger. Quant à l'invitée d'honneur, elle a choisi d'arroser ses cailles d'un second verre de champagne. Avec ou sans mon aide, toutes ont goûté un nouveau vin et sont rentrées chez elles avec un nouveau nom à retenir pour leur prochaine visite chez leur caviste.

Dans le doute, optez pour du champagne

Je ne suis pas la seule à penser que, si votre budget vous le permet, le champagne constitue la solution la plus sûre avec n'importe quel plat. Ce vin sympathique est surnommé le « vin des rois » : des siècles durant, les rois de France venaient se faire couronner dans la grande cathédrale de Reims, capitale de la Champagne. Depuis, il règne aussi bien en tant que vin souverain qu'en tant que vin de l'amour et de la fête. Peut-être ce statut lui vient-il des traces de lithium qu'il contient naturellement. Je ne veux pas dire qu'il guérit les dépressions nerveuses, mais seulement qu'il améliore l'humeur. Quand on boit du champagne, on devient soi-même pétillant et il suffit d'un verre pour cela. Pour moi, le champagne est un état d'esprit.

J'aimerais signaler pour mémoire que le bon champagne ne doit pas donner mal à la tête, hormis évidemment si vous en buvez un litre à vous seul. Il s'agit en fait du vin le plus doux, le moins riche en histamine et en calories, et apportant quantité d'éléments minéraux. J'entends souvent des amis me dire qu'ils ne peuvent pas boire de champagne. Quand je les interroge, je comprends qu'ils ont cru boire du champagne mais qu'il s'agissait d'une boisson ressemblant à ce vin sans en être. Rappelons-le : le champagne, le seul, le vrai, est exclusivement produit dans la région dont il porte le nom. Méfiez-vous en revanche de certains vins pétillants italiens, espagnols, français ou californiens parfois servis sous le nom de champagne dans les réceptions et donnant d'affreux maux de tête. Contentez-vous de tremper poliment vos lèvres dans votre verre au moment de porter un toast.

La législation fait du champagne le vin à la qualité la plus étroitement contrôlée. Les raisins blancs de la variété chardonnay et leurs cousins noirs – pinot noir et pinot meunier – sont récoltés dans divers villages, parfois même sur plusieurs années, avant d'être mélangés par le maître de chai. Si le vin mis en bouteille provient de raisins d'une seule année exceptionnelle, on obtient un champagne millésimé, mis en vente trois à cinq ans après sa fabrication. Le champagne non millésimé, autrement dit multi-millésime, représente 85 % de la production : cela permet aux maîtres de chai de mélanger les récoltes, afin de maintenir une qualité et des caractéristiques constantes. Outre les cuvées ordinaires et millésimées, un très faible pourcentage de millésimes exceptionnels sert à créer les « cuvées de prestige », comme le Dom Pérignon ou La Grande Dame de Veuve Clicquot. Il s'agit là des meilleures bouteilles produites par les maisons de champagne.

Chaque champagne possède son propre style, largement lié à la combinaison de raisins qui lui est propre. Certains sont plus puissants, cela indique en général un mélange composé aux deux tiers de raisin noir. Quelques maisons utilisent exclusivement du chardonnay, cela donne du blanc de blancs. Il existe aussi des champagnes rosés, lesquels comportent le plus souvent une petite touche de vin rouge. L'âme du champagne réside toutefois dans ses fameuses bulles, nées d'une seconde fermentation dans la bouteille. Juste avant l'insertion du bouchon et l'apposition de l'étiquette, on ajoute dans la bouteille un peu de champagne additionné de sucre ; cela permet à la fermentation de continuer et au maître de chai d'ajuster la douceur du vin. Le brut est le plus sec de tous, l'extra-dry se révélant malgré son nom un peu plus doux, tandis que le demi-sec offre une saveur plus sucrée.

Selon Oscar Wilde, seules les personnes dépourvues d'imagination sont incapables de trouver une bonne raison de boire du champagne. Les Françaises en trouvent toujours...

Marier nourriture et vins

Les considérations qui suivent ne devraient sans doute pas constituer la dernière partie d'un chapitre consacré aux vins, mais plutôt en représenter la totalité. Les amoureux de la joie de vivre et de l'art de vivre le savent bien. Un vin ne révèle vraiment son identité profonde que dans le sacrement constitué par son mariage avec d'autres mets. Aucun véritable amateur de vin ne se contenterait du plaisir que peut apporter un verre bu en solo, sans l'accompagner de nourriture. Il le sait, s'agissant de plaisir, le total est plus élevé que la somme des parties. Je dirais même plus, en l'occurrence, un plus un égale onze et non pas deux. Voilà le type de résultat possible à obtenir si l'on gère activement son plaisir !

Il existe des mariages vin-nourriture classiques ; d'autres vous paraîtront plus improbables. De toute façon, si vous vivez une grande expérience, vous le saurez ! Parmi les classiques, citons un sauternes avec un fromage de la famille des bleus, de préférence du roquefort. Y auriez-vous songé tout(e) seul(e) ? Au chapitre de mélanges plus saugrenus, j'avoue raffoler du champagne avec la pizza, quelle qu'en soit la garniture. Puisque nous évoquons les unions douteuses fonctionnant parfois étonnamment bien, permettez-moi de vous exposer les deux règles de base des associations entre nourriture et vins. Règle numéro un : buvez du vin rouge avec la viande et du vin blanc avec les poissons et les volailles. Règle numéro deux, oubliez la règle numéro un ! Les normes gastronomiques sont certes utiles, mais elles reposent sur les expériences d'autrui et ne constituent en aucun cas des préceptes obligatoires. Les professionnels proposent quelquefois des mélanges incroyablement compliqués, tenant compte de la composition du vin, de sa région d'origine, de son millésime, et de chacun des ingrédients d'une recette. Changez la sauce et tout est bouleversé... Pour ma part, je cherche comme toujours à allier plaisir et simplicité. Rien ne vaut les moments d'extase que vous découvrirez tout(e) seul(e)...

La solution la plus simple consiste à boire le même vin tout au long du repas. Choisissez celui convenant le mieux à votre plat principal et ne détonnant pas particulièrement avec les autres. Dans un restaurant, je vous recommande de choisir la boisson avant votre entrée, autrement dit, de marier le vin avec la viande, puis de marier le reste du repas au vin choisi. Au moment où j'écris ces lignes, je me trouve à Beverly Hills et hier soir, j'ai dîné au champagne chez Spago. Parfait avec mon canard rôti et mon entrée de poisson.

Si vous choisissez de servir plusieurs vins, la règle de base consiste à aller du plus léger au plus corsé et du plus jeune au plus vieux. Cela signifie en général un vin blanc puis un rouge (on sert rarement du blanc après du rouge, hormis en raison d'un choix de fromage ou de dessert particulier). Autre exemple : champagne, apéritif sans égal, un vin blanc, puis un rouge. Dans le cas d'un menu encore plus compliqué : champagne, vin blanc, vin rouge jeune, vin rouge plus mature, vin sucré.

L'idée de boire en dernier les vins les plus âgés remonte au moins à l'épisode des noces de Cana, dans le Nouveau Testament. Les hôtes comptaient initialement servir les meilleurs vins en premier, avant que les invités ne soient trop ivres pour les apprécier. Jésus créa donc la surprise en transformant à la fin du repas l'eau en un vin qui se révéla meilleur que ceux servis auparavant. Aujourd'hui, nous le savons, le plaisir doit aller croissant au fil d'un repas. Cela ne signifie pas qu'il faille trop attendre, au risque de réserver votre meilleur mariage nourriture-vin à un palais fatigué et blasé.

Entrées

On recommande en général un vin blanc ou un vin pétillant avec les entrées. Avec des *antipasti* à l'italienne, proposez par exemple un pinot *grigio*, un pinot gris ou un sauvignon blanc. Avec des sushis ou du carpaccio de thon, du champagne ou un sauvignon blanc. Les asperges et les artichauts altérant considérablement la saveur des vins, ne gâchez pas vos meilleures bouteilles avec ces légumes. Vous pouvez essayer un sauvignon blanc bien herbeux avec un arrière-goût citrique. Quid du caviar ? Du champagne, bien sûr. Avec les huîtres ? Du chablis, du muscadet, du champagne ou un vin pétillant, ou encore, suivant le type d'huître et la recette choisie, un pinot gris ou un sauvignon blanc. Idem pour les palourdes et les autres coquillages. Avec des crudités, choisissez un pinot blanc, un chenin blanc ou un chardonnay léger. Avec du foie gras, du champagne, du vin pétillant ou encore un riesling vendanges tardives ou un sauternes. Avec des noix ou des olives ? Du champagne ou un autre vin pétillant. Le melon et le jambon de Parme offrent des possibilités intéressantes, à commencer par mon vin d'accompagnement favori, le muscat beaumes-de-venise.

Un pinot blanc convient aussi. Avec une quiche, je recommande du chardonnay, du viognier, du riesling ou un vin pétillant. Les coquilles Saint-Jacques appellent le sauvignon blanc, le chardonnay, les vins pétillants ou le sémillon. En revanche, les poissons fumés, truites ou harengs, se marient à merveille avec un riesling, un gewürztraminer, un pinot blanc ou un vin pétillant.

Avec un potage, en général, on ne sert pas de vin. Les salades posent un problème, car leur assaisonnement est le plus souvent à base de vinaigre. La meilleure solution, à part boire de l'eau, consiste à opter pour un sauvignon blanc, notamment avec les salades composées comme la niçoise.

Pour les pâtes, même en salade, on pense aussitôt à un chianti léger. La salade de pâtes peut aussi se servir avec un sémillon ou un rouge léger. Les pâtés apprécient en guise d'escorte des variétés aussi diverses que le gewürztraminer, les vins pétillants, le pinot gris et le beaujolais. Avec des pâtes en entrée ou en plat principal, tout dépend de la sauce et des ingrédients ajoutés. Si elles sont aux fruits de mer, optez bien évidemment pour un blanc, pinot grigio, pinot gris, vernaccio de San Gimignano, sauvignon, sauvignon blanc ou pinot blanc. Avec des légumes, un sauvignon blanc, un pinot blanc, un pinot grigio, un pinot gris, un vernaccio de San Gimignano ou un barbera me conviennent tout à fait. Une sauce crémeuse sera agréablement contrebalancée par l'acidité d'un chardonnay ou d'un pinot blanc, entre autres vins blancs. Et avec les pâtes à la sauce tomate, essayez un rosso di Montepulciano, un zinfandel ou un côtes-du-rhône. Évitez les vins vieux, car la sauce tomate tuerait leurs saveurs subtiles.

Les vins rouges représentent le premier choix avec les charcuteries comme le saucisson, le jambon cru, le chorizo ou le jambon serrano. Idem pour le carpaccio de bœuf. Tentez le chianti, le barbera ou un ribera del duero plus corsé. Les viandes froides, notamment le poulet, vont bien avec un pinot gris, un riesling, un beaujolais ou tout autre vin rouge léger.

Poisson, coquillages et fruits de mer

Pour moi, le homard appelle sans conteste un chardonnay de Bourgogne ou de la Napa Valley. J'apprécie aussi un chablis de qualité ou du champagne. Je ne saurais vous dire combien de fois nous avons jeté des homards dans l'eau bouillante un dimanche noir pour le déguster arrosé de bulles. Le crabe se marie bien avec le sauvignon blanc, le chardonnay et le champagne. Mes chères moules adorent la compagnie du muscadet, du pinot gris, du pinot blanc, du chenin blanc ou peut-être un albariño espagnol. Un chardonnay léger comme un saint-véran convient avec la plupart des coquillages, les blancs un peu acides me paraissent les plus indiqués. Avec les crevettes, essayez un riesling, un pinot grigio, un pinot gris, un pinot blanc ou un sauvignon blanc. Les poissons blancs à la saveur plus délicate, comme le rouget et le bar, préfèrent la compagnie d'un chardonnay. Cependant, lorsque la sauce et la garniture le permettent, on peut aussi proposer un riesling, un pinot blanc, un viognier, comme avec les autres poissons blancs. Edward et moi sommes partisans du vin rouge, en particulier du pinot noir, s'agissant du poisson dont nous raffolons tous pour ses bienfaits cardiovasculaires, le saumon. Même chose pour le thon, avec peut-être un merlot rouge, ou à la rigueur un sauvignon blanc, un pinot gris ou un chardonnay (dans cet ordre), ainsi que pour l'espadon, quoique j'apprécie aussi de l'arroser d'un vin pétillant, en particulier d'un champagne rosé.

Viande et volailles

Le poulet a la réputation de s'accommoder de presque tous les vins blancs ou rouges, mais j'avoue une nette préférence pour les rouges du sud de la vallée du Rhône.

Edward raffolant de poulet rôti, nous en mangeons régulièrement aussi bien à Paris qu'en Provence ou à New York. Et nous l'accompagnons d'un côtes-du-rhône, d'un gigondas ou, à l'occasion, d'un châteauneuf-du-pape. Comme il s'agit là de préférences déterminées au fil de ma vie d'adulte, je ne vois pas de raison d'en changer. En revanche, si dans quelque temple étoilé de la gastronomie, on nous apporte du poulet dissimulé dans une préparation complexe, nous abandonnerons sans doute nos préférences simples pour opter pour un chardonnay plus élégant ou, plus probablement, un châteauneuf-du-pape blanc.

N'importe lequel de ces blancs ou un pinot me semblent parfaits avec une recette de poussin. Le canard implique un rouge, avec en premier choix le pinot noir. Mes souvenirs du célèbre canard de La Tour d'Argent, le prestigieux restaurant parisien, accompagné de grands bourgognes constituent ma référence de base. Toutefois, quantité de personnes apprécient un merlot ou un cabernet sauvignon avec le canard, voire un saint-émilion, un bordeaux combinant ces deux types de raisin avec en plus du cabernet franc. Idem pour le barbaresco. Avec du faisan, je servirais un pinot noir, peut-être un syrah ou – pourquoi pas ? – du champagne rosé. Les cailles imposent en revanche le pinot noir. L'oie autorise des vins rouges plus corsés, notamment des côtes-du-rhône épicés. Vient à présent la dinde. Chaque année à l'approche de Thanksgiving, les magazines proposent leurs suggestions en matière de vin. Nous choisissions patriotiquement un zinfandel californien. Toutefois, un barbaresco représente un choix tentant, tout comme le pinot noir. Un chardonnay blanc convient aussi, mais nous préférons le réserver aux blancs de dinde, en particulier en sandwich.

Le veau, à l'instar du poulet, se révèle une viande accommodante, avec laquelle on recommande un chardonnay, quoique un rouge léger soit tout à fait acceptable. Le porc, plus parfumé, peut parfois s'unir à un grand vin blanc comme un châteauneuf-du-pape blanc, mais je préfère un rouge moyennement corsé comme un merlot ou un tempranillo espagnol. Avec du filet de porc, vous pouvez opter pour un blanc fruité, par exemple un riesling allemand ou un viognier. Le lapin cuisiné sans fioritures accepte fort bien un blanc comme un riesling ; les préparations et les sauces plus roboratives appellent, quant à elles, un pinot noir, un merlot ou un syrah.

Les rouges corsés sont à l'unanimité considérés comme le choix idéal avec l'agneau, le bœuf, le gibier ou les saucisses. J'accompagne volontiers l'agneau de bordeaux, de merlot, de pinot noir corsé, de côtes-du-rhône ou de zinfandel. Le bœuf m'incite à ouvrir les bons bordeaux que je conservais pour une telle occasion, ou encore un cabernet sauvignon de la Napa Valley. Cela dit, un excellent vin toscan représente une solution de choix, en particulier si vous avez déjà goûté au *bistecca fiorentina*, le bifteck à la florentine. Je vous mets également au défi de boire du champagne avec un simple steak grillé : voilà un mélange vraiment réussi. Avec un barbecue, invitez chez vous un côtes-du-rhône ou un zinfandel. Je propose ces mêmes vins avec des saucisses, ou bien un riesling. Quant au gibier, il exige incontestablement un côtes-du-rhône ou un zinfandel ; nous préférons un pinot noir.

Autres plats principaux

Avec des plats exotiques épicés issus de cultures ne pratiquant guère l'art de vin, certains pensent que boire du vin constitue un gâchis. Ce n'est pas mon avis. En fait, de tels mariages offrent à mon sens quelques-unes des aventures gustatives les plus fascinantes à tenter. Avec les currys de poisson ou de poulet, essayez un riesling. Les plats chinois épicés s'accommodent bien de vins pétillants, ainsi que de riesling, de pinot gris ou blanc ou, côté rouge, d'un merlot. La cuisine mexicaine fort pimentée s'arrose idéalement de bière. Mais vous pouvez aussi tenter un riesling, un pinot gris ou un beaujolais. Je trouve que la cuisine thaïe se marie souvent bien avec les vins blancs fruités, le riesling, le gewürtztraminer, mais aussi avec les pinots blancs ou les vins pétillants. Pour le couscous, faites appel à un merlot ou même un cabernet franc ou un côtes-du-rhône. Avec la moussaka, du merlot, un zinfandel, un sangiovese ou un barbera. Avec la pizza, vous le savez, je bois du champagne... mais pensez d'abord au chianti, quelle que soit la garniture. Le barbera et le zinfandel conviennent également.

Fromages

Le fromage représente sans conteste l'escorte la plus valorisante pour un vin, quel qu'il soit. Il s'agit d'une union très facile à réaliser, même si certaines fonctionnent mieux que d'autres. Pensez toujours à associer des vins locaux avec les fromages du pays. On boit le plus souvent du rouge à ce stade du repas, d'abord parce qu'il est déjà dans votre verre ou dans la bouteille à la fin du repas, lorsque le fromage arrive sur la table. J'appartiens à l'école du vin blanc avec le fromage et il m'arrive parfois (quoique pas toujours) de revenir au blanc pour le fromage, après avoir bu du rouge avec le plat principal. Avec les fromages de chèvre frais, j'apprécie les champagnes classiques ou rosés, les vins blancs de pays, ou encore le sauvignon blanc, le sancerre ou le chablis ; les amateurs de rouge opteront pour un pinot noir ou un merlot. Les chèvres secs aiment les bourgognes blancs, le chardonnay, ou encore un pinot noir, un merlot, un sangiovese, un syrah ou un cabernet sauvignon. Avec les fromages à pâte tendre à base de lait de vache ou de brebis, le pinot noir ne déçoit jamais. Pour les fromages à pâte dure, le cabernet sauvignon, le syrah, le merlot, le pinot noir, le barbaresco, le barolo ou le zinfandel constituent de bons compagnons... mais aussi un bon bourgogne blanc, un chardonnay ou un grand champagne rosé. Avec les fromages de la famille des bleus, dotés d'une saveur puissante, je recommande les vins doux comme le sauternes, le riesling vendanges tardives, le tokay de Hongrie ou encore le porto.

Desserts

Parfois un vin doux constitue en lui-même un dessert. Sinon, les tartes aux pommes et aux autres fruits acceptent volontiers l'escorte d'un riesling vendanges tardives ou d'un vin pétillant demi-sec. Le sauternes, le tokay hongrois ou le vino santo satisferont votre goût pour les sucreries, en particulier avec des fruits rouges. Le muscat accompagne à merveille le melon, surtout le muscat beaumes-de-venise. Je n'aime guère le vin avec les autres fruits frais ou les glaces. Les vins doux de dessert conviennent bien aux mousses, crèmes brûlées et entremets divers, qu'il s'agisse d'un vin pétillant demi-sec, de riesling vendanges tardives, de muscat ou des divers vins de glace. Même remarque pour les gâteaux et les biscuits : ils s'accordent aussi avec un doigt de sauternes, de vino santo ou de malvasia de Lipari. Reste pour finir le chocolat. Si vous avez décidé d'en prendre en guise de dessert, demandez-vous si cette friandise ne se suffit pas à elle-même. Si tel n'est pas le cas, accompagnez-le d'un peu de vino santo, de sauternes, d'un xérès doux, ou encore d'un tokay ou d'un muscat liquoreux. Certains apprécient également le cabernet sauvignon. Et vous ne regretterez jamais de savourer les dernières gouttes de rouge du dîner avec votre carré de chocolat.

Le délicat ordre des choses

Dans la vie courante, nous choisissons ce que nous avons envie de manger, puis un vin pour accompagner ce mets. Face à un menu, consultez la liste des vins ou le sommelier. Il nous arrive aussi d'étudier nos stocks de bouteilles pour savoir si ce dont nous disposons convient aux plats prévus. Mais certains amateurs de vins, dont mon mari, choisissent parfois leur vin en premier, puis un plat pour l'accompagner. Sachant qu'une recette délicieuse accompagnée d'un vin médiocre constitue une mauvaise expérience et ayant souvent souffert dans de bons restaurants de choix de vins trop rapides, il a instauré la règle suivante : si nous dînons pour la première fois dans un restaurant, il commence par lire la carte des vins, afin de sélectionner quelques candidats. Ensuite seulement, il se penche sur le menu afin de trouver un plat qui se mariera bien avec le (ou les) vins qu'il a en tête. Mon seul problème est qu'il lui arrive couramment de lire la carte des vins de bout en bout. Donc, quand nous dînons en tête à tête, je me vois contrainte de monologuer jusqu'à ce qu'il lève enfin le nez de la carte. Cela dit, je préfère accompagner une personne trop préoccupée du choix de son vin qu'une personne sans exigence. Et puis, en cas de doute, je peux opter pour du champagne, qui, comme chacun sait, va avec presque tous les mets !

7

L'ART DE RECEVOIR

Ses talents culinaires, sa générosité naturelle et son énergie apparemment sans bornes incitaient ma mère à recevoir dès que possible, faisant preuve d'une hospitalité typiquement alsacienne. Je le voyais bien, les mamans de mes camarades de classe ne partageaient pas l'enthousiasme de la mienne en la matière. Elles appréciaient, certes, de mettre de temps à autre les petits plats dans les grands, lors d'une fête d'anniversaire, par exemple, mais une telle épreuve ne devait pas se répéter trop souvent. Réunir des amis autour de leur table, d'accord, mais consacrer des heures à préparer un repas à leur intention leur souriait nettement moins : elles préféraient lancer des invitations pour le café ou l'apéritif.

Celles et ceux qui aiment vraiment recevoir ne raisonnent pas du tout ainsi ; ils cherchent au contraire à multiplier les occasions de convier leurs amis. Cela dit, donner un déjeuner, un dîner ou même un cocktail requiert un travail certain. On ne réunit pas les gens au hasard. Il faut concocter un mélange approprié, afin de réunir des personnes pouvant s'apprécier mutuellement. N'oubliez pas cela, on n'invite pas seulement pour se faire plaisir. Le souci de faire passer une bonne soirée à vos hôtes doit primer. Pensez à donner (de vous-même) avant de prendre (l'amitié des autres).

310

Autre conseil : si la courtoisie la plus élémentaire impose d'organiser les choses au mieux et de s'attacher à offrir de soi une image aussi agréable que possible, ne stressez pas trop. Vos invités ne viennent pas vous juger ni attribuer une note à vos talents d'hôtesse. D'abord, la plupart d'entre eux se sont déjà fait une opinion avant d'arriver. De plus, s'ils ont accepté votre invitation, cela signifie *a priori* qu'ils vous apprécient. Et même les moins enthousiastes ou les personnes vous inspirant encore des doutes ont envie de passer un bon moment – nul n'arrive déterminé à s'ennuyer ! Vous vous trouvez donc en position de force dès leur arrivée. Conclusion, détendez-vous ! Vous êtes qui vous êtes et votre maison est ce qu'elle est. Restez vous-même, efforcez-vous de vous amuser et la réception se déroulera sans anicroche. Vous avez vraiment tous les atouts en main !

Dans toutes les cultures, les fêtes, religieuses ou autres, donnent lieu à des rituels spécifiques. Recevoir dans un tel contexte implique quelques obligations supplémentaires ; là, on attend de vous un certain nombre de choses – à Noël, un décor de saison et une bûche au dessert, un gâteau couronné de bougies lors d'un anniversaire – et vous ne voudrez pas décevoir vos convives. Encore une fois, il s'agit d'accomplir un acte d'amour. Quand on fait une chose, on la fait bien et le moment est mal choisi pour envoyer promener les traditions par pur souci d'originalité. Pensez à vos hôtes avant de vous demander ce que vous souhaiteriez faire. Il ne manquera pas d'autres occasions pour laisser libre cours à votre imagination et à votre esprit d'innovation.

En-dehors de ces circonstances empreintes de tradition, vous êtes libre de dicter vos règles et de vous montrer extravagante ou audacieuse. Un seul bémol, comme pour toute réception, concentrez-vous sur vos invités. Votre objectif ultime doit toujours être d'instaurer une ambiance chaleureuse et de mettre vos invités à l'aise. Cela suppose que vous-même vous sentiez bien dans votre peau, détendue et prête à veiller au bien-être de chacun.

Ne vous croyez pas obligée de proposer des mets dignes d'un grand restaurant pour que vos amis rentrent chez eux satisfaits. Je dirais même plus, une hôtesse qui en fait trop risque de créer une atmosphère artificielle, voire pesante. Laissez-vous guider par la saison plutôt que par les magazines de décoration vous expliquant comment organiser une garden-party élyséenne. Faites simple, ajoutez vos touches personnelles et tout se passera bien. Je recommande toutefois de réserver les réceptions formelles – quoi que ce terme signifie à vos yeux – à la saison froide et de recevoir de manière plus détendue par beau temps.

Bien évidemment, on ne réserve pas le même accueil à un petit groupe d'amis proches ou de membres de la famille, à des collègues de bureau ou à des clients potentiels. Je me livre fréquemment à ces divers types d'exercice. Dans mon activité professionnelle, je donne des petits dîners et j'organise de grands événements rassemblant plusieurs centaines d'invités. Côté vie privée, Edward et moi recevons plusieurs fois par semaine. La solution la plus simple, même si elle s'avère plus onéreuse, consiste à emmener vos hôtes au restaurant. On peut cependant fort bien inviter chez soi sans plus se compliquer la vie que si l'on préparait un simple dîner pour deux. Prévoyez seulement quelques détails élégants en l'honneur des convives supplémentaires. Tant de nos contemporains ont renoncé à recevoir chez eux, sous prétexte de manque de temps ou d'espace. Les dîners à domicile sont devenus aussi rares qu'appréciés ! Le soin mis à choyer vos invités compte bien plus que le luxe du menu proposé.

Passons à présent à votre allure. Consacrez quelques minutes à l'aspect que vous offrirez à ces personnes qui prennent la peine de venir chez vous. Pas question, bien sûr, d'enfiler une robe longue ! Troquez simplement votre chemisier contre un haut un peu plus festif, rehaussez votre pull d'un collier plus habillé ou enfilez des chaussures élégantes. Bref, montrez subtilement que vous avez fait un effort. Rien de plus gênant que de se voir ouvrir la porte par une maîtresse de maison échevelée, semblant avoir passé des heures derrière ses fourneaux ! Je m'efforce de servir autant que possible des plats pouvant se préparer entièrement ou en grande partie la veille, et j'y mets la dernière touche en un tournemain. Ce n'est pas en passant la moitié de la soirée dans la cuisine que l'on crée une atmosphère conviviale. Vos hôtes se sentiront plutôt gênés d'occasionner tant d'efforts, cela peut refroidir le convive le plus jovial. Détendez-vous et favorisez les échanges entre vos invités.

Paris est une fête !

Toute maîtresse de maison le sait, il faut toujours faire en sorte que les invités puissent circuler et changer d'interlocuteur. Sinon, ils finissent immanquablement par bavarder avec les personnes qu'ils connaissent déjà sans se préoccuper des autres. Avant même d'avoir le temps de vous retourner, vous aurez l'impression de donner plusieurs réceptions de deux ou trois personnes chacune. Dans le cas d'un dîner assis, comment échapper à la routine « apéritif dans le salon, dîner dans la salle à manger où dans la cuisine, puis retour au salon pour prendre le café ou un dernier verre » ?

La solution passe d'abord par une bonne maîtrise de l'espace dont vous disposez. Efforcez-vous de le considérer d'un œil plus imaginatif : si je déplaçais ces fauteuils, ou cette table... Vous découvrirez que vos pénates offrent bien des possibilités, peut-être même, avec un peu de chance, que vous avez plus de pièces de réception que vous ne l'imaginiez, à l'intérieur ou à l'extérieur. Notre appartement new-yorkais, par exemple, ne possède pas une configuration idéale pour recevoir, car il est réparti sur trois niveaux à l'intérieur et deux à l'extérieur. Il est très agréable – et beaucoup moins grand qu'une telle description ne peut le laisser supposer. Imaginez une petite maison de pain d'épice sur le toit d'un immeuble. Il n'empêche, sa configuration plus verticale qu'horizontale exige des efforts supplémentaires pour éviter la formations de groupes dans l'entrée, dans le salon ou sur la terrasse. Nous accueillons donc nos invités soit en haut, soit sur la terrasse, afin de les maintenir si possible rassemblés. Plus tard, tous essaimeront naturellement vers le centre de gravité de la réception – en général le salon – ou autour de la porte d'entrée, à mesure que la soirée prend son rythme de croisière.

Pour favoriser encore les mouvements des invités, ne les laissez jamais tout seuls. Dès qu'une personne arrive, je l'entraîne vers le cœur du groupe. En la présentant, veillez à offrir un point de départ pour un conversation : « Jean, voici Anne-Marie, qui revient d'un voyage au Mexique. » En revanche, je me refuse absolument à présenter les gens par leur profession, et même à l'évoquer. D'abord, je trouve cela ennuyeux, et puis on risque de faire des gaffes.

Dès que le temps le permet, en particulier à la campagne, nous évoluons entre l'intérieur et l'extérieur – c'est toujours agréable. En Provence, un verre sera ainsi servi sur la terrasse, après quoi nous rejoindrons la table dressée dans une autre pièce, pas obligatoirement la salle à manger ; il nous arrive de déplacer la table pour l'occasion, comme on le faisait dans les grandes demeures au XVIIe siècle. Le but du jeu consiste à donner en permanence une impression de mouvement et d'aventure.

Si nous avons prévu un dîner à la maison mais manquons de temps, il nous arrive d'emmener nos amis au restaurant après leur avoir offert un verre chez nous, cela peut être un bon compromis. À Paris comme à New York, nous disposons d'un bon choix de tables agréables à deux pas de nos pénates. En Provence, les choses sont encore plus simples ! « On dîne ensemble » signifie le plus souvent : « On passera prendre l'apéritif en grignotant quelques olives chez un voisin ou un ami, où l'on retrouvera d'autres amis, après quoi, nous irons tous au restaurant du village. » Si nous recevons pour l'apéritif, je propose un simple verre de champagne ou de rosé de Provence accompagné de petites coupes d'olives, de billes de melon et de fines tranches de saucisson ou de jambon cru. La glace est rompue ; si quelques nouveaux se trouvent présents, on fait plus facilement connaissance en se retrouvant directement au restaurant. Une telle organisation évite en outre d'y attendre que tout le monde arrive. Cela n'a rien d'amusant, surtout si l'on compte parmi ses amis des personnes fâchées avec la montre. Au restaurant, pas question de reprendre un apéritif ! Nous nous contentons souvent d'un seul plat : cela allège considérablement les additions. Nous retournons parfois à la maison pour y prendre un café et un dessert. Ce genre de repas me convient tout à fait, avec des pauses obligatoires entre les plats : ainsi, nul ne mange ni ne boit trop. Cela permet un équilibre entre le coût d'un dîner à l'extérieur et le temps nécessaire à la préparation d'un dîner à la maison. En plus, la soirée comporte un brin de marche à pied ! Rappelez-vous, la vie est mouvement, au sens propre comme au sens figuré.

La carte du jour

Pour un dîner placé, pensez à prévoir un rythme de service approprié et à présenter les mets de manière agréable. Il ne suffit pas de servir un bon repas pour être une bonne hôtesse. Comme dans un restaurant, vous ne devez pas laisser les convives attendre en se tournant les pouces et en se demandant ce qui se passe en cuisine. Ne tombez pas dans l'excès inverse en proposant une surabondance de victuailles. Pensez à ne pas laisser l'apéritif se prolonger trop. Certes, cela lance efficacement la soirée, mais des invités légèrement éméchés et gavés de canapés ne feront guère honneur à votre cuisine. En fait, vous risquez de vivre une soirée mémorable... mais de celles que l'on préférerait oublier ! Considérez-vous comme responsable de l'équilibre de chacun pendant cette soirée. Un verre avant le dîner met de l'ambiance et aide tout le monde, à commencer par vous, à se détendre. Mais j'évite – et je vous suggère vivement d'en faire autant – de proposer un *open bar* au début de la soirée. Un verre de vin ou de champagne suffit amplement – et je prévois toujours de l'eau minérale.

Ainsi, vos invités s'attableront sans s'être auparavant émoussé les papilles ; cela leur permettra de profiter pleinement des petits plats concoctés par vos soins et d'apprécier à leur juste valeur vos efforts pour les régaler. En revanche, je propose volontiers des digestifs et des breuvages à volonté après le dîner, même si pour ma part je reste fidèle à ma philosophie de modération et d'équilibre... et à la Solution des 50 %. (Réfléchissez : avez-vous vraiment besoin, ou envie d'ailleurs d'un second whisky ? Vous paraîtra-t-il aussi délectable que le premier ? Pourquoi ne pas le remplacer par un verre d'eau, excellent pour vous ?)

Comme vous avez dû le comprendre, quand je sers du vin, je propose aussi de la nourriture. Cette règle ne souffre aucune exception. Parmi les petites entrées que j'aime à préparer et à faire circuler avant un dîner ou lors d'un cocktail, voici quelques recettes traditionnelles héritées de ma famille.

GOUGÈRES GEORGIA AU GOUDA

(pour 8 personnes)

Les gougères sont ces petits choux au fromage servis à l'apéritif. Certes, on en trouve dans les pâtisseries, mais elles sont très faciles à confectionner – et comme les profiteroles ou les éclairs requièrent une pâte identique, cela vaut le coup de se donner la peine de la maîtriser ! Idéalement, les gougères se dégustent chaudes ; cela peut poser un problème de timing. Réservez-les de ce fait aux dîners commençant par une entrée froide. Dans mon enfance, on n'en servait que si Mamie ou une autre bonne âme disposait de la demi-heure nécessaire pour les préparer avant l'arrivée des invités. Elles accompagnaient immanquablement le « plop » d'un bouchon de champagne – on considère en effet qu'elles se marient au mieux avec le vin des rois. Nous en connaissions quantité de variantes... L'une de mes tantes – celle que j'appréciais le moins, d'ailleurs – se targuait de préparer les meilleures de la contrée. Un jour que le sujet revenait une fois de plus sur le tapis, je me mêlai au débat et affirmai, du haut de mes quinze ans, que les meilleures gougères étaient celles au gouda de Georgia. Nul n'ayant entendu parler de ladite Georgia, encore moins de ses petits fours, j'obtins un certain succès.

Je n'avais plus songé à cette expression depuis des lustres quand l'excellent film Ray, consacré à la vie de Ray Charles, me l'a remise en mémoire... De treize à dix-sept ans, j'ai donné des cours de catéchisme à l'école du dimanche ; après quoi je rejoignais mes meilleures amies et nos soupirants du moment. Nous nous retrouvions en fin de matinée dans une vaste brasserie proche de la gare qui présentait l'avantage de posséder un juke-box proposant les derniers succès anglais et américains. Nous écoutions pêle-mêle les Beatles, Sydney Bechet ou Ray Charles, sans d'ailleurs comprendre un traître mot de leurs chansons – nous venions tout juste de commencer à étudier l'anglais. À force, nous parvenions cependant à en baragouiner les paroles. Et les adolescentes romantiques que nous étions, mon amie Simone et moi, étions persuadées que Georgia on My Mind évoquait une jeune femme et non une région – la géographie des États-Unis figurait pourtant elle aussi au programme scolaire. La patronne de notre QG préparait des gougères pour le repas dominical des siens et, comme elle nous aimait bien, elle nous en apportait toujours une petite assiette. Leur goût particulier venait de ce qu'elle utilisait du gouda au lieu du gruyère traditionnel.

Le résultat était succulent et ces petits fours devinrent nos « gougères Georgia au gouda » (aussi appelées GGG) !

Voyant dans mon intervention une simple bravade d'adolescente en révolte, mes tantes me mirent au défi de leur montrer la recette de cette fameuse Georgia. Heureusement, le dimanche suivant, Mme Lemaire accepta de me l'écrire sur un morceau de papier. À l'époque, je n'ai pas essayé de la réaliser, mais les spécialistes de ma famille ne m'en ont dit que du bien. Je l'ai retrouvée tout récemment, en rassemblant des recettes pour ce livre... Les classiques utilisent en général du lait plutôt que de l'eau, du gruyère ou du parmesan et non du gouda, et ne comportent ni échalotes ni cumin – la touche aromatique propre à surprendre vos invités.

INGRÉDIENTS

40 g de gouda (ou moitié gouda, moitié comté) coupé en dés
5 œufs
7 noix de beurre
170 g de farine + 3 cuillerées à soupe
2 cuillerées à soupe d'échalotes hachées
1 cuillerée à soupe d'huile d'olive
1 cuillerée à café de sel
1 généreuse pincée de graines de cumin

1. Préchauffez le four à 190 °C.
2. Chauffez l'huile dans une poêle et faites dorer l'échalote à feu doux. Laissez refroidir.
3. Versez 20 centilitres d'eau dans une casserole, ajoutez le beurre et le sel. Quand l'eau bout, ajoutez la farine en une fois et mélangez au fouet jusqu'à obtenir une boule compacte et homogène. Hors du feu, incorporez les œufs un à un pour que la pâte devienne souple et collante.
4. Incorporez les échalotes puis, délicatement, les dés de gouda et les graines de cumin.
5. Prélevez des billes de pâte à l'aide d'une cuillère à café et disposez-les écartées de 2 à 3 centimètres sur une plaque de cuisson recouverte de papier sulfurisé. Mettez au four pendant 20 à 30 minutes : les gougères doivent être bien gonflées et dorées. Servez-les tièdes.

QUICHE LORRAINE

(pour 6 à 8 personnes)

Vous connaissez maintenant les discussions qu'une simple recette de gougères déclenchait au sein de ma famille. Vous pouvez donc imaginer les passions allumées par la quiche lorraine dans toute cette province... Voilà un débat dans lequel je ne me suis jamais aventurée, même si j'ai toujours pensé que la version de ma mère remportait la palme.

Lorsque nous recevions pour le déjeuner du dimanche entre l'automne et Pâques, Mamie nous faisait déjeuner plus tôt qu'à l'accoutumée, afin de pouvoir se lancer dans la préparation de sa fameuse quiche. Elle la servait tantôt en entrée, tantôt en plat principal. Vous pouvez l'accompagner d'une simple salade verte, à moins que vous ne préfériez incorporer des brocolis ou des poireaux cuits à la vapeur dans votre quiche – mais là, on s'éloigne de la véritable quiche lorraine. En tout cas, elle se marie fort bien avec un vin blanc local ou un rouge léger. Voici une quinzaine d'années, j'ai vu cette recette de mon enfance devenir le plat à la mode dans mon pays d'adoption. Une véritable folie ! En fait, le mets servi sous ce nom outre-Atlantique n'avait pas grand-chose à voir avec une authentique quiche lorraine. Depuis, je m'emploie à remettre les choses au point.

INGRÉDIENTS

1 pâte brisée crue achetée toute faite (pur beurre et non sucrée) ou maison
120 g de gruyère râpé
90 g de lardons coupés en dés
4 œufs
25 cl de crème fraîche épaisse
Sel, poivre fraîchement moulu

1. Préchauffez le four à 165 °C.
2. Étalez la pâte brisée et posez-la dans un plat à tarte de 20 centimètres de diamètre, recouvrez-la de papier aluminium sur lequel vous disposerez des haricots secs. Mettez au four pendant 10 minutes.
3. Augmentez la température du four à 190 °C. Battez les œufs avec la crème et le gruyère râpé. Salez et poivrez.
4. Plantez les dés de lardons dans la pâte précuite et versez la mixture à base d'œufs par-dessus. Faites cuire la quiche de 30 à 40 minutes, jusqu'à ce qu'elle prenne et dore légèrement. Servez-la tiède.

TARTINES AUX COQUILLES SAINT-JACQUES

(pour 6 personnes)

Ma marraine Alice incarnait la Française telle que les stéréotypes la présentent : mince, chic, modèle d'élégance dans tous les domaines, de la cuisine à ses tenues en passant par la décoration de sa maison. J'ai passé de nombreuses vacances chez elle, près de Paris, et son mode de vie m'a durablement marquée. Tout comme ma mère, elle adorait recevoir – au champagne, s'il vous plaît ! –, mais elle prêtait plus d'attention à la présentation des mets et dressait des tables éblouissantes. Elle commençait ses préparatifs à l'avance et ajoutait à la dernière minute quelques éléments frais en guise de touche finale. Rien n'égale encore à mes yeux ses mini-tartines. Pour ma marraine, les sandwichs classiques contenaient trop de pain – imaginez ce qu'elle aurait pensé d'un hamburger géant... – et n'étaient guère esthétiques car ils cachaient leur contenu, qu'elle s'appliquait à rendre aussi beau que savoureux ! Elle choisissait toujours des pains différents pour chaque variété de tartine. Au printemps, elle proposait en général trois sortes de garnitures à base de poisson ou de fruits de mer ; en automne et en hiver, il s'agissait d'un trio de viandes ou de fromages. Ses buffets comportaient toujours une grande salade composée. Le nombre idéal de convives pour un dîner était selon elle six personnes : assez pour une conversation stimulante, assez peu pour qu'elle puisse s'occuper d'eux sans aide. Ses recettes de mini-tartines m'ont souvent sauvé la mise lors de dîners impromptus.

INGRÉDIENTS

10 coquilles
Saint-Jacques
6 tranches de pain
aux noix (ou de
pain aux olives)
6 champignons de
Paris nettoyés et
coupés en
tranches
100 g de mesclun
4 cuillerées à
soupe d'huile
d'olive

1. Versez une cuillerée à café de vinaigre sur les champignons. Rincez les coquilles Saint-Jacques, essuyez-les, salez-les et poivrez-les.
2. Chauffez une cuillerée à soupe d'huile à feu vif dans une grande poêle. Saisissez les Saint-Jacques pendant 1 minute de chaque côté. Retirez-les de la poêle et coupez-les en tranches.
3. Dans un saladier (si vous utilisez un modèle en bois, frottez-en l'intérieur d'ail), mélangez le reste du vinaigre et de l'huile ; ajoutez le sel et le poivre. Ajoutez le mesclun et retournez-le.

2 cuillerées à café
de vinaigre de
xérès

1 gousse d'ail
épluchée (si vous
utilisez un saladier
en bois)
Sel, poivre
fraîchement
moulu

4. Répartissez la salade sur les tranches de pain grillé, garnissez-les de Saint-Jacques et de champignons, ajoutez un soupçon de poivre et servez.

TARTINES AU CRABE

(pour 6 personnes)

INGRÉDIENTS

120 g de chair de crabe
6 tranches de pain aux figues grillé (ou de pain au levain)
25 cl de yaourt
1 pamplemousse
1 cuillerée à café de paprika ou de piment de Cayenne
Sel, poivre fraîchement moulu

1. Épluchez le pamplemousse à vif, séparez ses quartiers et débarrassez-les de leur membrane.
2. Mélangez le yaourt et le paprika. Salez et poivrez à votre goût.
3. Répartissez le pamplemousse et la chair de crabe sur les tartines avec un peu de yaourt épicé. Proposez le reste du yaourt dans un bol pour que les convives puissent en rajouter s'ils le souhaitent.

TARTINES AU FROMAGE DE CHÈVRE ET AU FENOUIL

(pour 4 personnes)

INGRÉDIENTS

120 g de fromage de chèvre frais
4 tranches de pain de seigle grillé
1 bulbe de fenouil coupé en tranches fines
Sel, poivre fraîchement moulu

1. Étalez le fromage sur le pain, garnissez de fenouil, salez et poivrez à votre goût... et servez.

- -

TARTINES AU SAUMON ET AUX POIREAUX

(pour 4 personnes affamées ou 8 grignoteuses)

INGRÉDIENTS

120 g de saumon fumé
1 baguette au levain
2 blancs de poireaux cuits et coupés en rondelles
1 cuillerée à soupe d'aneth frais ciselé

1. Coupez la baguette en tranches de 2 à 3 centimètres d'épaisseur.
2. Garnissez chacune de ces tranches de 30 grammes de saumon fumé, une cuillerée à soupe de poireaux et une pincée d'aneth.

- -

Vous pouvez ajouter quelques gouttes de citron fraîchement pressé ou d'huile d'olive.

TARTINES AUX CREVETTES

(pour 6 personnes)

INGRÉDIENTS

18 crevettes
épluchées et
nettoyées
6 tranches de pain
noir (ou de pain
de seigle) grillé
2 pommes lavées
et coupées en
cubes sans
épluchage
1 cuillerée à soupe
d'huile d'olive
1 noix de beurre
1 citron, ou 1
citron vert (zeste
et jus)
Sel, poivre
fraîchement
moulu

1. Faites revenir les pommes à feu moyen
   dans une grande poêle avec le beurre
   fondu. Ajoutez le jus du citron et mélangez pendant quelques minutes. Saupoudrez d'un peu de zeste de citron et de
   poivre. Retirez les pommes de la poêle
   et réservez-les. Laissez refroidir.
2. Dans la même poêle, versez l'huile et
   faites cuire les crevettes à feu vif sans
   cesser de remuer. Au bout de 2 minutes
   environ, ajoutez le reste du zeste de
   citron et salez. Laissez refroidir.
3. Quand les pommes et les crevettes sont
   à température ambiante, garnissez les
   tartines.

S'agissant du repas lui-même, la clé du succès réside dans l'art de faire de lui une expérience sensorielle bien orchestrée. Les mets servis comptent moins que la manière de les servir. Toutes les combinaisons d'entrées et de plats principaux dans ce livre conviennent aussi bien pour un dîner à deux que pour une tablée importante. Que vous receviez votre famille ou des personnes moins proches, songez-y : les mets simples préparés à partir d'ingrédients de qualité se révèlent toujours satisfaisants, pourvu que vous en offriez la diversité attendue d'un repas équilibré.

Quand on reçoit, on peut toutefois exprimer le soin mis pour préparer le repas dans les finitions apportées à ce dernier. Un simple velouté de courge impressionne bien plus les convives si vous le présentez hérissé de tiges de ciboulette décoratives et colorées. Vous pouvez aussi « habiller » un potage plus léger de quelques croûtons maison. Je ne suis pas partisane de décorer les assiettes de zigzags de sauce comme certains chefs réputés le font. En revanche, il importe de dresser les plats avec le plus grand soin, comme dans les meilleures maisons. On doit sentir que vous avez pris soin de disposer les mets de manière harmonieuse au lieu de vous contenter de les transvaser à la louche d'un récipient dans un autre ! Même en famille, cadre dans lequel on peut oublier certaines formalités, pensez à choisir des plats dont les teintes s'harmonisent avec le mets qu'ils contiennent et à donner à ce dernier un aspect aussi appétissant que possible.

Pensez aussi à votre table. Son décor peut être l'occasion d'évoquer la saison en cours. L'été, en particulier à la campagne, j'aime dresser des tables colorées, avec des sets de couleurs vives, unis ou imprimés. J'en assortis de différentes couleurs pour obtenir un ensemble plus amusant et plus original. Quand le temps fraîchit, je reviens aux unis, clairs ou sobres, et j'utilise plus souvent mes nappes. Les sets de table offrent un aspect plus moderne,

et les nappes se prêtent mieux aux tables plus traditionnelles. Dans les deux cas, je recommande des serviettes
en tissu. Plus élégantes que celles en papier (les laver et
les repasser ne représente pas un travail colossal), elles
apportent une touche d'attention supplémentaire. De
même, vérifiez toujours la propreté des verres, assiettes
et couverts.

Je ne dresse de couvert traditionnel avec multiples couverts, assiettes coordonnées, plusieurs tailles de verres, etc., que pour les occasions les plus formelles. Le
reste du temps, je préfère dépareiller volontairement les
services de table, cela me semble donner des résultats
plus intéressants. Inutile d'exhiber une ménagère complète pour obtenir un ensemble élégant. Personne ne
portera plainte si vous servez vin blanc et vin rouge dans
des verres identiques – ou dans le même verre. Si toutefois vous achetez un service de table complet, veillez
à choisir des motifs simples, propres à se marier avec
tous les linges de table, unis ou à motifs. Un style trop
chargé, ou trop particulier limite les possibilités de décor,
cela me semble regrettable. Il risque en outre d'empêcher
les mets placés dans les assiettes de bien ressortir. Vous
pouvez opter pour un type de vaisselle différent pour
chaque plat. Il m'arrive, par exemple, de servir les potages dans un assortiment de bols achetés chez un artisan
local, tous légèrement différents les uns des autres, puis
le plat principal dans des assiettes plus classiques. Si vous
comptez plus d'invités que d'assiettes identiques, mélangez deux motifs – ne jurant pas l'un avec l'autre, évidemment – en tâchant de respecter une certaine symétrie.
Alternez-les, par exemple comme les convives, homme,
femme, homme, femme. Vous pourrez accentuer cet
effet en utilisant aussi deux couleurs de serviettes de
table.

Une mode actuelle incite nombre d'hôtesses à proposer en guise d'amuse-gueules de minuscules portions de
potage dans des tasses à moka. Inutile de posséder des

modèles en porcelaine fine. De manière générale, utiliser à contre-emploi un service de table ordinaire constitue une bonne solution pour conférer à un dîner une ambiance plus décontractée. J'adore aussi préparer de petits ramequins garnis de salade de crabe, de flan aux légumes ou, bien sûr, de crème brûlée. Ces récipients contiennent une portion idéale... et on peut en glisser beaucoup plus que de petites assiettes dans un lave-vaisselle. Regardez vos richesses dans vos placards, et faites travailler votre imagination. Ainsi, si vous retrouvez de petites piques de bambou, pourquoi ne pas proposer des brochettes de fruits en guise de dessert au lieu d'une salade de fruits ? Je vous recommande néanmoins de ne pas abuser des présentations trop originales et de les abandonner dès qu'elles se banalisent, en particulier les idées empruntées aux traiteurs – je n'ai d'ailleurs jamais compris l'intérêt de servir de la purée de pommes de terre dans des verres à Martini.

Des festins toujours en mouvement

On réunirait plus fréquemment ses amis à la maison si la perspective de préparer un menu complet à leur intention ne décourageait parfois les meilleures volontés. Inutile de le nier, en dépit de tous les conseils et trucs que j'ai pu vous donner, cela demande du travail, du temps, sans parler du coût de telles agapes. D'où l'intérêt d'imaginer des formules permettant d'accueillir son entourage dans un cadre détendu et chaleureux, sans pour autant devoir envisager de prendre une journée de congé pour se mettre en cuisine.

Je n'invite pas pour l'apéritif en ville. Même avec les meilleures intentions du monde, cela implique de boire de l'alcool sur un estomac vide. Pour éviter cela, il faut proposer quelque chose à manger. Comme je ne suis pas femme à vider un sachet de chips dans un saladier pour nourrir mes invités, cela passe par la confection d'un assortiment de petits fours, donc une préparation assez longue. Autant inviter mes amis à dîner.

J'ai trouvé une solution à ce dilemme. J'organise des dégustations de fromage ou de desserts fonctionnant un peu comme une opération portes ouvertes. Le mot d'ordre : passez quand vous voulez entre telle et telle heure ; venez seul(e), accompagné(e), avec ou sans vos enfants ; restez aussi peu ou aussi longtemps que vous le souhaitez. Cette formule exige fort peu de préparatifs, aussi l'hôtesse peut-elle profiter pleinement de ses invités. Je convie aussi bien des amis de toujours que des personnes que je connais à peine, voire trop peu pour les recevoir de manière plus formelle. Chacun entre, fait un tour, reste dix minutes ou toute la soirée. Si vous souhaitez élargir votre cercle amical, demandez à vos invités de venir accompagnés.

J'organise ces dégustations principalement entre janvier et mars ; elles occupent à merveille un dimanche après-midi maussade, évitent de s'assoupir sur le canapé et aident à chasser les papillons noirs du blues hivernal. Si vous ne comptez pas recevoir dans une seule pièce, prévoyez de dresser une table ou un buffet dans chaque pièce, avec une sélection de mets différents. Avec une assistance moins nombreuse ou moins de place, vous pouvez tout installer sur une seule table.

Dégustation de fromages

Colette a dit : « Si j'avais un fils à marier, je lui dirais : "Méfie-toi de la jeune fille qui n'aime ni le vin, ni la truffe, ni le fromage, ni la musique." » Je pousserais pour ma part cette réflexion encore plus loin. Même si je ne pense pas que les amateurs de fromages sont nécessairement de bons conjoints, les personnes incapables d'apprécier ce plaisir gastronomique ne m'inspirent pas confiance.

Rappelons-le aux personnes qui se poseraient la question : non, manger du fromage ne fait pas grossir !

Les femmes de ma famille en mangeaient couramment souvent en lieu et place de dessert ; quand elle s'accordaient le plaisir de prendre des deux, elles veillaient à alléger le repas suivant (vous connaissez à présent la musique). À mon arrivée aux États-Unis, j'ai découvert que les Américains appréciaient le fromage, du moins certains d'entre eux, mais redoutaient l'installation de kilos superflus ou de plaques d'athérome dans leurs artères, ce qu'ils lui imputaient. D'abord, aucun aliment naturel ne fait grossir, à condition de le consommer avec modération. Ensuite, si l'on boit un peu de vin en même temps (voir le fameux « paradoxe français »), un apport raisonnable de fromage ne met pas le système cardio-vasculaire en péril. De toute manière, je reçois pour une dégustation, pas pour une orgie romaine avec un fromage entier par convive ! Une dégustation n'est pas un repas, il s'agit de goûter à un mets par pur plaisir sensoriel. S'il vous semble néanmoins avoir trop bien testé les fromages présentés, privez-vous de cet aliment pendant les quelques jours suivants. Vous pouvez aussi limiter votre dîner, ce soir-là, à un bol de potage ou à quelques fruits. Problème réglé.

Les fromages sont, comme chacun sait, préparés à partir de lait de vache, de chèvre, parfois de brebis, ou encore d'un mélange de plusieurs variétés. Selon les variétés et l'âge du produit, on distingue des fromages à pâte tendre, moyenne ou dure. Il existe des fromages crémeux et tendres, et d'autre secs, odorants et forts en bouche. Ces contrastes font tout l'intérêt d'une dégustation. La France en produit à elle seule plus d'un millier de variétés, bien plus d'un pour chaque jour de l'année, comme l'avait souligné le général de Gaulle. Il suffit cependant d'en sélectionner une douzaine pour obtenir un éventail représentatif ; pour un petit groupe, on peut même se contenter de six spécimens. À l'instar des œnophiles, certains amateurs de fromages peuvent disserter pendant des heures sur des variétés inconnues ; nul ne vous demande d'en faire autant, bien au contraire. Il s'agit seulement de faire découvrir à vos amis des produits que vous aimez. De toute façon, nul ne peut goûter et connaître mille fromages différents ! Quand bien même vous le feriez, il en resterait encore des milliers d'autres, encore inconnus, la fabrication de fromage étant encore plus répandue que celle du vin.

Je me contente fort bien de mon univers « limité » à une centaine de fromages. Je suis toujours prête à en goûter de nouveaux, mais je pense qu'un catalogue d'une centaine de variétés suffit amplement à fournir des références gustatives solides. Voici une douzaine de mes fromages préférés, regroupés par variétés proches, à choisir en fonction de la saison de la dégustation. La saveur d'un fromage dépend en effet de ce que l'animal dont le lait provient a mangé au moment de la traite – gras pâturages d'été ou foin d'hiver – et de sa durée de maturation. N'hésitez pas à demander conseil à votre fromager.

Fromages à pâte molle

Brillat-savarin – Ce fromage de lait de vache portant le nom du fameux gastronome possède un goût prononcé, une texture ultra-crémeuse et une teneur en matières grasses assez considérable.

Camembert – Cette spécialité normande est elle aussi préparée avec du lait de vache. Certains le débarrassent de sa croûte, d'autres non. Question de goût. Un bon fromager vous demandera quand vous comptez le manger, afin de vous donner un camembert fait à cœur. Ce fromage est bon toute l'année, à l'inverse de son cousin le brie, meilleur entre novembre et avril.

Fontina – Un fromage de lait de vache originaire d'Italie du Nord. La version tendre atteint sa maturité optimale entre avril et novembre, tandis que la version à pâte dure est meilleure l'hiver. Sa saveur douce, avec un arrière-goût de noisette et parfois de champignon, évoque un peu celle du morbier. Il s'agit d'un fromage relativement peu gras.

Gouda – Cette spécialité hollandaise, préparée à partir de lait de vache, et sa cousine la mimolette orangée comptent parmi mes fromages préférés.

Mozzarella – Ce fromage tendre devrait, dans l'idéal, être consommé dans les deux ou trois jours qui suivent sa fabrication ; il se prépare avec du lait de vache ou de bufflonne. Il est vendu toute l'année, mais se révèle plus parfumé au printemps.

Robiola – Ce fromage italien fait avec un mélange de laits présente une texture tendre et crémeuse avec une saveur douce. Le *taleggio* lui ressemble beaucoup.

Fromages à pâte dure

Beaufort – Fromage de lait de vache à consommer idéalement de novembre à avril, réputé pour ses arômes de fruits et de noix.

Cheddar – On trouve ce fromage de vache britannique tout au long de l'année. Sa saveur varie en fonction de son degré de maturation.

Comté – Un incontournable des plateaux de fromages français à base de lait de vache. Tout comme le parmesan, il existe en version vieillie à la saveur plus corsée.

Manchego – Ce fromage de brebis espagnol possède une saveur assez douce, avec des notes de noix et de sel.

Parmesan – Le parmesan, lui aussi à base de lait de vache, ne s'utilise pas uniquement râpé sur des pâtes. Frais, il se déguste aussi tel quel.

Pecorino – Fromage de brebis italien au goût puissant et légèrement fumé. La variété la plus connue porte l'appellation *romano*. Sec, on l'utilise surtout râpé. J'avoue en raffoler avec une larme de vin.

Fromages de la famille des bleus

Une moisissure de la variété *Penicillium* donne à ces fromages leurs veines bleutées caractéristiques. Voici un nouvel exemple de pourriture « noble ».

Bleu de Bresse – Fromage à base de lait de vache relativement doux et tendre évoquant un peu son cousin italien plus puissant, le *gorgonzola*.

Fourme d'Ambert – Spécialité auvergnate au lait de vache, puissante, avec un arrière-goût amer et une texture un peu granuleuse.

Roquefort – Fromage de brebis au goût prononcé, particulièrement savoureux entre avril et novembre.

Stilton – Le classique des tables anglaises, au lait de vache, atteint sa plénitude entre avril et novembre.

Fromages de chèvre

Il en existe un large éventail de variétés, fromages frais, mi-secs ou très secs. Certains d'entre eux se mangent fondus sur une tranche de pain grillé ; ils agrémentent aussi salades et omelettes. Bien souvent, on les désigne tout simplement sous le nom générique de « chèvre », avec parfois une indication de leur provenance. Parmi les plus connus figurent le crottin de Chavignol, le chabichou, le picodon de la Drôme, le pélardon, le sainte-maure et bien d'autres encore.

Fromages « extrêmes »
(du moins est-ce ainsi
que certains les considèrent)

Époisses – De ce fromage au lait de vache – à la pâte tendre et riche – puissant, se dégage une telle odeur que j'en mange exclusivement au restaurant (Edward déteste que j'en entrepose dans le réfrigérateur et je le comprends : il est redoutable !). L'époisses atteint sa plénitude entre avril et novembre.

Livarot – Sans doute le seul fromage qui sente encore plus fort que l'époisses...

Munster – Cette spécialité alsacienne possède une saveur proche de celle de l'époisses.

Vacherin – Fromage au lait de vache très crémeux et doté d'une saveur légèrement balsamique. Les amoureux de fromages d'exception raffolent de cette variété très parfumée présentant la particularité de se servir à l'aide d'une cuillère. Les meilleurs sont en vente de novembre à la mi-avril.

J'aime à proposer des vins et des fromages provenant de plusieurs pays. Libre à vous cependant de préférer un buffet exclusivement français ou à 100 % italien ! Si vous souhaitez servir un seul vin, optez pour du champagne, un vin blanc ou éventuellement du xérès sec glacé. Si vous voulez offrir à vos invités une expérience plus complexe et plus excitante, vous pouvez choisir un vin pour accompagner chaque fromage ou chaque groupe de fromages. Comme il s'agit uniquement d'une dégustation, pensez à servir ces vins en très petites quantités. Surveillez d'ailleurs discrètement le niveau des bouteilles de vin, sinon vous vous retrouverez avec une bacchanale gratinée sur les bras.

Si vous souhaitez orienter cette dégustation un peu plus vers le vin, proposez, au choix, un blanc et un rouge ; du champagne, du blanc, du rouge et des vins sucrés de dessert ; ou encore plusieurs blancs et plusieurs rouges. Voici quelques mariages que j'apprécie pour certains de mes fromages préférés.

Fromages à pâte molle : des vins blancs comme le riesling et des vins pétillants.

Fromages à pâte dure : des blancs dotés d'une certaine personnalité comme le chardonnay, et des rouges allant des plus légers aux plus puissants et complexes.

Fromages de chèvre : aussi bien des blancs comme le sancerre, le sauvignon blanc ou le chablis que, pour les variétés de chèvre plus sèches, des rouges énergiques comme le zinfandel ou le sangiovese.

Bleus : on les associe volontiers à des vins doux comme le sauternes ou le porto.

Même si vous surveillez la consommation de vin, lors d'une dégustation de vins et de fromages, le niveau sonore tend à monter assez rapidement. Pensez donc à prévenir vos voisins ou mieux encore à les inviter aussi.

J'aime disposer les fromages dans des assiettes sombres, noires ou vert bouteille, garnies de feuilles de vignes, afin d'obtenir un joli contraste visuel. Je prévois des tranches de baguette fraîche et grillée, et des tranches épaisses de pain multicéréale, de pain aux olives, de pain aux noix, ainsi que des crackers et des gressins. Et je choisis mes plus petites assiettes. Enfin, même si cela peut paraître un peu trop didactique, je trouve assez utile de disposer des petits cartons indiquant le nom des divers fromages, ainsi, chacun sait ce qu'il s'apprête à goûter. Les perfectionnistes pourront imprimer à l'intention de leurs invités la liste des vins et des fromages servis.

Buffet de desserts

Tout comme les dégustations de fromage, ce type de formule peut aller du plus simple au plus élaboré, selon la manière de l'organiser : quatre ou cinq desserts différents seulement, ou une douzaine, ou plus... Veillez cependant à ne pas risquer de vous retrouver avec un monceau de restes un peu trop tentants. Vous pouvez préparer les desserts vous-même (j'en confectionne pour ma part toujours au moins un ou deux) ou les acheter tout faits, ou même proposer à plusieurs amies d'apporter chacune sa spécialité. Dans mon cadre professionnel, il m'est arrivé d'organiser des buffets de desserts avec des chefs pâtissiers de renom. Chacun installait son propre étal proposant une de ses spécialités les plus réputées. Je dois le dire, on refuse rarement une telle invitation. Pour mes dégustations à la maison, je prévois aussi un buffet de boissons avec une sélection de vins doux et de champagne demi-sec. En réalité, surtout l'après-midi, on peut fort bien se contenter de proposer du café et du thé.

À présent, vous connaissez un peu mes goûts. Vous pouvez imaginer que mon buffet comporte toujours un dessert au citron (souvent une tarte), un dessert aérien – par exemple un soufflé chaud ou froid –, un gâteau traditionnel, quelques desserts à base de chocolat (petites crèmes, mousse, profiteroles), et une sélection de chocolats provenant des meilleurs faiseurs. Quand mes voyages me le permettent, je rapporte de Paris une boîte de chocolats de chez Christian Constant – sa ganache au cappuccino est un poème – et une autre de chez Jean-Paul Hévin, pour son balao, une ganache au caramel entourée de chocolat très noir légèrement amer. Vous pouvez aussi recourir aux sites Internet de fabricants réputés. Quoi qu'il en soit, n'oubliez jamais que c'est avant tout le geste qui compte, comme votre souci de faire plaisir à vos invités.

LAIT DE POULE AU JASMIN

(pour 4 à 6 personnes)

Toujours soucieuse de me distinguer – un trait de caractère bien français –, je ne puis résister au plaisir de vous donner cette recette originale. Un conseil d'amie : après des années passées à me creuser la cervelle pour inventer des recettes « uniques », j'ai fini par comprendre que rien ne m'interdisait de m'inspirer des créations d'autrui, en leur apportant ma touche personnelle. Ainsi, j'ai découvert ce dessert dans un restaurant, et il ne manque jamais de surprendre mes invités. N'hésitez donc pas à l'utiliser à votre tour pour faire courir un frisson dans vos propres tablées.

Voici quelques années, nous avons découvert le restaurant parisien L'Astrance avant qu'il devienne presque impossible d'y réserver une table. Nous avions en effet appris, je ne sais plus comment, que son chef et son directeur étaient des transfuges de L'Arpège, table étoilée dont nous raffolons pour les grandes occasions. Nous ne fûmes pas déçus, cette nouvelle adresse méritait à notre avis au moins deux étoiles. Quatre ans plus tard, le guide Michelin nous suivait sur ce plan. Par chance, nous y sommes encore accueillis comme de vieux amis. Le savoir et la créativité du jeune chef de L'Astrance forcent l'admiration ; après le dessert, on vous apporte une boîte d'œufs en carton remplie de coquilles décalottées comme celles des œufs à la coque et remplies jusqu'à mi-hauteur d'un liquide jaune pâle évoquant un peu la crème anglaise, en plus liquide. Il s'agit en fait d'un breuvage délicat parfumé au jasmin, à boire à même la coquille. Succès garanti, même avec les invités les plus blasés ! J'en propose souvent en Provence – j'ai même acheté une boîte à œufs en porcelaine spécialement à cet effet.

INGRÉDIENTS

3 jaunes d'œufs
2 cuillerées à soupe de sucre en poudre
25 cl de lait (entier ou demi-écrémé)
1 cuillerée à soupe de thé au jasmin froid (ou rhum ou tout autre digestif)

1. Battez les jaunes d'œufs avec le sucre jusqu'à ce que le mélange prenne une teinte pâle et triple de volume. Ajoutez le lait et le thé au jasmin sans cesser de fouetter.
2. Servez dans des coquilles d'œuf vides, au préalable nettoyées et essuyées.

BRIOCHE AU CHOCOLAT

(pour 4 personnes)

INGRÉDIENTS

4 tranches de
brioche de 2 à
3 cm (utilisez de
préférence une
brioche achetée la
veille ou
l'avant-veille)
4 barres de 4
carrés de chocolat
noir (de
préférence à plus
de 60 % de cacao)
1 cuillerée à soupe
+ 1 cuillerée à
café d'huile
d'olive
Sel de mer

1. Préchauffez le four à 165 °C.
2. Placez les tranches de brioche sur une plaque de cuisson recouverte de papier sulfurisé. Posez les barres de chocolat dessus, puis arrosez d'un peu d'huile d'olive et d'un soupçon de sel.
3. Faites cuire pendant 4 à 5 minutes jusqu'à ce que le chocolat ait fondu. Ajoutez la cuillerée à café d'huile restante et servez aussitôt.

MOELLEUX AU CHOCOLAT ET AUX NOIX

(pour 4 personnes)

INGRÉDIENTS

150 g de chocolat noir (à plus de 70 % de cacao)
120 g environ de sucre en poudre
75 g de farine
4 cuillerées à soupe de noix fraîches grossièrement hachées
2 œufs, blanc et jaune séparés
4 noix de beurre + 1 noix pour les moules

1. Préchauffez le four à 220 °C.
2. Cassez le chocolat en petits morceaux et faites-le fondre au bain-marie avec le beurre. Laissez refroidir puis ajoutez les jaunes d'œufs et la farine. Mélangez bien.
3. Battez les blancs d'œufs en neige et incorporez-les petit à petit au chocolat fondu. Faites de même pour le sucre.
4. Beurrez 4 moules creux individuels et remplissez-les de cette pâte jusqu'à mi-hauteur. Ajoutez une cuillerée à soupe de noix, puis recouvrez de pâte. Faites cuire au four pendant 12 à 14 minutes, jusqu'à ce qu'une croûte se forme sur le dessus, tandis que le cœur des moelleux reste tendre. Démoulez et servez chaud.

PETITS POTS AU CHOCOLAT

(pour 4 personnes)

INGRÉDIENTS

200 g de chocolat au lait cassé en morceaux
200 g de chocolat noir cassé en morceaux
30 cl de lait (entier ou demi-écrémé)
6 noix de beurre à température ambiante

1. Faites fondre le chocolat au bain-marie. Ajoutez le lait et mélangez bien. Incorporez le beurre au fouet, puis versez le tout dans des ramequins ou des petits moules ronds.
2. Réfrigérez pendant 2 heures avant de servir.

PETITS POTS AU CAFÉ

(pour 4 personnes)

INGRÉDIENTS

2 cuillerées à café
de poudre
d'expresso
85 g de sucre
3 jaunes d'œufs
25 cl de lait (entier
ou demi-écrémé)
12 cl de crème
épaisse
1 cuillerée à soupe
de vanille

1. Préchauffez le four à 160 °C. Mélangez le lait, la crème, le café en poudre et le sucre dans une casserole et chauffez à feu moyen. Retirez du feu. Incorporez la vanille.
2. Battez les jaunes d'œufs jusqu'à épaississement. Ajoutez peu à peu un quart du mélange sans cesser de fouetter. Versez en fouettant toujours les jaunes mélangés au reste du lait. Versez dans des ramequins ou de petits moules ronds, que vous placerez dans un plat allant au four empli d'eau à mi-hauteur. Enfournez 25 à 30 minutes.
3. Réfrigérez pendant 2 heures avant de servir.

PETITS POTS AU POTIRON

(pour 4 personnes)

INGRÉDIENTS

85 g de sucre
25 cl de lait (entier ou demi-écrémé)
12 cl de crème épaisse
12 cl de purée de potiron bio (en conserve)
3 jaunes d'œufs
2 cuillerées à soupe de noisettes grossièrement hachées
1 cuillerée à café d'extrait de vanille
1 pincée de toute-épice

1. Préchauffez le four à 160 °C. Mélangez le lait, la crème, la purée de potiron, le sucre et la toute-épice dans une casserole ; chauffez à feu moyen. Arrêtez lorsque le mélange est sur le point de bouillir. Incorporez la vanille.
2. Battez les jaunes jusqu'à épaississement. Ajoutez un quart du mélange précédent peu à peu, sans cesser de fouetter. Versez, en fouettant toujours, les jaunes mélangés au reste du premier mélange. Versez ensuite dans des ramequins ou des petits moules ronds, que vous placerez dans un plat allant au four empli d'eau à mi-hauteur.
3. Enfournez 25 à 30 minutes. Réfrigérez pendant 2 heures avant de servir. Touche finale : saupoudrez les ramequins de noisettes. Vous pouvez les faire griller rapidement à la poêle pour mieux libérer leur saveur.

Le brunch, c'est *in*

En dépit de leur prétendu chauvinisme, les Français adoptent volontiers des habitudes venues de l'étranger, pourvu qu'elles s'adaptent à leur mode de vie. Il en va ainsi de la diversification du petit déjeuner traditionnel : il ne se limite plus aux traditionnelles tartines beurre-confiture ni aux croissants. Il comporte désormais des céréales, de la charcuterie, parfois même des œufs, à l'image de ceux servis en Angleterre et aux États-Unis. Cette introduction des protéines dans le premier repas de la journée constitue un immense pas en avant. En effet, hormis le lait du classique café-crème et parfois un yaourt, le petit déjeuner français manquait cruellement de ce type de nutriment, bien plus efficace que les glucides pour tenir jusqu'au repas suivant.

De mon côté, j'ai adopté le principe du brunch dès mon installation à New York et j'en ai souvent organisé à la maison. J'ai constaté avec plaisir au cours de la dernière décennie que cette coutume s'était intégrée aux habitudes parisiennes. Chez certains, il remplace même aujourd'hui le traditionnel déjeuner dominical en famille qui, dans mon enfance, se prolongeait couramment jusqu'au milieu de l'après-midi. Voilà une évolution intéressante dans le maintien des traditions.

Qui dit brunch ne dit pas nécessairement orgie de nourriture. Pas question de dévorer des omelettes de quatre œufs suivies d'une pile de pancakes dégoulinant de beurre et de sirop d'érable. Il s'agit simplement de déguster tranquillement un éventail plus large d'aliments de qualité. Mes meilleures expériences en la matière se sont déroulées dans des hôtels, parmi lesquels le Four Seasons à San Francisco – où je m'accorde aussi rarement que possible le plaisir de savourer de succulentes crêpes à la ricotta –, le Meurice, à Paris, offrant un choix de croissants et de viennoiseries sans égal, et la Mirande, à Avignon, où l'on passerait volontiers l'après-midi à goûter les diverses variétés de fougasses et d'autres pains locaux, de miel et de confitures.

Cela dit, j'ai appris les secrets du brunch maison dans mon pays d'adoption. Je me rappelle notamment un brunch de charité organisé par une pétillante habitante de Nashville. Elle nous a servi un repas évoquant plus un déjeuner sur l'herbe qu'une variation sur le thème du petit déjeuner, avec du champagne et des mets aussi variés que du gruau de maïs (spécialité du Sud américain), des gaufres aux pêches et un merveilleux soufflé aux épinards – il m'a incitée à me demander si elle n'avait pas des origines françaises. Une autre fois, des amis anglophiles établis en Nouvelle-Angleterre nous ont préparé un vrai *breakfast* à l'anglaise avec scones à la crème et *bangers* (saucisses), le tout au coin du feu. Chez moi, à New York, j'aime combiner recettes françaises et américaines. Cela m'amène à offrir des œufs bio à la coque, du yaourt maison avec des flocons d'avoine, des croissants frais et de la brioche achetés dans la boulangerie voisine. (Si elle n'existait pas, je préparerais cette brioche moi-même, comme ma mère le faisait naguère ; les croissants demandent plus de travail, mais je relève encore de temps à autre le défis.) J'y ajoute de petits verres de jus d'orange fraîchement pressé et du café. Et comme aucun de ces breuvages ne désaltère réellement, je prévois toujours de l'eau en plus. Dès que le soleil brille, et même en automne si la température le permet, nous prenons notre brunch sur la terrasse. Nous nous levons de table vers 13 heures, ce qui nous laisse l'après-midi entier pour visiter une exposition, lire, faire quelques courses ou éventuellement une promenade à pied ou à bicyclette. Le brunch compte à mes yeux parmi les formules les plus décontractées pour recevoir, même si à l'origine il n'a rien de français !

Cocktail dînatoire

Le cocktail dînatoire représente un moyen terme entre un vrai dîner et une dégustation autour d'un thème. Et cette fois, je reprends une tradition bien française. Je dresse donc un buffet, mais le nom même de ce type de réception indique aux invités qu'il ne s'agira pas d'un dîner placé mais plutôt d'un apéritif ou d'un cocktail, en termes de durée et de mets proposés. Le terme dînatoire signifie : « Vous ne repartirez pas le ventre creux. » J'aime beaucoup l'idée, en particulier pendant la saison des fêtes, quand on a tant d'amis à voir et si peu de temps pour le faire.

Le cocktail dînatoire est une institution typiquement parisienne, mais au dernier Noël, notre amie Marie (qui habite Paris) en a organisé un en Provence. Ce qui m'a rappelé que, avec un minimum d'imagination, on peut faire des merveilles avec pas grand-chose. Elle avait acheté des olives, des noix et des petits fours salés chez le pâtissier du village, servis en guise d'apéritif avec un verre de champagne. Une heure plus tard, le « dîner » arrivait. Nous étions tous installés dans son salon autour d'un feu crépitant et elle a simplement posé un plateau sur la table basse. Fidèle aux traditions de la saison, elle avait choisi de nous proposer du saumon fumé et du foie gras sur du pain brioché grillé, le tout accompagné de sauternes. Rien de compliqué : il suffit de faire griller des tranches de brioche, de disposer le saumon et le foie gras dessus et de poser le tout sur un plateau ! Quant à nous, nous n'avions qu'à tendre le bras pour déguster ces canapés – pour une fois, pas question de festin en mouvement – et les grignoter tranquillement tout en bavardant, nous remémorant des anecdotes, riant et apprenant à mieux connaître les autres convives. Nul besoin d'argenterie pour recevoir ainsi.

Le premier secret d'un cocktail dînatoire réussi consiste à sélectionner un bon vin. Inutile d'acheter le plus cher, mais ne vous contentez pas non plus du premier prix. Montrez à vos hôtes que vous avez réfléchi à la question et cherché à leur faire plaisir. Vient ensuite la nourriture. Un menu soigneusement pensé peut faire un effet sans rapport avec les efforts fournis pour le préparer. Confectionnez vos spécialités et achetez tout le reste dans de bonnes maisons, ou commandez tout à l'extérieur et agencez l'ensemble intelligemment. Un petit panier d'œufs de caille durcis demande vraiment très peu d'efforts et fait grand effet. Le caviar, évidemment une solution idéale, ne convient pas à tous les budgets. Optez pour des œufs de poisson meilleur marché. Tous les produits artisanaux sont de bons choix. Pour les desserts, la simplicité se justifie aussi bien que des préparations plus compliquées. À vous de décider. Chez Marie, nous avons vu arriver un plateau de gâteaux traditionnels de saison et de biscuits. Certains ont continué à boire du sauternes, et d'autres sont passés au café ou au cognac. Simple, facile et délicieux.

Il s'agit là de grignotage, un peu comme les Espagnols le font avec leurs tapas ou les Libanais avec leurs mezze. En fait, on revient d'une certaine façon aux satisfactions les plus élémentaires apportées par la nourriture. En effet, avant l'apparition des fourchettes, au XVIe siècle, tout le monde mangeait avec ses doigts. En outre, le grignotage convient tout à fait à notre époque, car il règle simultanément deux de nos principaux problèmes : le manque de temps (non seulement, ils exigent fort peu de préparatifs, mais ils offrent une grande souplesse, car ils peuvent durer deux heures ou une soirée entière) et les excès caloriques. Les petites bouchées servies dans ce contexte me rappellent les petites choses préparées par ma mère dans mon enfance. En tout cas, elles représentent une bonne alternative pour les jours où on n'a tout simplement pas le temps de s'attabler pour un vrai dîner. Elles permettent de satisfaire les besoins de l'organisme en lui apportant de petites quantités de mets variés, savoureux et de qualité. Et comme vingt minutes après la première bouchée, le cerveau envoie un signal de satiété, voilà qui permet de garder la ligne sans se priver.

Un dernier conseil

Parfois, la perspective de recevoir nous emplit d'angoisse. Pourtant, après, nous sommes toujours contentes de l'avoir fait. Ne vous laissez donc pas décourager par la surcharge de travail et ces petits moments d'angoisse où l'on passe en revue toutes les catastrophes possibles. Lorsque vous doutez, demandez-vous, comme ma mère m'a appris à le faire, ce qui pourrait arriver de pire. Que votre gâteau ne lève pas, qu'un convive renverse du vin, qu'un autre se montre mal élevé ? Que le coût total de l'opération se révèle un peu plus lourd que prévu et que cela vous oblige à vous lever une heure plus tôt qu'à l'accoutumée pour les préparatifs, ou que votre chien dévore le foie gras ? Allons, rien de tout cela n'est bien grave et ne vous empêchera de poursuivre le cours normal de votre existence. Et rappelez-vous que la plupart du temps, tout se passe bien ! Vos invités passeront un excellent moment et cette réception vous laissera une impression de bien-être durable. Alors, lancez-vous ! Même s'il s'agit avant tout de donner, en réalité vous recevrez bien davantage.

TABLE DES MATIÈRES ET DES RECETTES

Bienêtre

8584

Composition : PCA
Achevé d'imprimer en France (Malesherbes)
par Maury-Imprimeur
le 22 janvier 2008.
Dépôt légal janvier 2008. EAN 9782290007075

Éditions J'ai lu
87, quai Panhard-et-Levassor, 75013 Paris
Diffusion France et étranger : Flammarion

DATE DUE FOR RETURN